Edición bilingüe
Bendecidos

Autores de la serie

Rev. Richard N. Fragomeni, Ph.D.
Maureen Gallagher, Ph.D.
Jeannine Goggin, M.P.S.
Michael P. Horan, Ph.D.

Corredactora y asesora para la Sagrada Escritura
Maria Pascuzzi, S.S.L., S.T.D.

Asesor para el patrimonio cultural hispánico y latinoamericano
Rev. Virgilio Elizondo, S.T.D., Ph.D.

The Ad Hoc Committee to Oversee the Use of the Catechism, United States Conference of Catholic Bishops, has found this catechetical series, copyright 2008, to be in conformity with the *Catechism of the Catholic Church*.

El Comité Ad Hoc para Supervisar el Uso del Catecismo, de la Conferencia de Obispos Católicos de los Estados Unidos, consideró que esta serie catequética, copyright 2008, está en conformidad con el *Catecismo de la Iglesia Católica*.

Cincinnati, Ohio

Multicultural Consultant
Angela Erevia, M.C.D.P., M.R.E.

Language Consultants
Verónica Esteban, Stefan Nikolov, Luz Nuncio Schick

Hispanic Consultants
Rev. Antonio Almonte
Humberto Ramos
Rev. Carlos Zuñiga
Consuelo Wild and the National Catholic Office for the Deaf
Mexican American Cultural Center

Music Advisors
Tony Alonso and GIA Publications

Níhil Óbstat
M. Kathleen Flanagan, S.C., Ph.D.
Censor Librorum

Imprimátur
✠ Reverendísimo Arthur J. Serratelli
Obispo de Paterson
4 de enero de 2007

El níhil óbstat y el imprimátur son declaraciones oficiales de que un libro o folleto no contiene ningún error doctrinal ni moral. Dichas declaraciones no implican que quienes han otorgado el níhil óbstat y el imprimátur estén de acuerdo con el contenido, las opiniones o los enunciados expresados.

Acknowledgments
Excerpts from *Catholic Household Blessings and Prayers* (revised edition) ©2007, United States Conference of Catholic Bishops, Washington, D.C.

Excerpts from the *New American Bible* with Revised New Testament Copyright © 1986, 1970 Confraternity of Christian Doctrine, Inc., Washington, DC. Used with permission. All rights reserved. No portion of the *New American Bible* may be reprinted without permission in writing from the copyright holder.

Excerpts from *La Biblia Latinoamericana* © 1972 by Bernardo Hurault and the Sociedad Bíblica Católica Internacional (SOBICAIN), Madrid, Spain, used with permission. All rights reserved.

All adaptations of Scripture are based on the *New American Bible* with Revised New Testament Copyright © 1986, 1970 Confraternity of Christian Doctrine, Inc., Washington, DC, and on *La Biblia Latinoamericana* © 1972.

Excerpts from the English translation of the *Rite of Marriage* © 1969, International Committee on English in the Liturgy, Inc. (ICEL); excerpts from the English translation of the *Rite of Baptism for Children* © 1969, ICEL; excerpts from the English translation of the *Rite of Penance* © 1974, ICEL; excerpts from the English translation of *Eucharistic Prayers for Masses with Children* © 1975, ICEL; excerpts from the English translation of the *Rite of Confirmation*, Second Edition © 1975, ICEL; excerpts from the English translation of the *Liturgy of the Hours* © 1976, ICEL; excerpts from *Pastoral Care of the Sick: Rites of Anointing and Viaticum* © 1982, ICEL; excerpts from the English translation of *The Roman Missal*, Third Edition © 2010, ICEL; excerpts from the English translation of the *Rite of Christian Initiation of Adults* © 1985, ICEL. All rights reserved.

Excerpts from the Spanish translation of *Ritual para el Matrimonio* © 2007, Conferencia del Episcopado Mexicano and Obra Nacional de la Buena Prensa, A.C.; excerpts from the Spanish translation of *Ritual para el Bautismo de los niños* © 1975, Comisión Episcopal de Pastoral Litúrgica de México and Obra Nacional de la Buena Prensa, A.C.; excerpts from the Spanish translation of *Ritual de la Penitencia* © 1975, Conferencia del Episcopado Mexicano and Obra Nacional de la Buena Prensa, A.C.; excerpts from the Spanish translation of *Plegarias Eucarísticas para las Misas con niños* © 1975, Conferencia del Episcopado Mexicano and Obra Nacional de la Buena Prensa, A.C.; excerpts from the Spanish translation of *Ritual para la Confirmación (Second Edition)* © 1998 and 1999, Conferencia del Episcopado Mexicano and Obra Nacional de la Buena Prensa, A.C.; excerpts from the Spanish translation of *Liturgia de las horas*, © 2006, Obra Nacional de la Buena Prensa, A.C.; excerpts from *Cuidado Pastoral de los Enfermos: Ritos de la Unción y del Viático* © 1993, Comisión Episcopal de Pastoral Litúrgica de México and Obra Nacional de la Buena Prensa, A.C.; excerpts from the Spanish translation of *Misal Romano*, © 1975, Conferencia del Episcopado Mexicano and Obra Nacional de la Buena Prensa, A.C.; excerpts from the Spanish translation of *Ritual de la Iniciación Crisitiana de Adultos* © 1993, Obra Nacional de la Buena Prensa, A.C. All rights reserved.

Credits
COVER: Gene Plaisted, OSC/The Crosiers

SCRIPTURE ART: Tim Ladwig

ALL OTHER ART: 32-33, 46-47, 92-93(T), 134-135, 226-227(T), 272-273 Roman Dunets; 34-35, 92-93(B) Tom Sperling; 48-49, 350-351 Martha Doty; 52-53, 218-219 Kelly Kennedy; 56-59 Scott Cameron; 60-61 Tim Ladwig; 62-63, 234-235 Amanda Harvey; 66-67, 126-127, 146-147, 246-241, 292-293(T) David Helton; 76-79, 136-137(B), 196-197, 256-257, 316-317(B), 398-399 Wendy Rasmussen; 80-81, 122-123, 362-363 Bernadette Lau; 100-101, 228-229 Bernard Adnet; 128-129 Morella Fuenmayor; 136-137(T) Julie Monks; 154-155 Freddie Levin; 160-161 Marion Eldridge; 168-169 Marcie Hawthorne; 174-175 Linda Howard Bittner; 182-183 Jack McMaster; 206-207, 240-247 Diana Magnuson; 212-213 Patti Green; 220-221, 302-303 Chris Reed; 226-227(B) Gershom Griffith; 266-267 Sandy Rabinowitz; 288-289 Terra Muzick; 292-293(B), 330-331 Lauren Cryan; 294-295 Claude Martinot; 308-309, 416 Elizabeth Wolf; 316-317(T) Teresa Berasi; 322-323, 358-359 Robin DeWitt; 324-327 David Bathurst; 338-339 Jackie Snider; 346-347 Donna Perrone; 354-355, 400-401 Cindy Rosenheim

PHOTOS: Every effort has been made to secure permission and provide appropriate credit for photographic material. The publisher deeply regrets any omission and pledges to correct errors called to its attention in subsequent editions. Unless otherwise acknowledged, all photographs are the property of Scott Foresman, a division of Pearson Education.

14(TC) Gene Plaisted, OSC/The Crosiers; 15 Durhan St. Methodist Church, New Zealand/SuperStock; 16 © W.P. Whittman; 17 Richard Cummins/Folio Inc.; 22-23(Bkgd) Robert F. Sisson/NGS Image Collection; 22-23(Inset) Yavneh Publishing House Ltd.; 26-27 Frank Siteman/Index Stock Imagery; 36-37(Bkgd) Tom Brakefield/Image Works; 42-45 Chris Sheridan/Catholic New York; 46-47 Rykoff Collection/Corbis; 50-51(Bkgd) A. Tjagny-Rjadno; 54-55 Mike Brinson/Getty Images; 64-65(Bkgd) Aliki Sapountzi/Aliki Image Library/Alamy Images; 68-69(B) David Young-Wolff/PhotoEdit; 68-69(T) Lawrence Migdale/Stock Boston; 78-79(Bkgd) ©Paul Edmondson/Stone; 82-83(Bkgd) ©Sonia Halliday Photographs; 82-83(Inset) Bridgeman Art Library; 86-87(T) William Zdinak, Artist; 92-93(CR) Sarah Johnson; 92-93(BR) June Jamison Thorne; 94-95(T) David Young-Wolff/PhotoEdit; 94-95(B) John Welzenbach/Corbis; 96-97(Bkgd) William Waterfall/©PACIFIC STOCK; 96-97(Inset) Richard Hutchings/PhotoEdit; 100-101 Myrleen Ferguson Cate/PhotoEdit; 108-109 Jim Whitmer; 108-109(Inset) Jim Whitmer; 110-111(L) Richard Lord; 110-111(Bkgd) Bob Daemmrich/Stock Boston; 114-115 ©W.P. Wittman; 120-121(BL) Corbis; 124-125(Bkgd) H. David Seawell/Corbis; 138-139 Getty Images; 142-143(Bkgd) ©Sonia Halliday Photographs; 142-143(Inset) ©Sonia Halliday Photographs; 156-157(Bkgd) Stefano Amantini/ATLANTIDE/Bruce Coleman Inc.; 160-161(T) Myrleen Ferguson Cate/PhotoEdit; 162-163 Gene Plaisted, OSC/The Crosiers; 170-171 David Young-Wolff/PhotoEdit; 180-181 The Nicholas Green Foundation/@Sculpted and designed by Bruce Hasson; 184-185 E. R. Degginger/Bruce Coleman Inc.; 188-189(T) Gene Plaisted, OSC/The Crosiers; 188-189(B) Tom McCarthy/Photri, Inc.; 198-199(Inset) ©Myrleen Cate Pearson; 198-199(Bkgd) Index Stock Imagery; 202-203(Bkgd) ©Richard T. Nowitz; 202-203(Inset) ©Copyright The British Museum/Photo:/DK Images; 216-217(Inset) Arthur Tilley/Getty Images; 216-217(Bkgd) SuperStock; 230-231(Bkgd) John Shaw/Bruce Coleman Inc.; 244-245(Bkgd) Thomas Winz/Panoramic Images; 244-245(Inset) Myrleen Ferguson Cate/PhotoEdit; 258-259(Bkgd) Thomas Winz/Panoramic Images; 258-259(Inset) © W.P. Whittman; 263-263(Bkgd) ©Sonia Halliday Photographs; 263-263(Inset) Erich Lessing/Art Resource, NY; 272-273 The Granger Collection, New York; 274-275(L) ©W.P. Wittman; 274-275(R) James L. Shaffer; 276-277(Bkgd) Bonnie Kamin/PhotoEdit; 280-281 Bill Horsman/Stock Boston; 282-285 AP/Wide World; 286-287 ©Stephen R. Swan/Canstock Images, Inc./Index Stock Imagery; 290-291(Bkgd) Gene Plaisted, OSC/The Crosiers; 290-291(T) Gene Plaisted, OSC/The Crosiers; 290-291(C) The Cummer Museum of Art and Gardens, Jacksonville, Florida/SuperStock; 290-291(B) Gene Plaisted, OSC/The Crosiers; 300-301 ©Bettmann/Corbis; 302-303(T) Bob Daemmrich/Stock Boston; 302-303(B) Spencer Grant/Stock Boston; 304-305(Bkgd) Robert Frerck/Stone; 308-309 ©Peter Turnley/Corbis; 318-319 Ed Honowitz/Stone; 332-333 Corbis; 336-337 Fr. Carl B. Trutter, O.P.; 342-343 Dorothy Greco/Image Works; 344-345 Jim Whitmer; 348-349 SuperStock; 356-357(T) Myrleen Ferguson Cate/PhotoEdit; 356-357(B) ©Bill Wittman; 360-361 ©W.P. Wittman; 364-365 Galleria Palatina, Palazzo Pitti, Florence, Italy/Scala/Art Resource, NY; 372-373(T) Gene Plaisted, OSC/The Crosiers; 374-375 Gene Plaisted, OSC/The Crosiers; 376-377 ©W.P. Wittman; 386-387 Mary Kate Denny/PhotoEdit; 392-393 Myrleen Cate/Index Stock Imagery; 396-397 Jim Whitmer

ISBN–13: 978-1-4182-5299-1
ISBN–10: 1-4182-5299-9

8th Printing. January 2014.

CONTENIDO

DÍAS FESTIVOS Y TIEMPOS

NUESTRA HERENCIA CATÓLICA

Organizado de acuerdo con los 4 pilares del Catecismo

CONTENTS

FEASTS AND SEASONS

OUR CATHOLIC HERITAGE

Organized according to the 4 pillars of the Catechism

La Biblia
The Bible

Y la Palabra se hizo carne, puso su tienda entre nosotros.

Juan 1:14

The Word became flesh and made his dwelling among us.

John 1:14

La Biblia

La Biblia es la Palabra de Dios. La Biblia es la historia de Dios y su pueblo.

Creemos que Dios es verdaderamente el autor de la Biblia, porque el Espíritu Santo inspiró a las personas que la escribieron.

La Biblia es una colección de setenta y tres libros. Está dividida en dos partes.

La primera se llama Antiguo Testamento. En el Antiguo Testamento hay cuarenta y seis libros. En estos libros encontramos relatos, leyes, historia, poesía y oraciones. Leemos el Antiguo Testamento para aprender acerca del pueblo de Dios antes de que Jesús naciera.

La segunda parte de la Biblia se llama Nuevo Testamento. En el Nuevo Testamento hay veintisiete libros, que incluyen los cuatro Evangelios, las cartas de San Pablo y otros escritos de los Apóstoles y de los primeros cristianos. Leemos el Nuevo Testamento para aprender acerca de la vida de Jesús y de los primeros cristianos.

La Biblia es muy importante para el culto católico. En la Misa dominical y en los días de fiesta, escuchamos una lectura del Antiguo Testamento y dos lecturas del Nuevo Testamento. Una lectura del Nuevo Testamento se toma siempre del Evangelio.

Puedes aprender más acerca de la Biblia en el Capítulo 3.

The Bible is the Word of God. The Bible is the story of God and his people.

We believe that God is truly the author of the Bible because the Holy Spirit inspired the people who wrote it.

The Bible is a collection of seventy-three books. It is divided into two parts. The first is called the Old Testament. There are forty-six books in the Old Testament. These books include stories, laws, history, poetry, and prayers. We read the Old Testament to learn about God's people before Jesus was born.

The second part of the Bible is called the New Testament. There are twenty-seven books in the New Testament, which includes the four Gospels, the letters of Saint Paul, and other writings of the Apostles and early Christians. We read the New Testament to learn about the life of Jesus and the early Christians.

The Bible is very important for Catholic worship. At Sunday Mass and on holy days, we hear a reading from the Old Testament and two readings from the New Testament. One reading from the New Testament is always from the Gospel.

You can learn more about the Bible in Chapter 3.

Actividad

Encontrar un texto de la Biblia

Buscar pasajes en la Biblia no es como buscar algo en un libro de cuentos o en un libro de texto. Cada libro de la Biblia está dividido en capítulos y cada capítulo tiene un número. Los capítulos están divididos en versículos, que pueden contener una frase o más. Los versículos también tienen números.

El siguiente ejemplo te ayudará a aprender a buscar pasajes de la Biblia.

Libro	Capítulo	Versículo
Sirácida	6	14

Usar la Biblia

Las siguientes referencias de la Biblia se relacionan con los relatos que leerás este año. Usa tu Biblia para buscar estos pasajes. En el espacio junto a cada referencia, escribe el título del relato de la Sagrada Escritura.

Éxodo 20:1–17 ____________________

Mateo 6:9–13 ____________________

Mateo 5:3–10 ____________________

Juan 13:31–35 ____________________

Lucas 15:11–32 ____________________

____

Mateo 20:1–16 ____________________

Activity

Finding a Bible Text

Finding passages in the Bible is not like finding something in a story book or a textbook. Each book of the Bible is divided into chapters, and each chapter has a number. The chapters are divided into verses, which may contain one or more sentences. Verses also have numbers.

The following example will help you learn how to look up passages from the Bible.

Book	Chapter	Verse
Sirach	6	14

Using the Bible

The following Bible references relate to stories you will read about this year. Using your Bible, look up these passages. In the space next to each reference, write the title of the Scripture story.

Exodus 20:1–17 ______________________________

Matthew 6:9–13 ______________________________

Matthew 5:3–10 ______________________________

John 13:31–35 ______________________________

Luke 15:11–32 ______________________________

____

Matthew 20:1–16 ______________________________

OREMOS

La Señal de la Cruz

En el nombre del Padre
y del Hijo
y del Espíritu Santo.
Amén.

El Padre Nuestro

Padre nuestro,
que estás en el cielo,
santificado sea tu Nombre;
venga a nosotros tu reino;
hágase tu voluntad en
la tierra como en el cielo.
Danos hoy nuestro pan de
cada día;
perdona nuestras ofensas,
como también nosotros
perdonamos a los que
nos ofenden;
no nos dejes caer en
la tentación,
y líbranos del mal.
Amén.

El Ave María

Dios te salve, María, llena
eres de gracia;
el Señor es contigo.
Bendita Tú eres entre todas las
mujeres,
y bendito es el fruto de tu
vientre, Jesús.
Santa María, Madre de Dios,
ruega por nosotros, pecadores,
ahora y en la hora de nuestra
muerte.
Amén.

Gloria al Padre

Gloria al Padre
y al Hijo
y al Espíritu Santo.
Como era en el principio,
ahora y siempre,
por los siglos de los siglos.
Amén.

LET US PRAY

The Sign of the Cross

In the name of the Father,
and of the Son,
and of the Holy Spirit.
Amen.

The Lord's Prayer

Our Father,
who art in heaven,
hallowed be thy name;
thy kingdom come,
thy will be done on earth
as it is in heaven.
Give us this day
our daily bread,
and forgive us our
trespasses,
as we forgive those
who trespass against us;
and lead us not into
temptation, but
deliver us from evil.
Amen.

The Hail Mary

Hail, Mary, full of grace,
the Lord is with thee.
Blessed art thou among women
and blessed is the fruit
of thy womb, Jesus.
Holy Mary, Mother of God,
pray for us sinners,
now and at the hour
of our death.
Amen.

Glory Be

Glory be to the Father
and to the Son
and to the Holy Spirit,
as it was in the beginning
is now, and ever shall be
world without end.
Amen.

Oración del Penitente

Dios mío,
me arrepiento de todo corazón
de todo lo malo que he hecho
y de todo lo bueno que he dejado
de hacer,
porque pecando te he ofendido a ti,
que eres el sumo bien y digno de ser
amado sobre todas las cosas.
Propongo firmemente, con tu gracia,
cumplir la penitencia,
no volver a pecar
y evitar las ocasiones de pecado.
Perdóname, Señor,
por los méritos de la pasión
de nuestro Salvador Jesucristo.

Ritual de la Penitencia

Las Últimas Siete Palabras de Cristo

Primera Palabra "Padre, perdónalos, porque no saben lo que hacen".

Segunda Palabra "Hoy mismo estarás conmigo en el Paraíso".

Tercera Palabra "Mujer, ahí tienes a tu hijo... ahí tienes a tu madre".

Cuarta Palabra "Dios mío, Dios mío, ¿por qué me has abandonado?"

Quinta Palabra "Tengo sed".

Sexta Palabra "Todo está cumplido".

Séptima Palabra "Padre, en tus manos encomiendo mi espíritu".

Oración a Nuestra Señora de Guadalupe

Salve, ¡oh, Virgen de Guadalupe,
Emperatriz de las Américas!
Mantén por siempre bajo tu poderoso
patronato la pureza y la integridad de
nuestra Santa Fe en todo el continente
americano.

Amén.

Papa Pío XII
Versión traducida

Act of Contrition

My God,
I am sorry for my sins with all my heart.
In choosing to do wrong
and failing to do good,
I have sinned against you
whom I should love above all things.
I firmly intend, with your help,
to do penance,
to sin no more,
and to avoid whatever leads me to sin.
Our Savior Jesus Christ
suffered and died for us.
In his name, my God, have mercy.

Rite of Penance

The Seven Last Words of Christ

First Word "Father, forgive them, they know not what they do."

Second Word "Today you will be with me in Paradise."

Third Word Woman, behold, your son... Behold, your mother."

Fourth Word "My God, my God, why have you forsaken me?"

Fifth Word "I thirst."

Sixth Word "It is finished."

Seventh Word "Father, into your hands I commend my spirit."

Prayer to Our Lady of Guadalupe

Hail, O Virgin of Guadalupe,
Empress of America!
Keep forever under your powerful patronage
the purity and integrity of Our Holy Faith
on the entire American continent.

Amen.

Pope Pius XII

El Credo de los Apóstoles

Creo en Dios, Padre todopoderoso,
Creador del cielo y de la tierra.
Creo en Jesucristo, su único Hijo,
nuestro Señor,
que fue concebido por obra y gracia del Espíritu Santo,
nació de Santa María Virgen,
padeció bajo el poder de Poncio Pilato,
fue crucificado, muerto y sepultado,
descendió a los infiernos,
al tercer día resucitó de entre los muertos,
subió a los cielos
y está sentado a la derecha de Dios, Padre Todopoderoso.
Desde allí ha de venir a juzgar a vivos y muertos.

Creo en el Espíritu Santo,
la santa Iglesia Católica,
la comunión de los santos,
el perdón de los pecados,
la resurrección de la carne
y la vida eterna.

Amén.

The Apostles' Creed

I believe in God,
the Father almighty,
Creator of heaven and earth,
and in Jesus Christ, His only Son, our Lord,
who was conceived by the Holy Spirit,
born of the Virgin Mary,
suffered under Pontius Pilate,
was crucified, died, and was buried;
he descended into hell;
on the third day he rose again from the dead;
he ascended into heaven,
and is seated at the right hand of God the
  Father almighty;
from there he will come to judge
  the living and the dead.

I believe in the Holy Spirit,
the holy catholic Church,
the communion of saints,
the forgiveness of sins,
the resurrection of the body,
and life everlasting.

Amen.

El Rosario

El **Rosario** es una oración que honra a María, la madre de Jesús, y que nos ayuda a meditar en la vida de Cristo. Para rezar el Rosario usamos un conjunto de cuentas. Un grupo de diez cuentas se llama decena. Antes de cada decena, recuerda uno de los misterios, o momentos importantes de la vida de María y de Jesús. Hay veinte misterios, que aparecen a la derecha. Las oraciones para las cuentas son las siguientes.

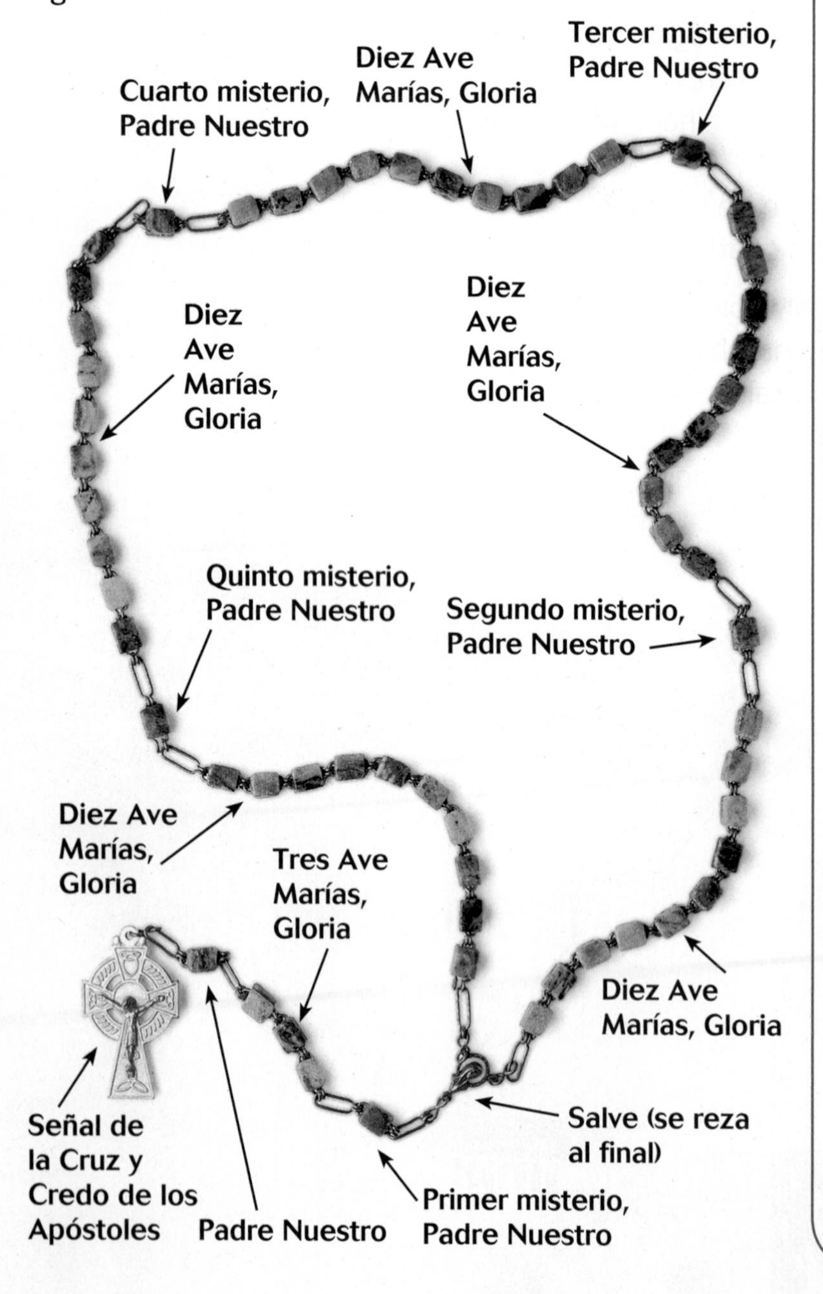

Los Misterios del Rosario

Los Misterios Gozosos

1. La Anunciación
2. La Visitación
3. El nacimiento de Jesús
4. La presentación de Jesús en el Templo
5. El hallazgo de Jesús en el Templo

Los Misterios Luminosos

1. El Bautismo de Jesús
2. La boda de Caná
3. La proclamación del Reino de Dios
4. La transfiguración
5. La institución de la Eucaristía en la Última Cena

Los Misterios Dolorosos

1. La agonía en el huerto
2. La flagelación en la columna
3. La coronación de espinas
4. La cruz a cuestas
5. La Crucifixión

Los Misterios Gloriosos

1. La Resurrección
2. La Ascensión
3. La venida del Espíritu Santo en Pentecostés
4. La Asunción de María
5. La coronación de María como Reina del Cielo

The Rosary

The **Rosary** is a prayer that honors Mary, the mother of Jesus, and helps us meditate on the life of Christ. We pray the Rosary using a set of beads. A group of ten beads is called a decade. Before each decade, recall one of the mysteries, or important times in the lives of Mary and Jesus. There are twenty mysteries, shown at right. The prayers for the beads are shown below.

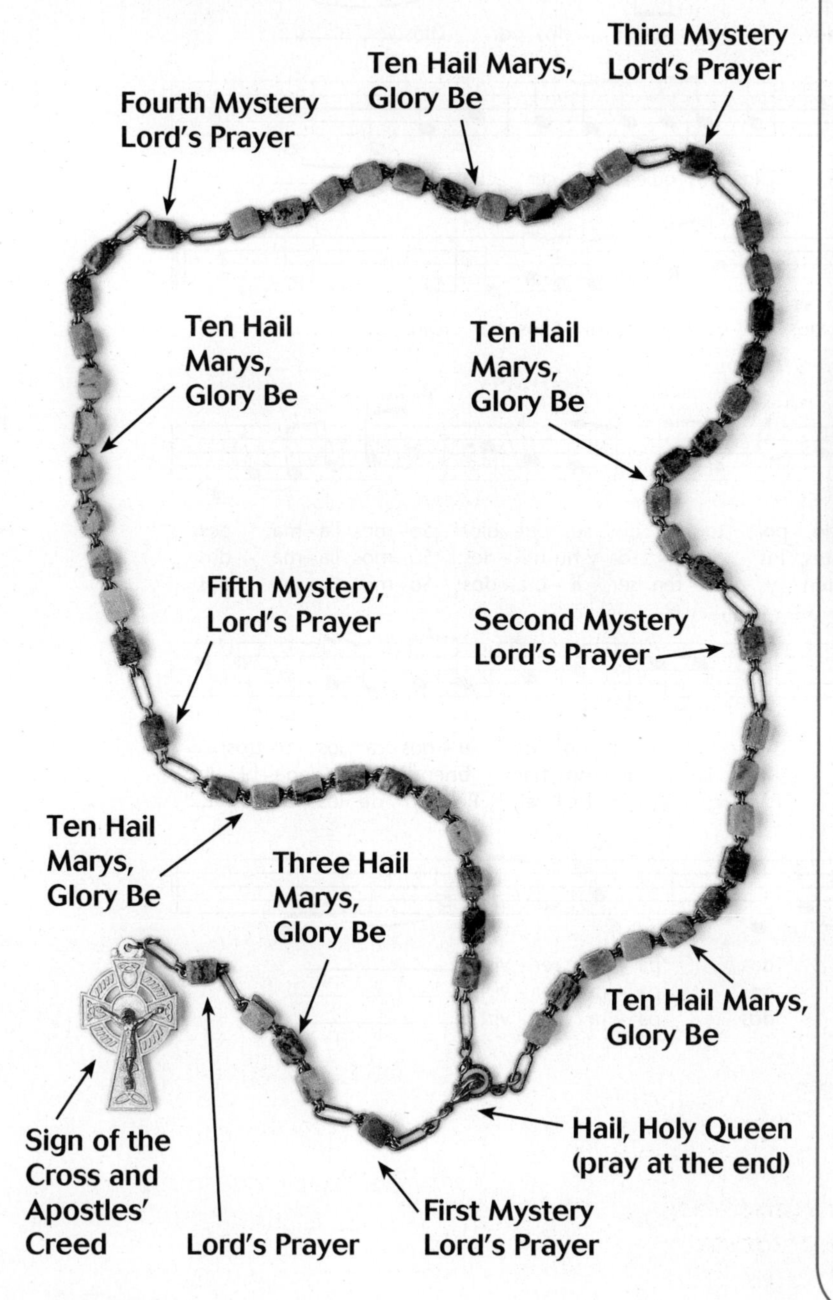

The Mysteries of the Rosary

The Joyful Mysteries

1. The Annunciation
2. The Visitation
3. The Nativity
4. The Presentation in the Temple
5. The Finding of the Child Jesus After Three Days in the Temple

The Luminous Mysteries

1. The Baptism at the Jordan
2. The Miracle at Cana
3. The Proclamation of the Kingdom and the Call to Conversion
4. The Transfiguration
5. The Institution of the Eucharist

The Sorrowful Mysteries

1. The Agony in the Garden
2. The Scourging at the Pillar
3. The Crowning with Thorns
4. The Carrying of the Cross
5. The Crucifixion and Death

The Glorious Mysteries

1. The Resurrection
2. The Ascension
3. The Descent of the Holy Spirit at Pentecost
4. The Assumption of Mary
5. The Crowning of the Blessed Virgin as Queen of Heaven and Earth

BENDECIDOS

Texto: David Haas, trad. por Ronald F. Krisman
Música: David Haas

Blest Are We

Text: David Haas
Tune: David Haas

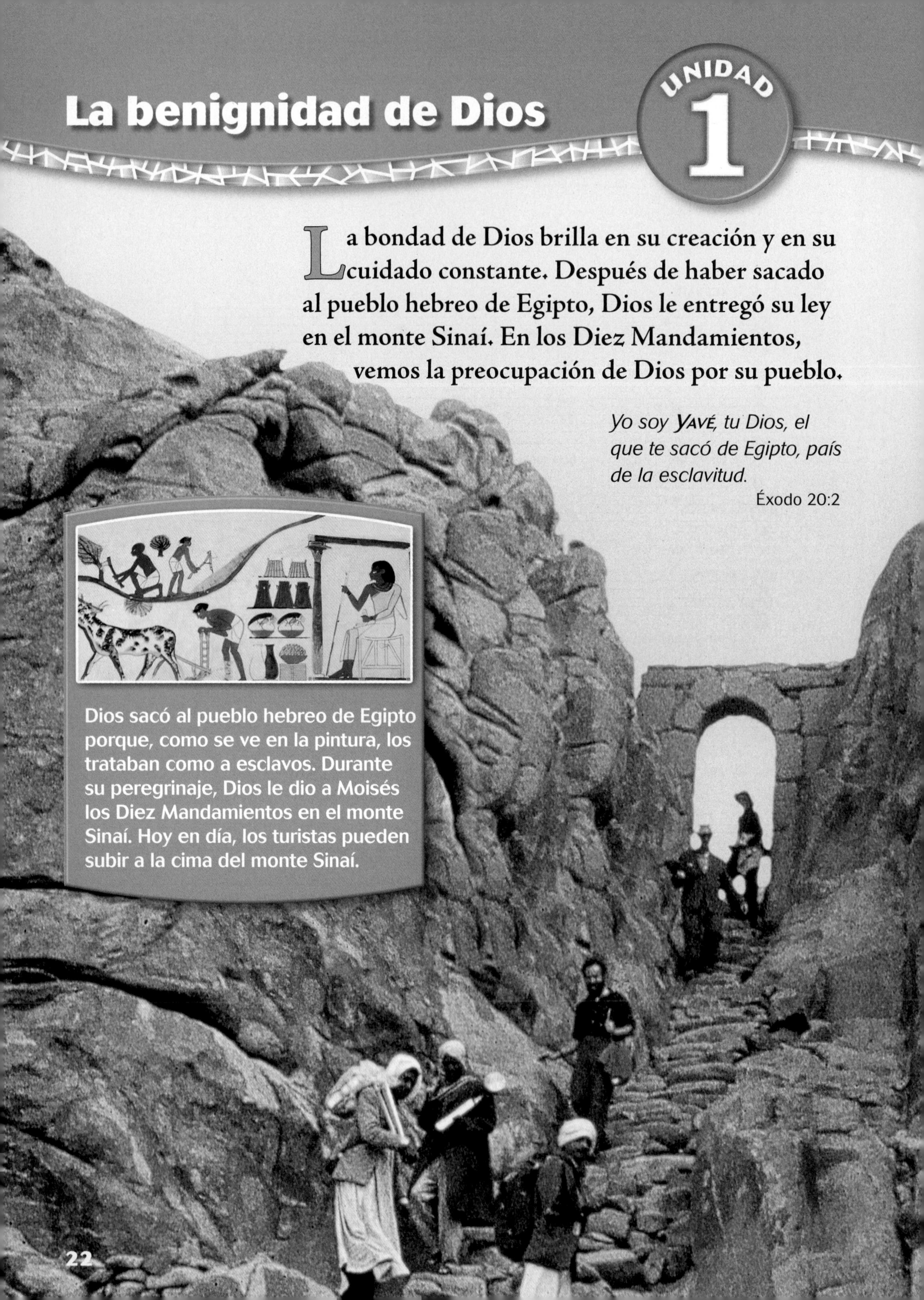

La benignidad de Dios

UNIDAD 1

La bondad de Dios brilla en su creación y en su cuidado constante. Después de haber sacado al pueblo hebreo de Egipto, Dios le entregó su ley en el monte Sinaí. En los Diez Mandamientos, vemos la preocupación de Dios por su pueblo.

*Yo soy **YAVÉ**, tu Dios, el que te sacó de Egipto, país de la esclavitud.*

Éxodo 20:2

Dios sacó al pueblo hebreo de Egipto porque, como se ve en la pintura, los trataban como a esclavos. Durante su peregrinaje, Dios le dio a Moisés los Diez Mandamientos en el monte Sinaí. Hoy en día, los turistas pueden subir a la cima del monte Sinaí.

The Goodness of God

UNIT 1

God's goodness shines forth in his creation and in his constant care. After he had led the Hebrew people out of Egypt, God gave them his law on Mount Sinai. In the Ten Commandments, we see God's concern for his people.

I, the ***Lord****, am your God, who brought you out of the land of Egypt, that place of slavery.*
Exodus 20:2

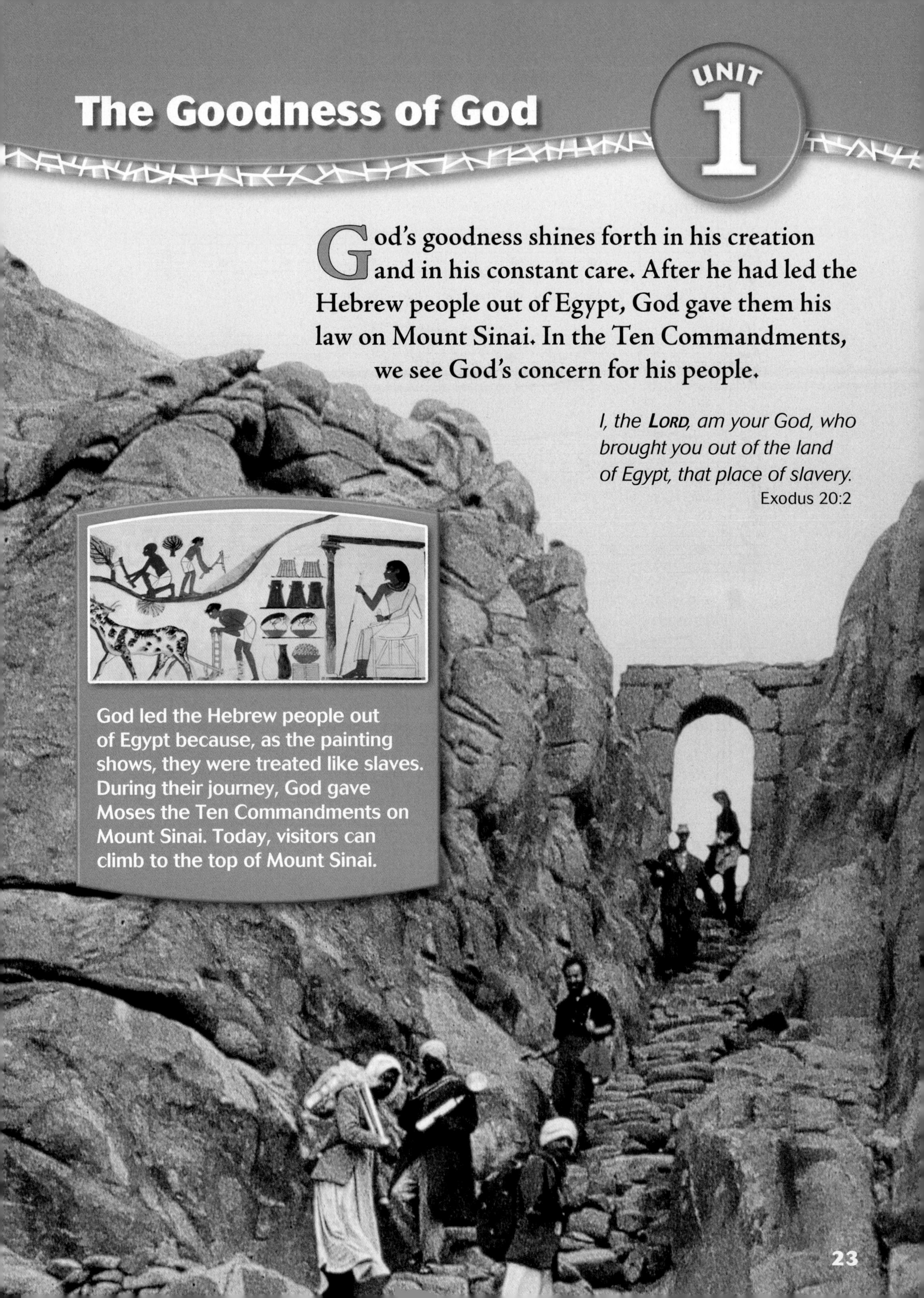

God led the Hebrew people out of Egypt because, as the painting shows, they were treated like slaves. During their journey, God gave Moses the Ten Commandments on Mount Sinai. Today, visitors can climb to the top of Mount Sinai.

Cántico del sol

Texto: Marty Haugen; trad. por Georgina Pando-Connolly
Música: Marty Haugen

UNIT 1 Song

Canticle of the Sun

Text: Marty Haugen
Tune: Marty Haugen

1 La bondad de Dios

Dios vio que todo cuanto había hecho
era muy bueno.

Génesis 1:31

Compartimos

Disfrutar la creación de Dios

Dios creó un mundo hermoso para que lo exploremos
y lo disfrutemos con los demás.

Actividad

En el siguiente espacio, escribe sobre una manera en que disfrutas
la creación de Dios con tu familia o tus amigos.

____

____

____

____

1 God's Goodness

God looked at everything he had made, and he found it very good.

Genesis 1:31

Share

Enjoying God's Creation

God created a beautiful world for us to explore and enjoy with others.

Activity

In the space below, write about one way you enjoy God's creation with your family or friends.

____

____

____

____

Escuchamos y creemos

La Escritura El relato de la creación

El primer relato de la **Biblia** *es sobre la creación del mundo. La gente sabía que Dios había creado todas las cosas del universo. Éste es el relato de cómo sucedió.*

En el principio, todo era oscuro. Entonces Dios envió a su Espíritu sobre las tinieblas. Y con su Palabra, dijo: "¡Haya luz!". Y hubo luz. Después, Dios dijo: "¡Haya un cielo!". Y apareció el cielo azul.

Dios separó la tierra seca de las aguas. Y brotaron árboles y plantas de todo tipo. Luego Dios trajo al mundo grandes luces para el cielo y las llamó Sol, Luna y estrellas.

Dios hizo las criaturas que nadan, las criaturas que vuelan y todos los animales que viven sobre la tierra. Entonces nuestro Dios creó a las personas a su propia imagen, un hombre y una mujer que vivieron en perfecta amistad con Dios.

Dios bendijo todo cuanto había hecho y vio que era muy bueno.

Basado en Génesis 1:1–31; 2:1–4

Hear & Believe

Scripture The Story of Creation

The first story in the **Bible** *is about the creation of the world. People knew that God had created everything in the universe. This is the story about how it happened.*

In the beginning, everything was dark. Then God sent his Spirit over the darkness. And through his Word, God said, "Let there be light!" And there was light! Then, God said, "Let there be sky!" Blue sky appeared. God separated dry land from the waters. Trees and plants of every kind sprang up. Then God called into the world great lights for the sky, and named them the sun, the moon, and the stars.

God made swimming creatures, flying creatures, and all the animals that live upon the land. Then our God created people in his own image—a man and a woman who lived in perfect friendship with God.

God blessed everything he had made and he found it very good.

Based on Genesis 1:1–31; 2:1–4

Dios en la creación

Dios atiende nuestras necesidades al darnos el don de la creación. Vemos la bondad de Dios en el mundo que nos rodea. Dios quiere que respetemos a los demás y a toda la creación.

Nuestra Iglesia nos enseña

Dios y todo lo que Él crea es bueno. En la Biblia leemos acerca de Dios y de la creación del mundo. Por el Hijo de Dios, que es la Palabra de Dios, y por el Espíritu Santo aprendemos que hay un Dios en tres Personas: el Padre, el Hijo y el Espíritu Santo. Un Dios en tres Personas se llama **Santísima Trinidad**.

Jesús nos enseñó que llamáramos a Dios nuestro Padre. Jesucristo, el único Hijo de Dios, nos envió al Espíritu Santo. El Espíritu guía a la Iglesia para que haga la obra de Cristo. En toda la Biblia, aprendemos más acerca de la obra de la Trinidad en nuestra vida.

la página 366 para leer más acerca de la Santísima Trinidad.

Creemos

Dios se revela a sí mismo como un solo Dios en tres Personas: el Padre, el Hijo y el Espíritu Santo.

Palabras de fe

Biblia
La Biblia es la Palabra de Dios. El Espíritu Santo guió a ciertas personas para que escribieran todo lo que contiene la Biblia.

Santísima Trinidad
A un Dios en tres Personas se le llama la Santísima Trinidad. Las tres Personas son: el Padre, el Hijo y el Espíritu Santo.

God in Creation

God cares for our needs by giving us the gift of creation. We see God's goodness in the world around us. God wants us to respect and care for others and for all of creation.

Our Church Teaches

God and everything he creates is good. In the Bible, we read about God and the creation of the world. Through God's Son, who is the Word of God, and through the Holy Spirit, we learn that there is one God in Three Persons—the Father, the Son, and the Holy Spirit. One God in Three Persons is called the **Holy Trinity**.

Jesus taught us to call God our Father. Jesus Christ, God's only Son, sent us the Holy Spirit. The Spirit guides the Church to do the work of Christ. Throughout the Bible, we learn more about the work of the Trinity in our lives.

page 367 to read more about the Holy Trinity.

We Believe

God reveals himself as one God in Three Persons—the Father, the Son, and the Holy Spirit.

Faith Words

Bible

The Bible is the Word of God. The Holy Spirit guided people to write all that is contained in the Bible.

Holy Trinity

One God in Three Persons is called the Holy Trinity. The Three Persons are the Father, the Son, and the Holy Spirit.

Respondemos

Santo Tomás enseña sobre la Trinidad

Tomás de Aquino fue un gran estudioso que vivió en Italia y en Francia hace 700 años. Pasó mucho tiempo aprendiendo acerca de Dios y de su bondad.

Desde los cinco años de edad, Tomás asistió a la escuela en un **monasterio**. Tenía una memoria excelente y aprendía muy rápido. Sus maestros estaban asombrados de tantas preguntas que hacía sobre Dios. Tomás escuchaba con entusiasmo los relatos de la Biblia y amaba cada vez más a Dios. Cuando tenía alrededor de diecinueve años, se hizo sacerdote dominico. Tomás rezaba: "Confiéreme, Señor, entendimiento para conocerte, diligencia para buscarte y sabiduría para encontrarte".

Tomás escribió muchos libros, además de himnos y oraciones. Escribió acerca del **misterio** de la Santísima Trinidad: Dios Padre, Dios Hijo y Dios Espíritu Santo. Enseñó que la Trinidad es el misterio central de la fe católica. Tomás también ayudó a la gente a entender las maravillas de Dios y de la creación.

Tomás pasó su vida estudiando acerca de Dios y ayudando a los demás a comprender la fe católica. Por esta razón, en 1323 el Papa Juan XXII lo nombró santo, y en 1567 el Papa Pío V lo nombró Doctor de la Iglesia. Aunque Tomás vivió hace mucho tiempo, la gente sigue aprendiendo de sus escritos. Debido a su gran inteligencia, es el santo patrón de las escuelas y de los estudiantes.

Actividades

1. Observa cada palabra revuelta. Tacha las dos letras que sobran en cada una para revelar una palabra que dice algo de la Trinidad. Escribe la palabra en el renglón. Las estrellas te indican que esa palabra empieza con mayúscula.

   1. *epadere ______________________
   2. bonadaod ______________________
   3. *njelsús ______________________
   4. amtorposo ______________________
   5. *creladpor ______________________
   6. *esrpíoritu ______________________

Respond

Saint Thomas Teaches About the Trinity

Thomas Aquinas was a great scholar who lived in Italy and France 700 years ago. He spent a great deal of time learning about God and his goodness.

From the time he was five years old, Thomas attended school in a **monastery.** He had an excellent memory and learned quickly. His teachers were amazed at the many questions he asked about God. Thomas eagerly listened to stories from the Bible and grew in his love for God. When he was about nineteen years old, Thomas became a Dominican priest. Thomas prayed, "Give me, Lord, a mind to know you, a heart to seek you, and wisdom to find you."

Thomas wrote many books as well as hymns and prayers. He wrote about the **mystery** of the Holy Trinity—God the Father, God the Son, and God the Holy Spirit. He taught that the Trinity is the central mystery of the Catholic faith. Thomas also helped people understand the wonders of God and creation.

Thomas spent his life studying about God and helping others understand the Catholic faith. For this reason, in 1323, Pope John XXII named him a saint, and in 1567, Pope Pius V named him a Doctor of the Church. Although Thomas lived long ago, people continue to learn from his writings. Because of his great intelligence, he is the patron saint of schools and students.

Activities

1. Look at each scrambled word. Cross out the two extra letters in each word to reveal a word that tells something about the Trinity. Write the word on the line. A star tells you that the word begins with a capital letter.

1. *efateher ____________________

2. gorodnesls ____________________

3. *njelsus ____________________

4. lrodving ____________________

5. *crelatpor ____________________

6. *srpiorit ____________________

2. Observa la siguiente ilustración. Encierra en un círculo los lugares que muestran que no se respeta la creación de Dios.

3. Escribe acerca de una manera en que podemos mostrar nuestro agradecimiento a Dios. Cuenta cómo podemos cuidar los dones que se nos han dado.

____

____

____

____

____

2. Look at the picture below. Circle the places that show God's creation not being respected.

3. Write about one way we can show our thanks to God. Tell how we can take care of the gifts we have been given.

____

____

____

____

____

Celebración de la oración

Oración de alabanza

Podemos ver la bondad de Dios en todo lo que nos rodea. Demos gracias y alabanza a Dios por darnos todo lo que es bueno.

Líder: Aguas todas del cielo,

Todos: bendigan al Señor.

Líder: Sol y Luna,

Todos: bendigan al Señor.

Líder: Vientos todos,

Todos: bendigan al Señor.

Líder: Delfines y peces,

Todos: bendigan al Señor.

Líder: Aves todas del cielo,

Todos: bendigan al Señor.

Líder: Bendigamos al Padre, al Hijo y al Espíritu Santo.

Todos: Alabémoslo y ensalcémoslo eternamente.

De Daniel 3:59–80, en la Liturgia de las Horas

Prayer Celebration

A Prayer of Praise

We can see God's goodness all around us. Let us give thanks and praise to God for giving us everything that is good.

Leader: All you waters above the heavens,

All: bless the Lord.

Leader: Sun and moon,

All: bless the Lord.

Leader: All you winds,

All: bless the Lord.

Leader: You dolphins and all water creatures,

All: bless the Lord.

Leader: All the birds of the air,

All: bless the Lord.

Leader: Let us bless the Father, and the Son, and the Holy Spirit.

All: Let us praise and exalt him above all forever.

From Daniel 3:59–80, in the Liturgy of the Hours

La fe en acción

Buenos administradores Un administrador es alguien a quien se le da la responsabilidad de cuidar algo. Dios nos llama y confía en nosotros para que administremos su creación. Él sabía que cada uno de nosotros puede cuidar mejor su creación al dar lo mejor de nosotros a los lugares donde vivimos, aprendemos y jugamos. Cuando trabajamos juntos y todos hacemos nuestra parte, podemos ayudar a equilibrar la carga de cuidar la creación de Dios. Una forma de trabajar juntos es escribir cartas a los líderes del gobierno para que tomen decisiones que ayuden a proteger y a preservar nuestro medioambiente.

Actividad Ordena las palabras y úsalas para completar los espacios en blanco. Después escribe sobre cómo puedes ayudar a cuidar cada lugar. Ya empezamos la primera por ti.

g i s e l i a   1. En la i g l e s i a, yo puedo ____________________.

e c s u e a l   2. En la ___ ___ ___ u ___ ___ a, yo puedo ____________________.

a s c a   3. En ___ ___ ___ a, yo puedo ____________________.

Actividad Después de cada enunciado, escribe sobre cómo el trabajar juntos en un problema puede cambiar las cosas.

1. En las cenas de la parroquia, usamos platos y vasos desechables difíciles de reciclar.

   ____

   ____

2. ¿Qué ocurrirá con las computadoras viejas que se están reemplazando en la oficina de nuestra parroquia?

   ____

   ____

3. Los cubos de basura del parque que está cerca de nuestra iglesia siempre se desbordan.

   ____

   ____

Good Stewards A steward is someone who is given the responsibility of caring for something. God calls and trusts us to be stewards of his creation. He knew that each of us could make a difference in caring for his creation as we give our very best to the places where we live, learn, and play. When we work together and all do our part, we can help balance the load of caring for God's creation. One way we can work together is to write letters to government leaders who make decisions that can help protect and preserve our environment.

Activity Unscramble the words and use them to fill in the blanks. Then write about how you can help care for each place. The first one is started for you.

h r c u c h	**1.** In the c h u r c h, I can ______________.
h l c o o s	**2.** In _ _ _ o _ _, I can ______________.
e h m o	**3.** At _ _ _ e, I can ______________.

Activity After each statement, write about one way that working together on a problem can make a big difference.

1. At parish dinners, we use disposable trays and cups that are hard to recycle.

   ____

   ____

2. What will happen to the old computers that are being replaced in our parish office?

   ____

   ____

3. The trash bins in the park near our church are always overflowing.

   ____

   ____

2 Alabamos y damos gracias

En verdad es justo y necesario, es nuestro deber y salvación darte gracias siempre y en todo lugar.

Prefacio de la Misa

Compartimos

Debra y Michael estaban entusiasmados. Acababan de darle a su abuela un regalo de cumpleaños muy especial. Era un portarretrato que habían hecho en la clase de arte. El portarretrato tenía una foto de Debra y Michael con su abuela.

"¡Me encanta! Es el mejor regalo que haya recibido jamás", dijo la abuela.

Unas semanas después, Debra y Michael fueron con sus padres a visitar a la abuela. Michael le preguntó a Debra: "¿Tú crees que a Nana realmente le gustó su regalo?".

Debra contestó: "Cuando lleguemos, veamos qué hizo con él".

Cuando llegaron a la casa de la abuela, encontraron el retrato en un lugar especial de la sala.

"Lo guardaré siempre como un tesoro. Estoy muy agradecida por su regalo", dijo la abuela.

Actividad

Dios te bendice con la familia y los amigos que te dan regalos especiales. Completa la nota para agradecer a alguien un regalo que hayas recibido.

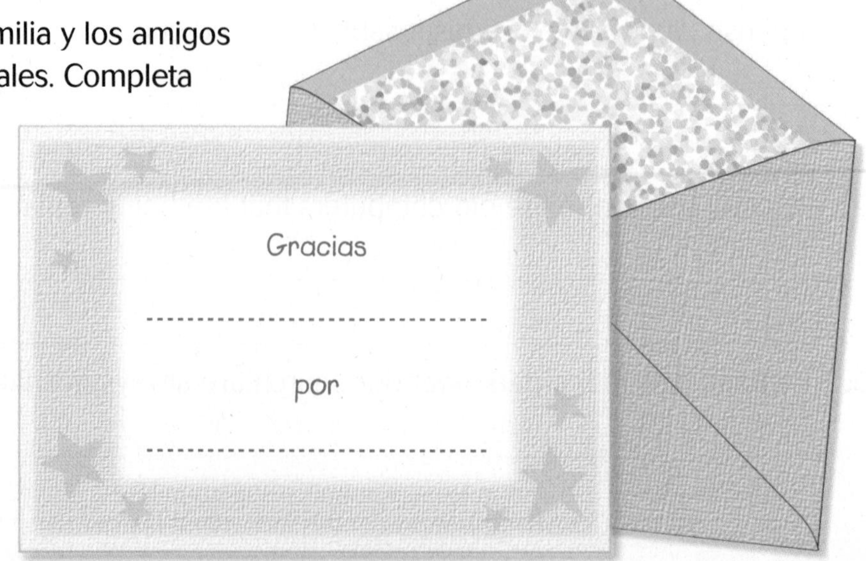

2 Praise and Thanksgiving

It is truly right and just, our duty and our salvation, always and everywhere to give you thanks, . . .

Preface of the Mass

Share

Debra and Michael were excited. They had just given their grandmother a very special gift for her birthday. It was a picture frame they had made in art class. The frame held a picture of Debra and Michael with their grandmother.

"I love it! It is the best gift I have ever received," their grandmother said.

A few weeks later, Debra and Michael went with their parents to visit their grandmother. Michael asked Debra, "Do you think Nana really liked her gift?" Debra said, "Let's see what she did with it when we get there."

When they arrived at their grandmother's house, they found the picture in a special place in her living room.

"I will treasure it forever. I am very grateful for your gift," their grandmother said.

Activity

God blesses you with family and friends who give you special gifts. Complete the note to thank someone for a gift you have received.

Escuchamos y creemos

El culto Damos gracias y alabanzas

Dios nos da muchos dones. Podemos agradecer estos dones a Dios con las oraciones de cada día. La manera más importante en que los católicos rezamos y damos gracias es la **Eucaristía** dominical. La **Misa** es la oración de acción de gracias y la alabanza a Dios más perfecta. En la Misa cantamos y alabamos a Dios con alegría como comunidad. Nos reunimos como el pueblo santo de Dios. Juntos rezamos:

> Dios y Padre nuestro, tú has querido que nos reunamos delante de ti para celebrar una fiesta contigo, para alabarte y para decirte lo mucho que te admiramos.
>
> Te alabamos por todas las cosas bellas que has hecho en el mundo y por la alegría que has dado a nuestros corazones.
>
> Te alabamos por la luz del sol y por tu palabra que ilumina nuestras vidas.
>
> Te damos gracias por esta tierra tan hermosa que nos has dado, por los hombres que la habitan y por habernos hecho el regalo de la vida.
>
> De veras, Señor, tú nos amas, eres bueno y haces maravillas por nosotros.

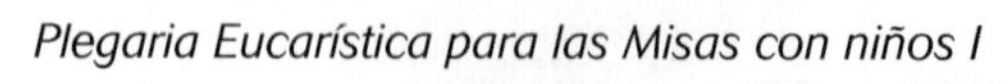

Plegaria Eucarística para las Misas con niños I

Misa papal, Cuba, 1998

Hear & Believe

Worship We Give Thanks and Praise

God gives us many gifts. We can thank God for these gifts by praying each day. The most important way Catholics pray and give thanks is the Sunday **Eucharist**. The **Mass** is the most perfect prayer of thanksgiving and praise to God. At Mass we joyfully sing and praise God as a community. We gather together as God's holy people. Together we pray:

God our Father,
you have brought us here together
so that we can give you thanks and praise
for all the wonderful things you have done.

We thank you for all that is beautiful in the world
and for the happiness you have given us.
We praise you for daylight
and for your word which lights up our minds.
We praise you for the earth,
and all the people who live on it,
and for our life which comes from you.

We know that you are good.
You love us and do great things for us.

Eucharistic Prayer for Masses with Children I

Papal Mass, Cuba, 1998

El don de Jesús

En la Misa le damos gracias y alabanza a Dios por bendecirnos con su don más importante, su Hijo, Jesús. Demostramos nuestro amor por Dios cuando aceptamos este don e invitamos a Jesús a que entre en nuestro corazón. Las gracias y la alabanza que le damos a Dios le muestran cuánto significa este don para nosotros.

Las dos partes principales de la Misa son la **Liturgia de la Palabra** y la **Liturgia Eucarística**. En la Liturgia de la Palabra, Cristo está presente mientras escuchamos de la Biblia la Palabra de Dios. En la Liturgia Eucarística, Cristo está presente cuando, a través del poder del Espíritu Santo, el pan y el vino se convierten en el Cuerpo y la Sangre de Cristo.

Nuestra Iglesia nos enseña

Nosotros respondemos a la bondad de Dios con la celebración de la Misa. A través del **sacerdote**, estamos unidos con el Padre. También recordamos el sacrificio que hizo Jesús para salvarnos de nuestros pecados. A través del Espíritu Santo, nuestros dones del pan y el vino se convierten en el Cuerpo y la Sangre de Jesucristo. Cuando recibimos el Cuerpo de Cristo, pensamos en la bondad de Dios y queremos compartirla con los demás. Todas estas oraciones y acciones de la Misa componen una celebración completa.

Creemos

Por el poder del Espíritu Santo, Cristo está presente en la Eucaristía.

Palabras de fe

Misa
La celebración de la Eucaristía se llama Misa. En la Misa participamos de la vida, la muerte y la Resurrección de Jesucristo.

Liturgia de la Palabra
La Liturgia de la Palabra es la parte de la Misa en la que escuchamos la Palabra de Dios en la Sagrada Escritura.

Liturgia Eucarística
La Liturgia Eucarística es la parte de la Misa en la que el pan y el vino se convierten en el Cuerpo y la Sangre de Cristo.

The Gift of Jesus

Through the Mass we give thanks and praise to God for blessing us with his greatest gift, his Son, Jesus. We show our love for God by accepting this gift and inviting Jesus to enter our hearts. The thanks and praise we give to God show him how much this gift means to us.

The two main parts of the Mass are **Liturgy of the Word** and the **Liturgy of the Eucharist**. In the Liturgy of the Word, Christ is present as we listen to God's word from the Bible. In the Liturgy of the Eucharist, Christ is present when, through the power of the Holy Spirit, the bread and wine become the Body and Blood of Christ.

Our Church Teaches

We respond to God's goodness by celebrating the Mass. Through the **priest**, we are united with the Father. We also remember the sacrifice Jesus made to save us from our sins. Through the Holy Spirit our gifts of bread and wine become the Body and Blood of Jesus Christ. When we receive the Body of Christ, we think about God's goodness and want to share it with others. All of these prayers and actions at Mass make up one complete celebration.

We Believe

By the power of the Holy Spirit, Christ is present in the Eucharist.

Faith Words

Mass
The celebration of the Eucharist is called the Mass. At Mass we share in the life, death, and Resurrection of Jesus Christ.

Liturgy of the Word
The Liturgy of the Word is the part of the Mass in which we hear the Word of God in the Scriptures.

Liturgy of the Eucharist
The Liturgy of the Eucharist is the part of the Mass in which the bread and wine become the Body and Blood of Christ.

Respondemos

Santo Pío X

Giuseppe Sarto se crió en una pequeña aldea del norte de Italia. Su padre era cartero y su madre era costurera. Aunque su familia era pobre, a Giuseppe no le importaba. Le gustaba criarse en una familia grande, con sus nueve hermanos y hermanas. Lo único que no le gustaba era tener que esperar hasta cumplir los doce años para recibir la Sagrada Comunión.

A medida que Giuseppe crecía, sentía que Dios lo estaba llamando a ser sacerdote. Cuando tuvo edad suficiente, se fue de su aldea y entró en un seminario. Un día, Giuseppe leyó en la Biblia que Jesús había dicho: "Dejen que los niños vengan a mí". Pensó mucho en estas palabras y en todas las parroquias llenas de niños. Se acordó de cuánto había querido de pequeño recibir a Jesús en la Eucaristía pero tuvo que esperar hasta ser más grande. Desde aquel día, soñó con hacer posible que los niños pequeños recibieran la Eucaristía.

En 1858 Giuseppe se ordenó sacerdote. Durante muchos años, trabajó en parroquias pobres ayudando a la gente. Con el tiempo llegó a ser obispo y en 1903 lo eligieron papa. Adoptó el nombre de Pío X y se acordó de su sueño de ayudar a los niños. El Papa Pío X promovió un cambio en la costumbre de la Iglesia, que permitió que a partir de los siete años los niños recibieran la Eucaristía. Este papa alentó también a todos los católicos a asistir a Misa con frecuencia y a recibir la Sagrada Comunión. Por este motivo, el Papa Pío X se hizo conocido como el papa que amaba la Sagrada Eucaristía. En 1954 lo canonizaron. Su día se celebra el 21 de agosto.

Respond

Saint Pius X

Giuseppe (jeh-SEP-ee) Sarto grew up in a little village in northern Italy. His father was a mailman, and his mother was a seamstress. Even though his family was poor, Giuseppe did not mind. He liked growing up in a large family with his nine brothers and sisters. The only thing that Giuseppe did not like was that he had to wait until he was twelve years old to receive Holy Communion.

As Giuseppe grew up, he felt that God was calling him to be a priest. When he was old enough, he left his village and entered a seminary. One day, Giuseppe read in the Bible that Jesus said, "Let the children come to me." Giuseppe thought a lot about these words and about all the parishes filled with young children. He remembered how when he was a child, he had wanted so much to receive Jesus in the Eucharist but had to wait until he was older. From that day on, Giuseppe dreamed about making it possible for younger children to receive the Eucharist.

In 1858, Giuseppe became a priest. For many years, he worked in poor parishes, helping the people. He later became a bishop, and in 1903 he was chosen to be the pope. He took the name Pius X, and he remembered his dream about helping the children. Pope Pius X encouraged a change in church custom, allowing children as young as seven years old to receive the Eucharist. The pope also encouraged all Catholics to attend Mass often and receive Holy Communion. Because of this, Pope Pius X became known as the pope who loved the Holy Eucharist. He was canonized a saint in 1954. His feast day is celebrated on August 21.

Actividades

1. Escribe una palabra de la casilla para completar cada frase del párrafo. No necesitarás usar todas las palabras.

sacrificio	don	compartir	felicidad
comunidad	alabanza	presente	Misa

Celebramos la Misa como ________________. En la Misa, damos gracias y ____________ a Dios. Damos gracias a Dios por el __________ de su Hijo. Cuando recibimos la Sagrada Comunión, sabemos que Cristo está verdaderamente ________________. Recordamos el ________________ de Jesús para salvarnos de nuestros pecados. Durante la semana, tratamos de ________________ la bondad de Dios con los demás.

2. Acuérdate del día en que tomaste tu Primera Comunión. ¿Cómo te sentiste al recibir a Jesús en la Eucaristía por primera vez?

____

____

____

3. Escribe algo que le dirías a un amigo o una amiga de siete años para ayudarlo a prepararse para recibir la Sagrada Comunión por primera vez.

____

____

____

____

Activities

1. Write a word from the box to complete each sentence in the paragraph. You will not need to use all the words.

sacrifice	gift	share	happiness
community	praise	present	Mass

We celebrate Mass as a ________________. At Mass, we give thanks and __________ to God. We thank God for the __________ of his Son. As we receive Holy Communion, we know that Christ is truly ________________. We remember Jesus' ________________ to save us from our sins. During the week, we try to ________________ God's goodness with others.

2. Think back to the day you made your First Communion. How did you feel about receiving Jesus in the Eucharist for the first time?

____

____

____

3. Write one thing that you would tell a seven-year-old friend to help him or her prepare to receive Holy Communion for the first time.

____

____

____

____

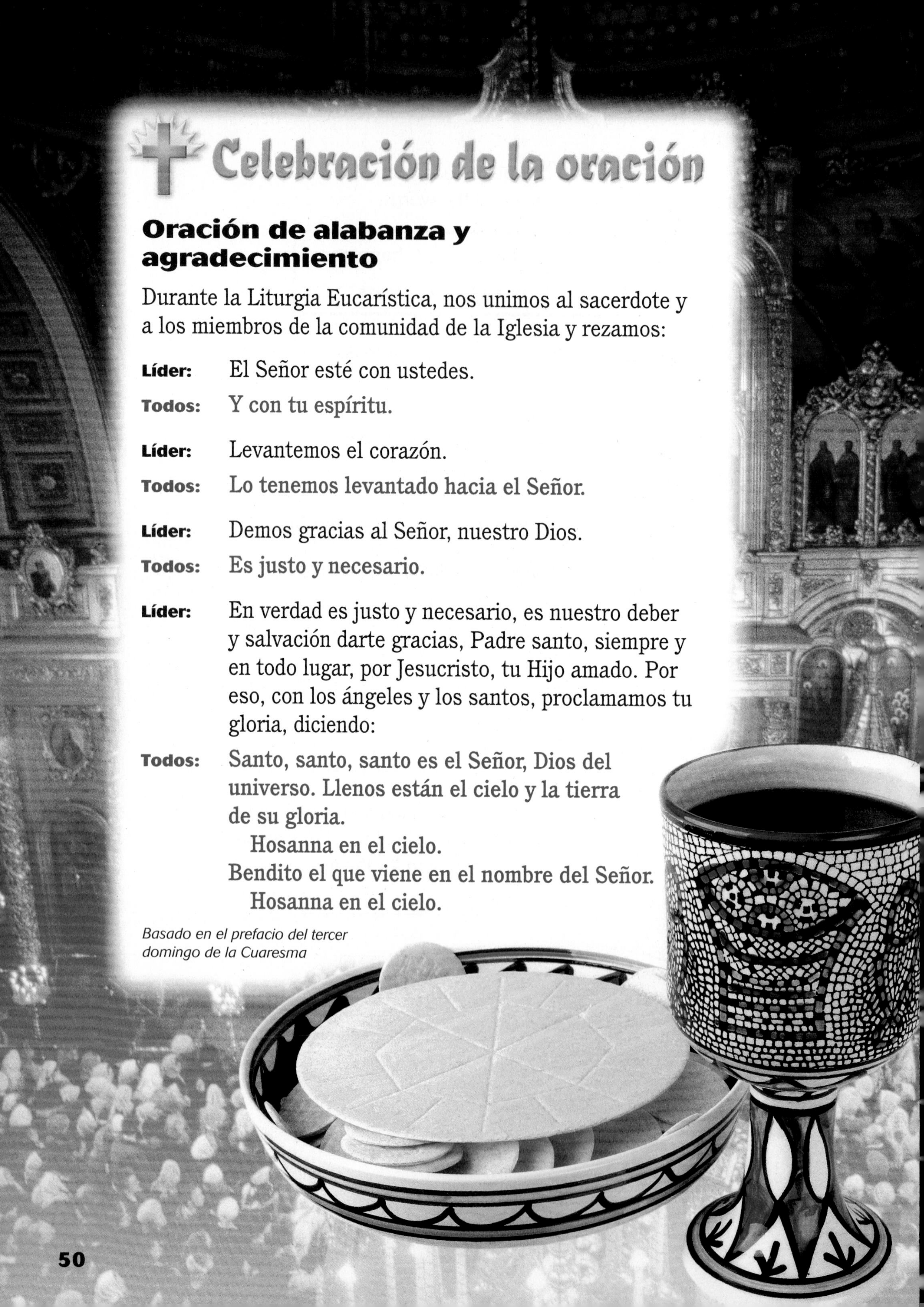

Celebración de la oración

Oración de alabanza y agradecimiento

Durante la Liturgia Eucarística, nos unimos al sacerdote y a los miembros de la comunidad de la Iglesia y rezamos:

Líder: El Señor esté con ustedes.

Todos: Y con tu espíritu.

Líder: Levantemos el corazón.

Todos: Lo tenemos levantado hacia el Señor.

Líder: Demos gracias al Señor, nuestro Dios.

Todos: Es justo y necesario.

Líder: En verdad es justo y necesario, es nuestro deber y salvación darte gracias, Padre santo, siempre y en todo lugar, por Jesucristo, tu Hijo amado. Por eso, con los ángeles y los santos, proclamamos tu gloria, diciendo:

Todos: Santo, santo, santo es el Señor, Dios del universo. Llenos están el cielo y la tierra de su gloria.
Hosanna en el cielo.
Bendito el que viene en el nombre del Señor.
Hosanna en el cielo.

Basado en el prefacio del tercer domingo de la Cuaresma

Prayer Celebration

A Praise and Thanks Prayer

During the Liturgy of the Eucharist, we join the priest and members of the Church community and pray:

Leader: The Lord be with you.

All: And with your spirit.

Leader: Lift up your hearts.

All: We lift them up to the Lord.

Leader: Let us give thanks to the Lord our God.

All: It is right and just.

Leader: It is truly right and just, our duty and our salvation,
always and everywhere to give you thanks,
Lord, holy Father, almighty and eternal God....
And so we, too, give you thanks
and with the Angels praise your mighty deeds,
as we acclaim:

All: Holy, Holy, Holy Lord God of hosts.
Heaven and earth are full of your glory.
Hosanna in the highest.
Blessed is he who comes in the name of the Lord.
Hosanna in the highest.

Based on the Preface of the Third Sunday of Lent

La fe en acción

El ministerio de monaguillo Servir en la Misa es una oportunidad de ser un ejemplo. Un monaguillo anima a todos a prestar atención, a actuar con respeto y a participar con las debidas posturas, como sentarse, ponerse de pie, arrodillarse y hacer la genuflexión. Antes, durante y después de la Misa, el monaguillo ayuda a crear una atmósfera de dignidad y de reverencia. Preparar el altar, encender las velas y alcanzar el libro de oraciones, o *Misal Romano*, al sacerdote son sólo algunas de las obligaciones del monaguillo. También honramos y respetamos a las personas que vienen a recibir la Eucaristía.

En la vida diaria

Actividad Podemos honrar y respetar a quienes conocemos a diario. Lee las piezas del rompecabezas. Luego escribe cómo podría sentirse alguien que escuche tu mensaje.

En tu parroquia

Actividad Escribe los nombres de los miembros de tu familia o de la comunidad de tu parroquia, que empiecen con una de las letras de la palabra *alabanza*. Luego escoge a una de esas personas y, en el renglón siguiente, escribe una o dos palabras que describan algo meritorio de ella.

Faith in Action

The Ministry of Altar Server To serve at Mass is a chance to be an example. An altar server encourages everyone to pay attention, act respectfully, and participate with appropriate postures such as sitting, standing, kneeling, and genuflecting. Before, during, and after Mass, the altar server helps set an atmosphere of dignity and reverence. Preparing the altar, lighting candles, and holding the prayer book, or *Sacramentary,* for the priest are just some of the duties of the altar server. The server honors and respects the people who come to receive the Eucharist.

In Everyday Life

Activity We can honor and respect those we meet in our daily life. Read the puzzle pieces. Then write how someone who hears each message from you might feel about himself or herself.

In Your Parish

Activity Using letters in the word *praise*, write the names of members of your family or parish community whose name begins with one of these letters. Then, on the line at the bottom, select one person and write one or two words that describe something praiseworthy about him or her.

3 Los mandamientos y la alianza de Dios

Yo soy el SEÑOR, tu Dios. No tendrás otros dioses fuera de mí.

Basado en Éxodo 20:2–3

Compartimos

Dios nos ama y nos promete estar presente en nuestra vida. Nosotros hacemos promesas a nuestros amigos y a nuestra familia para demostrarles lo importantes que son para nosotros. Cuando cumplimos nuestras promesas, hacemos felices a los demás.

Actividad

Piensa en dos personas especiales de tu vida. En las casillas siguientes, escribe una promesa para cada persona. Luego trata de cumplir tus promesas.

Querido ______________________,	Querida ______________________,
Prometo ______________________	Prometo ______________________
______________________________	______________________________
______________________________	______________________________
______________________	______________________
______________________	______________________

3 The Commandments and God's Covenant

I am the LORD, your God. You shall not have other gods besides me.

Based on Exodus 20:2–3

Share

God loves us and promises to be present in our lives. We make promises to our friends and family to show them how important they are to us. When we keep our promises, we make others happy.

Activity

Think of two special people in your life. In the boxes below, write a promise to each person. Then try to keep your promises.

Dear ____________,	Dear ____________,
I promise to ____________	I promise to ____________
____________	____________
____________	____________
____________	____________
____________	____________

Escuchamos y creemos

La Escritura Los Diez Mandamientos

Hace más de 3,000 años, Dios sacó al pueblo hebreo de la esclavitud de Egipto. Dios le prometió guiarlo hasta su nueva tierra donde sería libre. Esta tierra fue conocida como la Tierra Prometida.

Moisés y el pueblo hebreo estaban en el desierto, viajando hacia la Tierra Prometida. Un día, Dios le dijo a Moisés que reuniera al pueblo cerca de un monte. Allí vieron la luz de los relámpagos, y oyeron el estrépito de los truenos y el sonido de un cuerno. Era Dios que enviaba estas señales. Quería que el pueblo supiera que Él estaría con ellos siempre.

Moisés subió al monte. Allí Dios le habló. Le dio diez leyes escritas en dos losas, o tablas de piedra. Las leyes indicaban cómo tenía que vivir el pueblo con justicia y caridad. Dios le dijo: "Si el pueblo cumple estas reglas, yo lo protegeré. Y le daré una vida larga y rica".

Moisés bajó del monte. Y le leyó al pueblo las leyes, a las que nosotros llamamos los **Diez Mandamientos**. Y el pueblo dijo: "Haremos todo cuanto Dios pide".

Basado en Éxodo 19:16–25; 20:1–26; 24:12

1. Yo soy el SEÑOR, tu Dios. No tendrás otros dioses fuera de mí.
2. No tomes en vano el nombre del SEÑOR, tu Dios.
3. Acuérdate del día del sábado, para santificarlo.
4. Respeta a tu padre y a tu madre.
5. No mates.
6. No cometas adulterio.
7. No robes.
8. No levantes falso testimonio contra tu prójimo.
9. No codicies la mujer de tu prójimo.
10. No codicies nada de lo que pertenece a tu prójimo.

Hear & Believe

Scripture The Ten Commandments

More than 3,000 years ago, God led the Hebrew people out of slavery in Egypt. God promised to lead them to their own land where they would be free. This land was known as the Promised Land.

Moses and the Hebrew people were in the desert, traveling to the Promised Land. One day, God told Moses to gather the people near a mountain. There they saw lightning flash and heard thunder rumble and a trumpet sound. God sent these signs. He wanted the people to know that he would always be with them.

Moses climbed up the mountain. There God spoke to him. God gave Moses ten laws written on two slabs, or tablets, of stone. The laws showed how the people were to live with fairness and kindness. "If the people follow these rules, I will protect them," God told Moses. "I will give them long and rich lives."

Moses went down the mountain. He read the people the laws, which we call the **Ten Commandments**. The people said, "We will do all God asks."

Based on Exodus 19:16–25; 20:1–26; 24:12

1. I am the LORD, your God. You shall not have other gods besides me.
2. You shall not take the name of the LORD, your God, in vain.
3. Remember to keep holy the Sabbath day.
4. Honor your father and mother.
5. You shall not kill.
6. You shall not commit adultery.
7. You shall not steal.
8. You shall not bear false witness against your neighbor.
9. You shall not covet your neighbor's wife.
10. You shall not covet anything that belongs to your neighbor.

Veneramos a Dios

Dios hizo una **alianza**, o pacto sagrado, con el pueblo hebreo. Por esta alianza, el pueblo hebreo estaba obligado a obedecer los Diez Mandamientos. Estas leyes son parte del mundo natural que Dios creó. Nosotros, como católicos, también debemos obedecer las leyes que contienen los Diez Mandamientos.

Las leyes de Dios sobre el amor

Dios dio los mandamientos al pueblo hebreo para ayudarlo a permanecer cerca de Él y entre sí. Los Diez Mandamientos son las leyes de Dios. Son maneras de mostrar amor por Dios y por las demás personas. Son reglas que nos ayudan a vivir juntos en paz.

Los tres primeros mandamientos nos dicen cómo amar a Dios. Del cuarto al sexto nos guían en el respeto al don de la vida. El séptimo mandamiento nos guía en el respeto a la propiedad de los demás. El octavo mandamiento nos ayuda a ser honestos y sinceros. El noveno y el décimo nos recuerdan que tenemos que conformarnos con los dones que Dios nos da. Jesús nos dice que, para ser sus discípulos, debemos cumplir los Diez Mandamientos.

Nuestra Iglesia nos enseña

A lo largo del tiempo, Dios hizo alianzas con **Noé**, con **Abrahán** y con Moisés. Hoy nosotros honramos la ley de Dios. Dios nos pide que lo sirvamos y que lo pongamos en el primer lugar de nuestra vida. Nos pide que pronunciemos su nombre con reverencia y no enojados. Nosotros demostramos nuestro amor por Dios pasando tiempo con Él, especialmente en la Misa de los domingos y de los días de fiesta de la Iglesia. La Iglesia nos guía cuando tratamos de cumplir la alianza de Dios.

Creemos

Los Diez Mandamientos son parte de la alianza de Dios con nosotros. Los mandamientos nos guían para que sirvamos al único Dios verdadero.

Palabras de fe

Los Diez Mandamientos
Los Diez Mandamientos son las leyes que Dios dio a Moisés para ayudarnos a vivir en paz con Dios y con los demás.

alianza
Una alianza es un pacto entre personas o grupos de personas. Dios hizo una alianza sagrada con el pueblo hebreo.

We Worship God

God made a **covenant**, or sacred agreement, with the Hebrew people. The Hebrew people were bound by the covenant to obey the Ten Commandments. These laws are part of the natural world that God created. As Catholics, we too must follow the laws contained in the Ten Commandments.

God's Laws of Love

God gave the Hebrew people the commandments to help them remain close to him and to one another. The Ten Commandments are God's laws. They are ways of showing love for God and for other people. They are rules to help us live together in peace.

The first three commandments tell us how to love God. The fourth through sixth commandments guide us in respecting the gift of life. The seventh commandment guides us in respecting other people's property. The eighth commandment helps us to be honest and truthful. The ninth and tenth commandments remind us to be satisfied with the gifts God gives us. Jesus tells us that to be his disciples, we must follow the Ten Commandments.

Our Church Teaches

Through the ages, God made his covenants with **Noah, Abraham,** and Moses. We honor God's law today. God asks us to serve him and place him first in our lives. God asks us to speak his name with reverence rather than anger. We show our love for God by spending time with him, especially at Mass on Sundays and holy days. The Church guides us as we try to keep God's covenant.

We Believe

The Ten Commandments are part of God's covenant with us. The commandments guide us in serving the one true God.

Faith Words

Ten Commandments
The Ten Commandments are the laws God gave to Moses to help us live in peace with God and others.

covenant
A covenant is an agreement between people or groups of people. God made a sacred covenant with the Hebrew people.

Respondemos

Comprender el 1.er, el 2.do y el 3.er mandamiento

El primer mandamiento nos enseña que tenemos que poner a Dios en el primer lugar de nuestra vida, y que tenemos que amarlo y servirlo como el único Dios verdadero. En la iglesia o en nuestro hogar, podemos tener **imágenes sagradas**, estatuas o retratos de Dios, de María y de los santos, que nos ayuden a rezar. Tratamos a estas imágenes sagradas con respeto y con cuidado. Sin embargo, no las veneramos. **Veneramos** solamente a Dios. En el segundo mandamiento, se nos dice que respetemos los nombres de Dios. Esto significa que nunca tenemos que pronunciar el nombre de Dios o de Jesús con enojo. El tercer mandamiento dice que debemos santificar el sábado. Es por eso que reservamos un día completo para honrar a Dios.

la página 390 y lee la columna de la derecha de la tabla de los Diez Mandamientos para aprender más sobre cómo cumplir los mandamientos.

Actividades

1. Ordena correctamente de 1 a 7 el relato de Moisés y los Diez Mandamientos.

    ___ Moisés le lee las leyes al pueblo.

    ___ Vieron la luz de los relámpagos y oyeron el estrépito de los truenos.

    ___ El pueblo hebreo se reunió cerca de un monte.

    ___ Moisés subió al monte.

    ___ Dios sacó de la esclavitud a Moisés y al pueblo hebreo.

    ___ Dios le dio a Moisés diez leyes escritas en dos tablas de piedra.

    ___ Moisés bajó del monte.

Respond

Understanding the 1st, 2nd, and 3rd Commandments

The first commandment teaches us to put God first in our lives and to love and serve him as the one true God. At church or in our homes, we may have **sacred images**, statues or pictures of God, Mary, and the saints, to help us pray. We treat these sacred images with respect and care. However, we do not worship them. We **worship** only God. In the second commandment, we are told to respect the names of God. This means that we never say the name of God or Jesus in anger. The third commandment says that we should keep holy the Sabbath day. Because of this, we set aside a whole day to honor God.

page 391 and read the right-hand column of the Ten Commandments chart to learn more about how to follow the commandments.

Activities

1. Put the story of Moses and the Ten Commandments in the correct order from 1 to 7.

   ___ Moses read the laws to the people.

   ___ They saw lightning flash and heard thunder rumble.

   ___ The Hebrew people gathered near a mountain.

   ___ Moses climbed up the mountain.

   ___ God led Moses and the Hebrew people out of slavery.

   ___ God gave Moses ten laws written on two tablets of stone.

   ___ Moses went down the mountain.

2. Lee las siguientes frases. Cada frase se refiere a uno de los tres primeros mandamientos. Escribe el número del mandamiento que se relaciona con cada frase.

a. *Juan fue a Misa el domingo pasado aunque se había desvelado hasta tarde la noche anterior.*

____

b. *Maryellen y su familia rezan antes de cada comida. Agradecen a Dios por el alimento y por su amor.*

____

c. *Stephen cree que el dinero no es lo más importante en la vida.*

____

d. *Caitlin le dijo a su amigo Jake que no usara el nombre de Jesús cuando se enoja.*

____

3. Elige dos mandamientos y describe cómo te parece que Dios quiere que los cumplamos.

a. ____

____

____

b. ____

____

____

____

2. Read the following sentences. Each sentence refers to one of the first three commandments. Write the number of the commandment that each sentence matches.

a. *Juan went to Mass last Sunday even though he stayed up late the night before.* ____________

b. *Maryellen and her family pray before each meal. They thank God for their food and for his love.*

____

c. *Stephen believes that money is not the most important thing in life.*

____

d. *Caitlin told her friend Jake not to use Jesus' name when he gets mad.*

____

3. Choose two commandments and describe how you think God wants us to follow them.

a. ____

____

____

b. ____

____

____

____

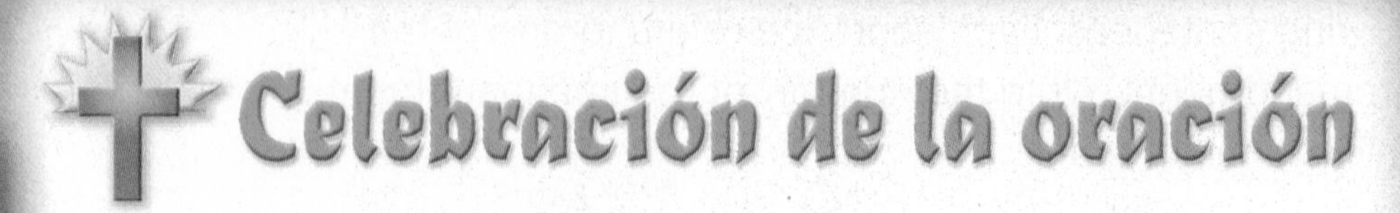

Oración de petición

La palabra *petición* significa "pedir a Dios algo que se necesita". Podemos rezar a Dios para que nos ayude a cumplir sus leyes del amor. En la siguiente oración, el Líder lee peticiones basadas en los Diez Mandamientos.

Líder: Que podamos vivir los tres primeros mandamientos mostrando nuestro amor por Dios.

Todos: Ayúdanos, Señor, a cumplir tus mandamientos.

Líder: Que podamos vivir del cuarto al sexto mandamiento respetando el don de la vida.

Todos: Ayúdanos, Señor, a cumplir tus mandamientos.

Líder: Que podamos cumplir el séptimo mandamiento respetando la propiedad de las demás personas.

Todos: Ayúdanos, Señor, a cumplir tus mandamientos.

Líder: Que podamos cumplir el octavo mandamiento siendo honestos y sinceros.

Todos: Ayúdanos, Señor, a cumplir tus mandamientos.

Líder: Que podamos cumplir el noveno y el décimo mandamiento conformándonos con los dones que Dios nos da.

Todos: Ayúdanos, Señor, a cumplir tus mandamientos.

A Prayer of Petition

The word *petition* means "to ask God for something that is needed." We can pray that God will help us follow his laws of love. In the following prayer, the Leader reads petitions based on the Ten Commandments.

Leader: That we may live the first three commandments by showing our love for God.

All: Help us, Lord, to follow your commandments.

Leader: That we may live the fourth through sixth commandments by respecting the gift of life.

All: Help us, Lord, to follow your commandments.

Leader: That we may follow the seventh commandment by respecting other people's property.

All: Help us, Lord, to follow your commandments.

Leader: That we may follow the eighth commandment by being honest and truthful.

All: Help us, Lord, to follow your commandments.

Leader: That we may follow the ninth and tenth commandments by being satisfied with the gifts God gives us.

All: Help us, Lord, to follow your commandments.

La fe en acción

El ministerio de catequista Las personas de nuestra parroquia que nos enseñan acerca de la fe católica se llaman catequistas. Ellas comparten su fe con nosotros y nos invitan a confiar en las promesas de Dios y a obedecer sus mandamientos como ellas lo hacen. Mediante su obediencia y su ejemplo, nos ayudan a amar a Jesús y a confiar en Él. Los demás también pueden aprender con nuestro ejemplo. Cuando nuestros amigos o nuestros hermanitos y hermanitas vean cómo amamos al prójimo, cómo honramos a nuestros padres y cómo rezamos, se sentirán animados a hacer lo mismo.

Actividad En cada día de la línea cronológica, escribe una palabra que describa una forma en que diste un ejemplo, bueno o malo, del que los demás pueden aprender. Si fue un ejemplo bueno, pon un + junto a él. Si fue un ejemplo malo, pon un – junto a él.

LA SEMANA PASADA

domingo	lunes	martes	miércoles	jueves	viernes	sábado
______	______	______	______	______	______	______

Escribe aquí un objetivo para dar sólo el mejor ejemplo la próxima semana.

____

____

En tu parroquia

Actividad Piensa en los catequistas que conoces y en las cosas que más admiras de ellos. Escribe un aviso para el boletín de tu parroquia, para buscar al mejor catequista que puedas imaginar.

____

____

____

____

The Ministry of Cathechist The people in our parish who teach us about our Catholic faith are called catechists. They share their faith with us and invite us to trust God's promises and obey his commandments just as they do. Through their obedience and example, they help us love and trust in Jesus. Others can learn by our example, too. When our friends or younger brothers and sisters see how we love others, honor our parents, and pray, they will be encouraged to do the same.

Activity For each day on the time line, write a word that describes one way that you set an example, good or bad, that others might learn from. If it was a good example, put a + next to it. If it was a bad example, put a – next to it.

LAST WEEK

Sunday	Monday	Tuesday	Wednesday	Thursday	Friday	Saturday
________	________	________	________	________	________	________

On the line below, write a goal for setting only the best example in the week ahead.

____

____

In Your Parish

Activity Think about the catechists you know and the things you most admire about them. Write an ad for your parish bulletin to recruit the best catechist you can imagine.

____

____

____

____

4 Los mandamientos y el Padre Nuestro

Antes de que ustedes pidan, su Padre ya sabe lo que necesitan.

Mateo 6:8

Compartimos

Dios creó a todas las personas maravillosas de nuestra vida. Nos acercamos más a los demás cuando compartimos con ellos nuestros pensamientos y nuestros sentimientos.

Actividad

Observa estas fotografías. Escribe qué pensamientos o qué sentimientos te parece que están compartiendo estas personas.

4 The Commandments and the Lord's Prayer

Your Father knows what you need before you ask him.

Matthew 6:8

Share

God created the many wonderful people in our lives. We grow close to others when we share our thoughts and feelings with them.

Activity

Look at the pictures below. Write what thoughts or feelings you think these people are sharing.

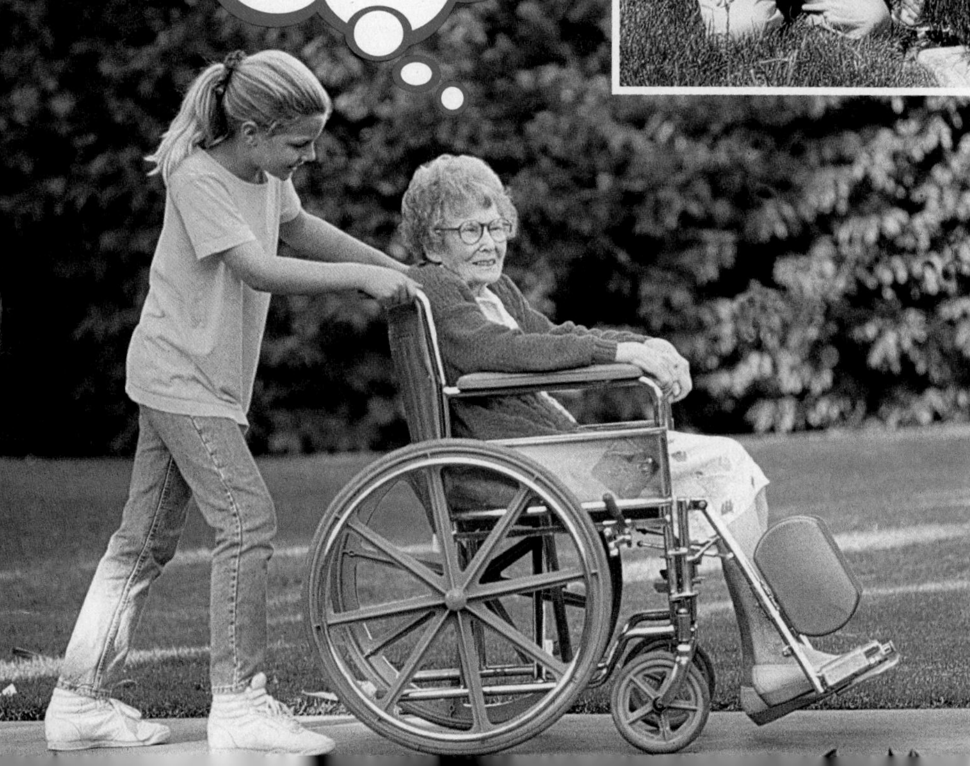

Escuchamos y creemos

La Escritura El Padre Nuestro

Jesús rezaba con frecuencia. Él les enseñó a las personas a rezar para que ellas también pudieran hablar con Dios. Jesús dijo: "Cuando ustedes recen, no sean como ésos que rezan donde todo el mundo los ve. Vayan, en cambio, a un lugar privado en su casa. Recen en secreto. Su Padre celestial sabrá que están rezando y los recompensará. No recen como los que hablan con muchas palabras. Su Padre ya sabe lo que necesitan antes de que ustedes lo pidan. Ustedes recen así:

> Padre nuestro, que estás en el cielo,
> santificado sea tu Nombre;
> venga a nosotros tu reino;
> hágase tu voluntad
> en la tierra como en el cielo.
> Danos hoy nuestro pan de cada día;
> perdona nuestras ofensas,
> como también nosotros perdonamos
> a los que nos ofenden;
> no nos dejes caer en la tentación,
> y líbranos del mal".

Basado en Mateo 6:5–13

Scripture The Lord's Prayer

Jesus prayed often. He taught people how to pray so that they could speak to God, too. He said, "When you pray, do not be like those who pray where everyone will see them. Instead, go to a private place in your home. Pray in secret. Your heavenly Father will know you are praying and will reward you. Do not pray like those who talk by using many words. Your Father knows what you need even before you ask. This is how you should pray:

Our Father who art in heaven,
hallowed be thy name.
Thy kingdom come;
Thy will be done
on earth, as it is in heaven.
Give us this day our daily bread,
and forgive us our trespasses,
as we forgive those who trespass against us,
and lead us not into temptation,
but deliver us from evil."

Based on Matthew 6:5–13

Oración

La oración es abrirnos a Dios, quien ama a todos. Dios quiere que compartamos con Él nuestros pensamientos y nuestros sentimientos. A través de la oración podemos acercarnos más a Dios y fortalecer más nuestra **fe**. Cuando escuchamos con el corazón, Dios nos responde.

Cuando rezamos el Padre Nuestro, alabamos y agradecemos a Dios por su bondad, su **misericordia** y su amor. Le pedimos que nos ayude a difundir el mensaje del **Reino de Dios**. Como nos dicen los tres primeros mandamientos, alabamos a Dios, respetamos el nombre de Dios y honramos los momentos sagrados de nuestra vida. Dios, como Padre, Hijo y Espíritu Santo, nos guía hacia su reino.

Nuestra Iglesia nos enseña

Dios sabe todo acerca de nosotros. Aun así, Dios quiere que compartamos nuestra vida con Él a través de la oración. Cuando rezamos, demostramos nuestro amor por Dios. Dios escucha con amor nuestras oraciones y nos guía hacia Él.

El Padre Nuestro es una oración especial en la que honramos a Dios y le agradecemos su bondad. Creemos en la promesa de Dios de un reino de amor lleno de paz y felicidad. El Padre Nuestro resume el mensaje de Jesús del Evangelio.

VEA la página 398 para leer más acerca del Padre Nuestro.

Creemos

Rezamos el Padre Nuestro para alabar y agradecer a Dios. Compartimos nuestra esperanza en la venida del Reino de Dios al final de los tiempos.

Palabras de fe

fe
La fe es creer y confiar en Dios.

misericordia
La misericordia es la bondad amorosa que Dios muestra hacia los pecadores.

Reino de Dios
El Reino de Dios es la promesa de Dios de justicia, paz y felicidad que todo su pueblo compartirá al final de los tiempos.

Prayer

Prayer is opening ourselves to God, who is all-loving. God wants us to share our thoughts and feelings with him. Through prayer we can grow closer to God and grow strong in our **faith**. God answers us when we listen with our hearts.

When we pray the Lord's Prayer, we praise and thank God for his goodness, **mercy**, and love. We ask for God's help in spreading the message of the **Kingdom of God**. As the first three commandments tell us, we praise God, we respect God's name, and we honor sacred and holy times in our lives. God, as Father, Son, and Holy Spirit, guides us toward his kingdom.

We Believe

We pray the Lord's Prayer to praise and thank God. We share our hope for the coming of the Kingdom of God at the end of time.

Our Church Teaches

God knows everything about us. Yet God still wants us to share our lives with him through prayer. When we pray, we show our love for God. God lovingly hears our prayers and guides us to him.

The Lord's Prayer is a special prayer in which we honor God and thank him for his goodness. We believe in God's promise of a loving kingdom filled with peace and joy. The Lord's Prayer sums up the Gospel message of Jesus.

page 399 to read more about the Lord's Prayer.

Faith Words

faith
Faith is belief and trust in God.

mercy
Mercy is the loving kindness that God shows to sinners.

Kingdom of God
The Kingdom of God is God's promise of justice, peace, and joy that all his people will share at the end of time.

Respondemos

Responder a los mandamientos en la oración

Cuando Dios hizo su alianza con el pueblo hebreo, le recordó que su gran amor es eterno. Y pidió que respondieran a su amor demostrando a su vez amor por Él y compartiendo su bondad con los demás. Por medio del Padre Nuestro aprendemos a responder a los Diez Mandamientos en la oración.

Actividades

1. Los tres primeros mandamientos nos piden que veneremos y respetemos a Dios. Completa el siguiente cuadro con maneras en que puedes obedecer los mandamientos y cumplir el Padre Nuestro.

Los Diez Mandamientos	El Padre Nuestro	Mi respuesta
I Yo soy el SEÑOR, tu Dios. No tendrás otros dioses fuera de mí.	Padre nuestro, que estás en el cielo.	Anota una manera en que puedes venerar a Dios. __________ __________
II No tomes en vano el nombre del SEÑOR, tu Dios.	Santificado sea tu Nombre.	Anota dos maneras en que puedes respetar el nombre de Dios. __________ __________ __________
III Acuérdate del día del sábado, para santificarlo.	Padre nuestro, que estás en el cielo.	Anota una segunda manera en que puedes venerar a Dios. __________ __________

Respond

Responding to the Commandments in Prayer

When God made his covenant with the Hebrew people, he reminded them that his great love is forever. He asked them to respond to his love by showing love for him in return, and by sharing his goodness with others. Through the Lord's Prayer, we learn how to respond to the Ten Commandments in prayer.

Activities

1. The first three commandments require us to give proper worship and respect to God. Complete the chart below by writing ways you can obey the commandments and follow the Lord's Prayer.

The Ten Commandments	The Lord's Prayer	My Response
I — I am the LORD, your God. You shall not have other gods besides me.	Our Father, who art in heaven.	List one way you can worship God. __________ __________
II — You shall not take the name of the LORD, your God, in vain.	Hallowed be thy name.	List two ways you can respect the name of God. __________ __________ __________
III — Remember to keep holy the Sabbath day.	Our Father, who art in heaven.	List a second way you can worship God. __________ __________

2. Aprende a decir con señas la siguiente frase del Padre Nuestro usando el lenguaje de señas estadounidense.

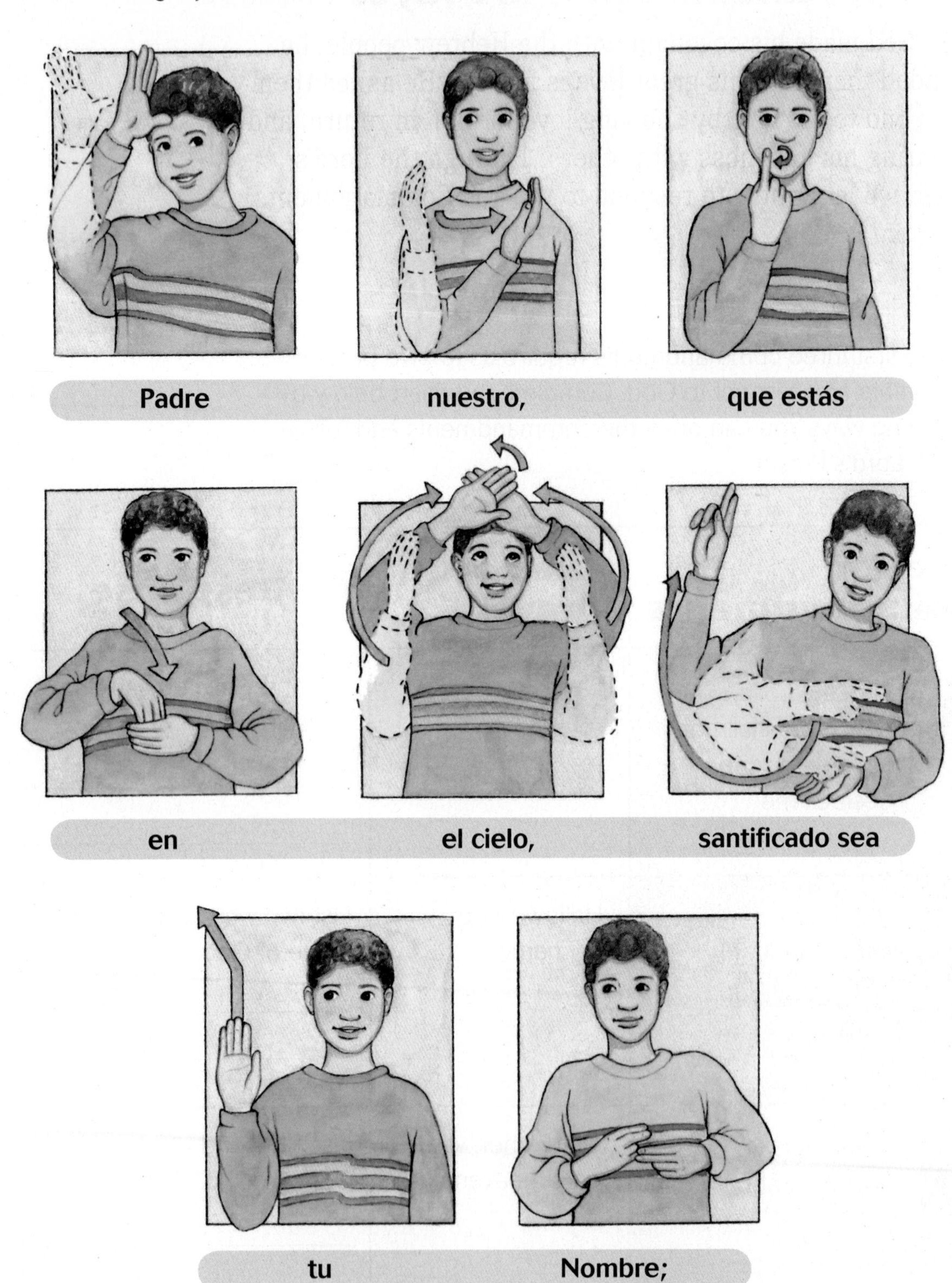

2. Using American Sign Language, learn to sign the following phrase from the Lord's Prayer.

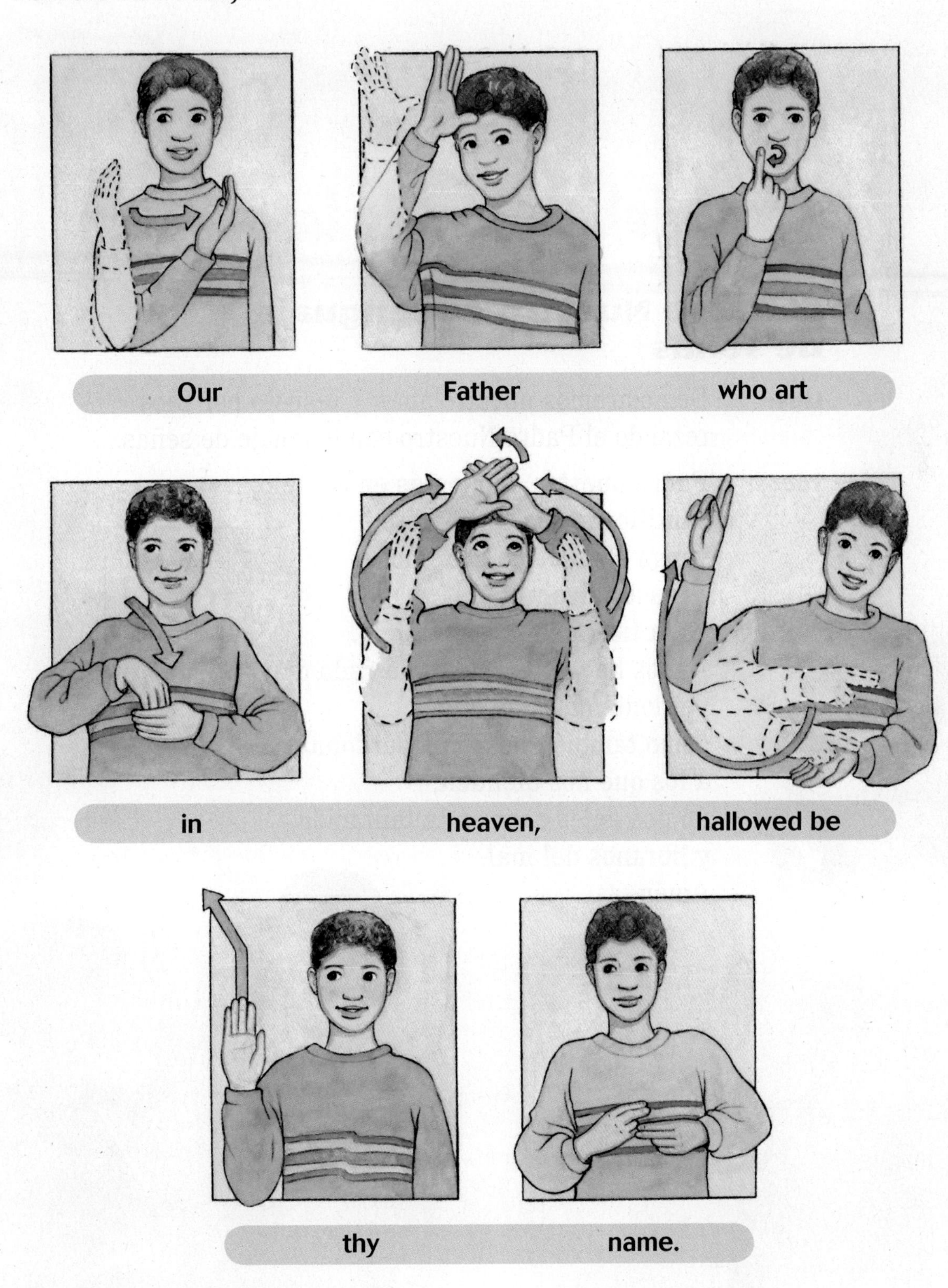

Celebración de la oración

El Padre Nuestro en lenguaje de señas

Líder: Demostremos nuestro amor y respeto por Dios rezando el Padre Nuestro con lenguaje de señas.

Todos: Padre nuestro, que estás en el cielo,
santificado sea tu Nombre;
venga a nosotros tu reino;
hágase tu voluntad
en la tierra como en el cielo.
Danos hoy nuestro pan de cada día;
perdona nuestras ofensas,
como también nosotros perdonamos
a los que nos ofenden;
no nos dejes caer en la tentación,
y líbranos del mal.
Amén.

Padre

Prayer Celebration

Signing the Lord's Prayer

Leader: Let us show our love and respect for God as we sign the Lord's Prayer.

All: Our Father, who art in heaven,
hallowed be thy name;
thy kingdom come,
thy will be done
on earth as it is in heaven.
Give us this day our daily bread,
and forgive us our
trespasses, as we
forgive those who trespass against us;
and lead us not into temptation,
but deliver us from evil.
Amen.

Father

La fe en acción

Honrar a Dios a través de los ministerios de la música En el Padre Nuestro rezamos por la venida del Reino de Dios. Cuando reconocemos el poder y la presencia de Dios en nuestro mundo de hoy, encontramos muchas razones para celebrar. Nada nos ayuda tanto a honrar y a alabar a Dios como la música. Cantando en un coro de niños, tocando el órgano o guiando a la gente en las canciones como lo hacen los cantores, con el corazón gozoso, podemos compartir la Buena Nueva unos con otros.

Actividad A los adultos les encanta ver y oír la música que hacen los jóvenes. Dentro del marco escribe un mensaje de esperanza, o dibuja símbolos musicales y símbolos de tu fe para que las personas recuerden cómo puedes llevarles alegría y esperanza con una canción.

Actividad Observa a la derecha las palabras que se usan en la Misa. En tu opinión, ¿qué expresa cada palabra? Escribe tu respuesta en los renglones siguientes.

____

____

Faith in Action

Honoring God through Music Ministries In the Lord's Prayer, we pray for the coming of the Kingdom of God. When we recognize God's power and presence in our world today, we find many reasons to celebrate. Nothing helps us honor and praise God like music can. By singing in a children's choir, playing the organ, or leading the people in song as a cantor does, with joyful hearts, we can share the Good News with one another.

In Everyday Life

Activity Adults love to see and hear young people make music. In the box below, write a message of hope, or draw musical symbols and symbols of your faith to help the people remember how you can bring joy and hope to them through song.

In Your Parish

Activity Look at the words to the right that are used in the Mass. In your opinion, what does each word express? Write your answers on the lines provided.

Amen

Alleluia

____

____

Jesús es el Hijo de Dios

UNIDAD 2

Por medio de su vida y sus enseñanzas, Jesús nos mostró lo que significa ser creado a imagen de Dios. Por medio de su muerte y su Resurrección, Cristo nos hizo participar de su vida divina para siempre.

Padre, perdónalos, porque no saben lo que hacen.
Lucas 23:34

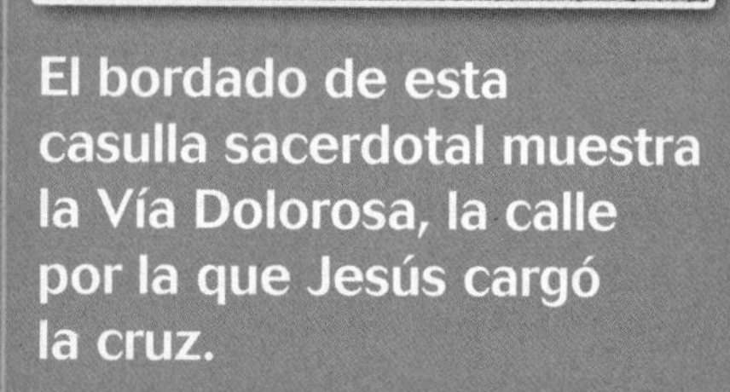

El bordado de esta casulla sacerdotal muestra la Vía Dolorosa, la calle por la que Jesús cargó la cruz.

Jesus Is the Son of God

UNIT 2

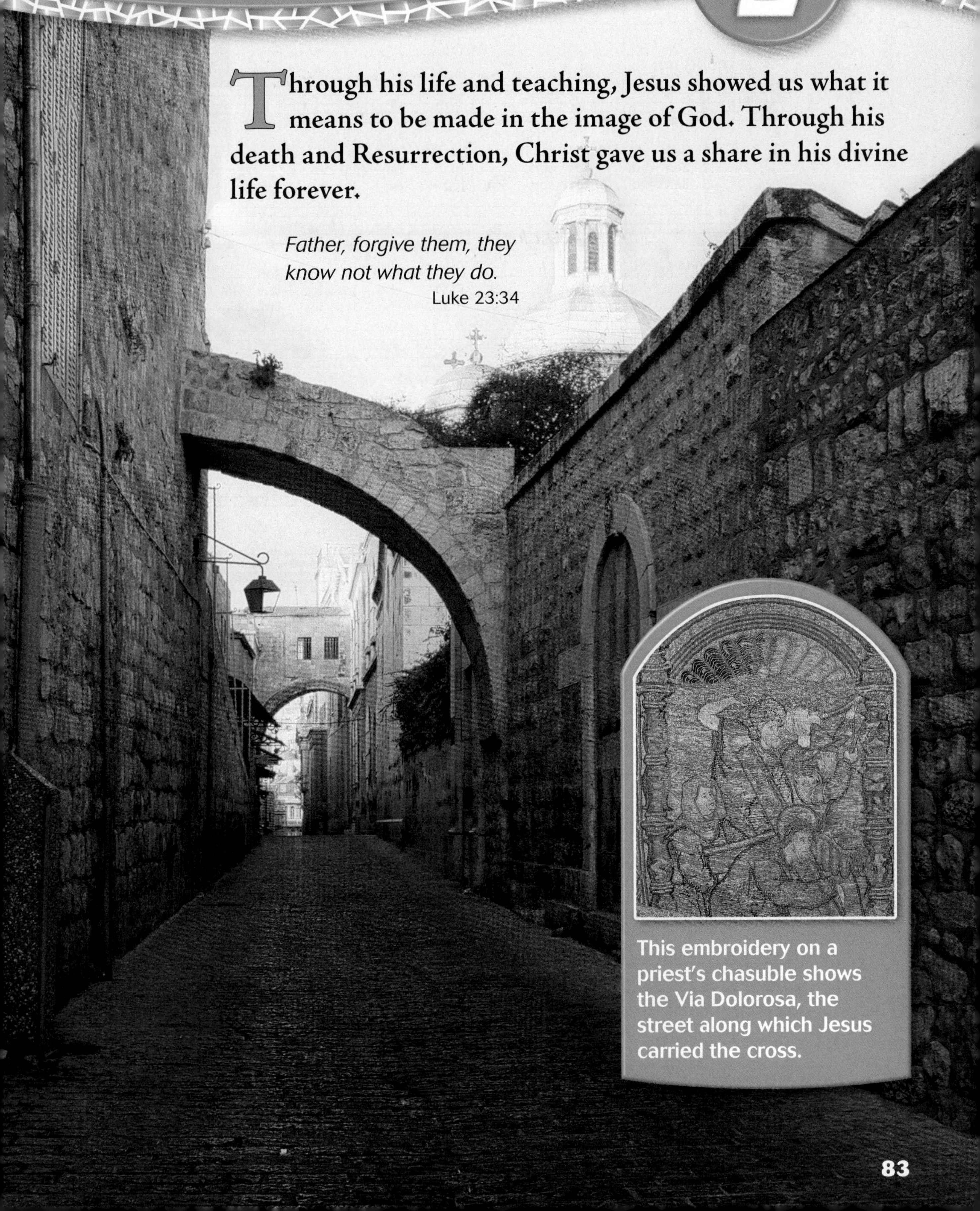

Through his life and teaching, Jesus showed us what it means to be made in the image of God. Through his death and Resurrection, Christ gave us a share in his divine life forever.

Father, forgive them, they know not what they do.
Luke 23:34

This embroidery on a priest's chasuble shows the Via Dolorosa, the street along which Jesus carried the cross.

UNIDAD 2 Canto

Benditos los pobres

Texto: Mateo 5:3–12; David Haas, trad. por Ronald F. Krisman
Música: David Haas

UNIT 2 Song

Blest Are They

5 Jesús, la imagen de Dios

El que me ve a mí ve al Padre.

Juan 14:9

Compartimos

A su imagen

Hay personas en nuestras vidas que nos dan buenos ejemplos porque son bondadosas, serviciales y amorosas como lo fue Jesús. A estas personas las tomamos como modelos de conducta. Los modelos de conducta nos muestran cómo llevar la bondad de Dios al mundo. Los admiramos y tratamos de seguir sus pasos.

Actividad

¿Quién crees que es un buen modelo de conducta en tu vida? Escribe en los siguientes renglones el nombre de la persona que es tu modelo de conducta. Luego describe cómo esta persona es bondadosa o servicial.

Mi modelo de conducta es: ______________________

____

Es un modelo de conducta para mí porque: ______________

____

____

____

____

____

____

5 Jesus, the Image of God

Whoever has seen me has seen the Father.

John 14:9

Share

In His Image

There are people in our lives who set a good example for us by being kind, helpful, and loving as Jesus was. We call these people role models. Role models show us how to bring God's goodness into our world. We admire them and try to follow in their footsteps.

Activity

Who do you think is a good role model in your life? On the lines below, write the name of your role model. Then write how this person is kind or helpful.

My role model is: ______________________________

____

This person is a role model for me because: ______________

____

____

____

____

____

____

Escuchamos y creemos

La Escritura

La Crucifixión

Jesús era Dios y al mismo tiempo fue un ser humano como nosotros. Vemos a Jesús como un ejemplo de cómo vivir mejor nuestra propia vida como cristianos. Incluso momentos antes de morir, Jesús nos enseñó a perdonar a los que nos hacen daño.

Los soldados colgaron a Jesús en una cruz de madera. Muchos lo vieron sufrir. También había algunos líderes que miraban y se burlaban de Él diciendo: "¡Salvó a otros! ¡Que ahora se salve a sí mismo!". Los soldados echaron suertes para repartirse las prendas de Jesús. También se burlaron de Él. Mientras Jesús sufría, dijo: "Padre, perdónalos, porque no saben lo que hacen".

Basado en Lucas 23:33–37

Hear & Believe

Scripture

The Crucifixion

Jesus was God and at the same time human like us. We look to Jesus as an example of how best to live our own lives as Christians. Even in the moments before he died, Jesus showed us how to forgive those who hurt us.

Soldiers hung Jesus upon a wooden cross. Many people watched him suffering. Some leaders watched too, mocking him by saying, "He saved others! Let him save himself now!" The soldiers played games to see who would get his clothes. They also made fun of Jesus. As Jesus was suffering, he said, "Father, forgive them. They do not know what they are doing."

Based on Luke 23:33–37

Jesús es el Hijo Divino de Dios

Dios envió a Jesús para que viviera entre nosotros. Como hombre, experimentó el dolor, el sufrimiento y la muerte.

Jesús es también la segunda Persona de la Santísima Trinidad. Es **divino** porque es el Hijo de Dios. Jesús nos salvó de nuestros pecados con su vida, su muerte, su Resurrección y su **Ascensión** al cielo. Esto se conoce con el nombre de **Misterio Pascual**. El Misterio Pascual es la manera más importante en que Jesús nos mostró el profundo amor de Dios por todos nosotros. Celebramos el Misterio Pascual y nuestra nueva vida con Jesús cada domingo en la Misa.

Jesús, nuestro modelo de conducta

Somos especiales porque fuimos creados a imagen de Dios. Si vivimos tal como Jesús nos enseñó, mostraremos a los demás la bondad de Dios. Jesús es nuestro modelo de conducta.

Durante su vida en la tierra, Jesús nos enseñó a respetar a los demás y a cuidar del mundo creado por Dios. Jesús está presente hoy en nuestra vida en la Sagrada Escritura, en los sacramentos y a través del testimonio de la comunidad cristiana. Dios quiere que sigamos el ejemplo de Jesús.

Nuestra Iglesia nos enseña

Jesús es el Hijo de Dios. Él es tanto humano como divino. Nació de María por el poder del Espíritu Santo. Durante su vida, Jesús mostró el amor de Dios por los demás. Tratamos de vivir así como vivió Jesús.

Jesús murió y resucitó de entre los muertos para salvarnos de nuestros pecados y darnos nueva vida. Celebramos el Misterio Pascual cada domingo en la Misa.

Creemos

Jesús es nuestro modelo de conducta. Como Hijo Divino de Dios, nos enseña a amar a los demás así como Dios nos ama.

Palabras de fe

divino
La palabra *divino* significa "de Dios". Jesucristo es humano y divino; es decir, es hombre y es Dios a la vez.

Ascensión
La Ascensión es el momento en que Jesús, en su cuerpo resucitado, entró al cielo.

Misterio Pascual
El Misterio Pascual es la vida, la muerte, la Resurrección y la Ascensión de Jesucristo.

Jesus Is God's Divine Son

Jesus was sent by God to live among us. Being a man, he experienced pain, suffering, and death.

Jesus is also the Second Person of the Holy Trinity. He is **divine** because he is God's Son. Jesus saved us from our sins by his life, death, Resurrection, and **Ascension** into heaven. This is known as the **Paschal Mystery**. The Paschal Mystery is the greatest way Jesus could show God's deep love for each of us. We celebrate the Paschal Mystery and our new life with Jesus every Sunday at Mass.

Jesus, Our Role Model

We are special because we are created in the image of God. If we live the way Jesus taught us to live, we will be showing God's goodness to others. Jesus is our role model.

During his life on earth, Jesus showed us how to treat others with respect and to care for God's world. Jesus is present in our lives today in Scripture, the sacraments, and through the witness of the Christian community. God wants us to follow Jesus' example.

Our Church Teaches

Jesus is God's Son. He is both human and divine. He was born to Mary by the power of the Holy Spirit. During his life, Jesus showed God's love to others. We try to live as Jesus did.

Jesus died and then rose from the dead to save us from our sins and to give us new life. We celebrate the Paschal Mystery each Sunday at Mass.

We Believe

Jesus is our role model. As God's divine Son, he shows us how to love others as God loves us.

Faith Words

divine

The word *divine* means "of God." Jesus Christ is both human and divine—that is, he is both a man and God.

Ascension

The Ascension is the moment when Jesus, in his resurrected body, entered heaven.

Paschal Mystery

The Paschal Mystery is the life, death, Resurrection, and Ascension of Jesus Christ.

Respondemos

Santa Catalina de Bolonia y la visión del rostro de Dios

Catalina de Vigri nació en Bolonia, Italia, el 8 de septiembre de 1413. A los once años, aprendió a pintar estatuillas. Unos años después, Catalina se convirtió en una religiosa.

Una Nochebuena, tuvo una visión de María sosteniendo al Niño Jesús. En la visión, María le permitía a Catalina que llevara a Jesús en los brazos. Muchos artistas pintaron esta visión.

Catalina dirigió un grupo de religiosas que formó parte de la comunidad de las hermanas Clarisas Pobres. Una vez escribió que haría todo lo posible por seguir a Jesús.

Hoy conocemos a Catalina como Santa Catalina de Bolonia. Se la honra como la santa patrona de los pintores. Celebramos su día el 9 de marzo.

Actividades

1. Muchos artistas han intentado pintar el rostro de Jesús. ¿Cómo crees que era Jesús?

   Haz tu propio dibujo del rostro de Jesús.

Respond

Saint Catherine of Bologna and Seeing the Face of God

Catherine de'Vigri was born in Bologna, Italy, on September 8, 1413. When she was eleven, she learned to paint tiny statues. A few years later, Catherine became a religious sister.

One Christmas Eve night, she had a vision of Mary holding Baby Jesus. In the vision, Mary let Catherine hold Jesus in her arms. This vision has been painted by many artists.

Catherine led a group of religious women that became part of the community of sisters called the Poor Clares. She once wrote that she would do her very best to follow Jesus.

Catherine is known today as Saint Catherine of Bologna. She is honored as the patron saint of artists. We celebrate her feast day on March 9.

Activities

1. Many artists have tried to paint the face of Jesus. What do you think Jesus looked like?

   Draw your own picture of the face of Jesus.

2. Lee las historias. Vuelve a escribir la parte subrayada. Ten presente lo que Cristo, nuestro modelo de conducta, podría decir.

a. El equipo de Megan está jugando al basquetbol y el resultado está empatado. En los últimos minutos del partido, su compañera Dina, le pasa la pelota. Megan pierde el pase, y el otro equipo recupera la pelota y anota. El otro equipo gana el partido por un punto. Dina le grita a Megan y la insulta. "¿Cómo pudiste errar un pase tan fácil?", le grita.

____

____

b. Jessica practica con su clarinete todos los días. Ejecutará un solo en el concierto de primavera. La noche del concierto, Jessica está muy nerviosa. Mientras camina en el escenario, tropieza y se cae. Aunque está muy avergonzada, va a su asiento y toca la pieza musical maravillosamente. Después del concierto, Tim, su compañero, le dice: "¡No puedo creer lo torpe que eres!".

____

____

____

3. Busca la palabra escondida entre esta línea de letras. Luego completa el mensaje.

M T Í S G X U Q Í S Í G A N M E G T M

Jesús dice: "___ ___ ___ ___ ___ ___ ___".

Basado en Marcos 1:17

2. Read each story. Rewrite the part that is underlined. Keep in mind what Christ, our role model, might say.

a. Megan's team is playing basketball and the score is tied. During the last minutes of play, her teammate Dina, passes the ball to her. Megan misses the pass, and the other team gets the ball and scores. The game ends with the other team winning by a point. Dina yells at Megan and calls her names. She shouts, "How could you miss such an easy pass?"

____

____

b. Every day Jessica practices on her clarinet. She has a solo part in the spring concert. On the night of the concert, Jessica is very nervous. As she walks on stage, she trips and falls. Although Jessica is embarrassed, she walks to her seat and plays her piece beautifully. After the concert her classmate, Tim, says, "I can't believe how clumsy you are!"

____

____

____

3. Find a word hidden in the line of letters. Then complete the message.

M T R S G X U Q F O L L O W D C G T M

Jesus says, "___ ___ ___ ___ ___ ___ me."

Based on Mark 1:17

Celebración de la oración

Oración de reflexión

Líder: Todos somos llamados a seguir el ejemplo de Jesús y a hacer la voluntad de Dios. Mira el dibujo de Jesús que hiciste. Úsalo para rezar. Piensa en lo que Jesús dijo: "El que me ve a mí ve al Padre". (Juan 14:9)

Lector: Ahora en la tierra, Cristo no tiene otro cuerpo sino el tuyo. Ni otras manos sino las tuyas. Ni otros pies sino los tuyos. Cristo debe mirar el mundo a través de tus ojos. Necesita andar y hacer cosas buenas usando tus pies. Y usa tus manos para bendecir a su pueblo.

Basado en la oración de Santa Teresa de Ávila

Líder: Jesús, enséñanos a hablar con palabras amables. Enséñanos a hacer el bien. Ayúdanos a seguirte.

Prayer Celebration

A Prayer of Reflection

Leader: Each of us is called to follow Jesus' example and continue doing God's will. Look at the picture that you drew of Jesus. Use it to help you pray. Think about what Jesus said: "Whoever has seen me has seen the Father" (John 14:9).

Reader: Christ has no body now on earth but yours.
No hands but yours. No feet but yours.
Christ must look out on the world with your eyes.
He needs to move around doing good things by using your feet. And he uses your hands to bless his people.

Based on the Prayer by Saint Teresa of Ávila

Leader: Jesus, teach us to speak kind words. Teach us to do good deeds. Help us to follow you.

La fe en acción

El ejemplo de Jesús y el Movimiento de Cursillos Jesús nos llama a todos a ser líderes. Del mismo modo en que llamó a sus primeros discípulos, hoy nos llama a todos a seguirlo, para aprender de Él y para continuar su obra en el mundo. El Movimiento de Cursillos ayuda a la gente a aprender y a recordar los puntos más importantes de la fe católica, y a vivir como Jesús. *Cursillo* significa "curso breve". Le mostramos a la gente quién es Jesús cuando tratamos de ser "como Cristo" con todas las fuerzas, cuando nos comportamos como Jesús lo haría y cuando hacemos lo que Jesús haría.

Actividad Piensa en las cosas que más te ayudan a ser como Jesús. Pon una ✗ junto a las palabras que describen la mejor manera en que has aprendido a ser como Jesús. Haz una marca ✓ junto a las otras maneras que te han ayudado.

_______ Leer acerca de Jesús en la Biblia

_______ Rezar para saber qué hacer y cómo comportarme

_______ Pedir la guía de alguien en quien confío

_______ Ver cómo se comporta alguien que admiro

_______ (Con mis propias palabras) ________________________________

____

Actividad Cuando trabajamos, rezamos y celebramos juntos, y nos cuidamos unos a otros, vivimos como Jesús quiere que vivamos. Identifica cuatro situaciones en tu parroquia en las que puedes aprender más acerca de lo que es vivir como hermanas y hermanos en Cristo. Una ya está hecha.

Trabajamos juntos: **Ayudar a los desamparados.**

Rezamos juntos: ________________________________

Celebramos juntos: ________________________________

Nos cuidamos unos a otros: ________________________________

Jesus' Example and the Cursillo Movement Jesus calls us all to be leaders. Just as he called his first disciples, today he calls each of us to follow him, to learn from him, and to continue his work in the world. The Cursillo Movement helps people learn and remember the most important things about our Catholic faith and live more like Jesus. *Cursillo* means "little course." By trying as hard as we can to be "Christ-like," acting like Jesus would act and doing what Jesus would do, we show people who Jesus is.

Activity Think about what most helps you to be like Jesus. Mark an ✗ next to the words that describe the most important way you have learned to be like Jesus. Put a check mark ✓ next to any other ways that have helped you.

_______ Reading about Jesus in the Bible

_______ Praying about what to do and how to act

_______ Asking for guidance from someone I trust

_______ Seeing how someone I admire acts

_______ (in my own words) ____________________

____

In Your Parish

Activity When we work, pray, and celebrate together and care for one another, we are living as Jesus calls us to live. Identify three opportunities in your parish in which you can learn more about what it means to live as brothers and sisters in Christ. One has been done for you.

We work together: **Helping the homeless.**

We pray together: ____________________

We celebrate together: ____________________

We care for one another: ____________________

6 El Bautismo en Cristo

Ya han sido ustedes transformados en una nueva creatura y se han revestido de Cristo.

Ritual para el Bautismo

Compartimos

Dios te dio dones únicos que te pueden ayudar a cooperar con los demás. Cuando te unes a un grupo o a un equipo, todos trabajan juntos para lograr un objetivo común. Quizás hasta usan conjuntos de ropa iguales como señal de que pertenecen a ese grupo.

Actividades

1. ¿De qué manera la niña de la fotografía está trabajando con los demás para lograr un objetivo común? Escribe tu respuesta en los renglones que hay debajo de la fotografía.

____

____

____

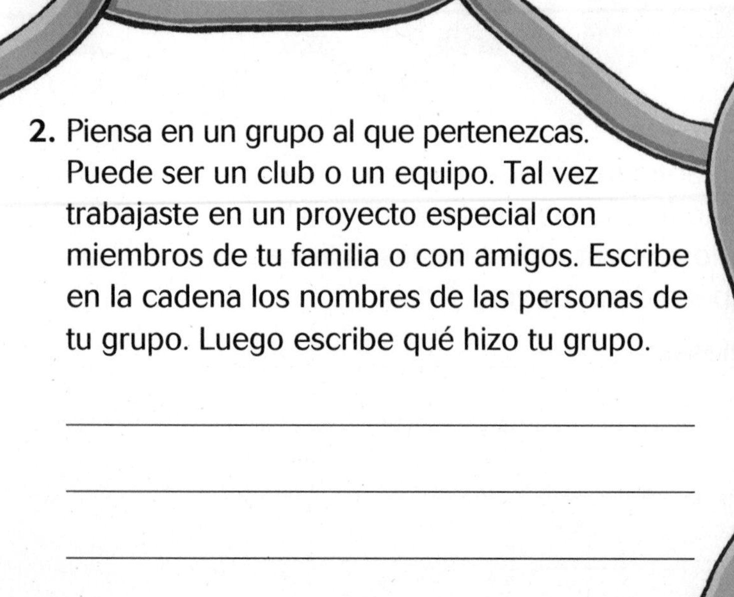

2. Piensa en un grupo al que pertenezcas. Puede ser un club o un equipo. Tal vez trabajaste en un proyecto especial con miembros de tu familia o con amigos. Escribe en la cadena los nombres de las personas de tu grupo. Luego escribe qué hizo tu grupo.

____

____

____

6 Baptism in Christ

You have become a new creation, and have clothed yourself in Christ.

Rite of Baptism

Share

God gave you unique gifts that can help you cooperate with others. When you join a group or team, you work together to reach a common goal. You may wear similar outfits as a sign of belonging to the group.

Activities

1. How is the girl in the picture working with others toward a common goal? Write your answer on the lines under the picture.

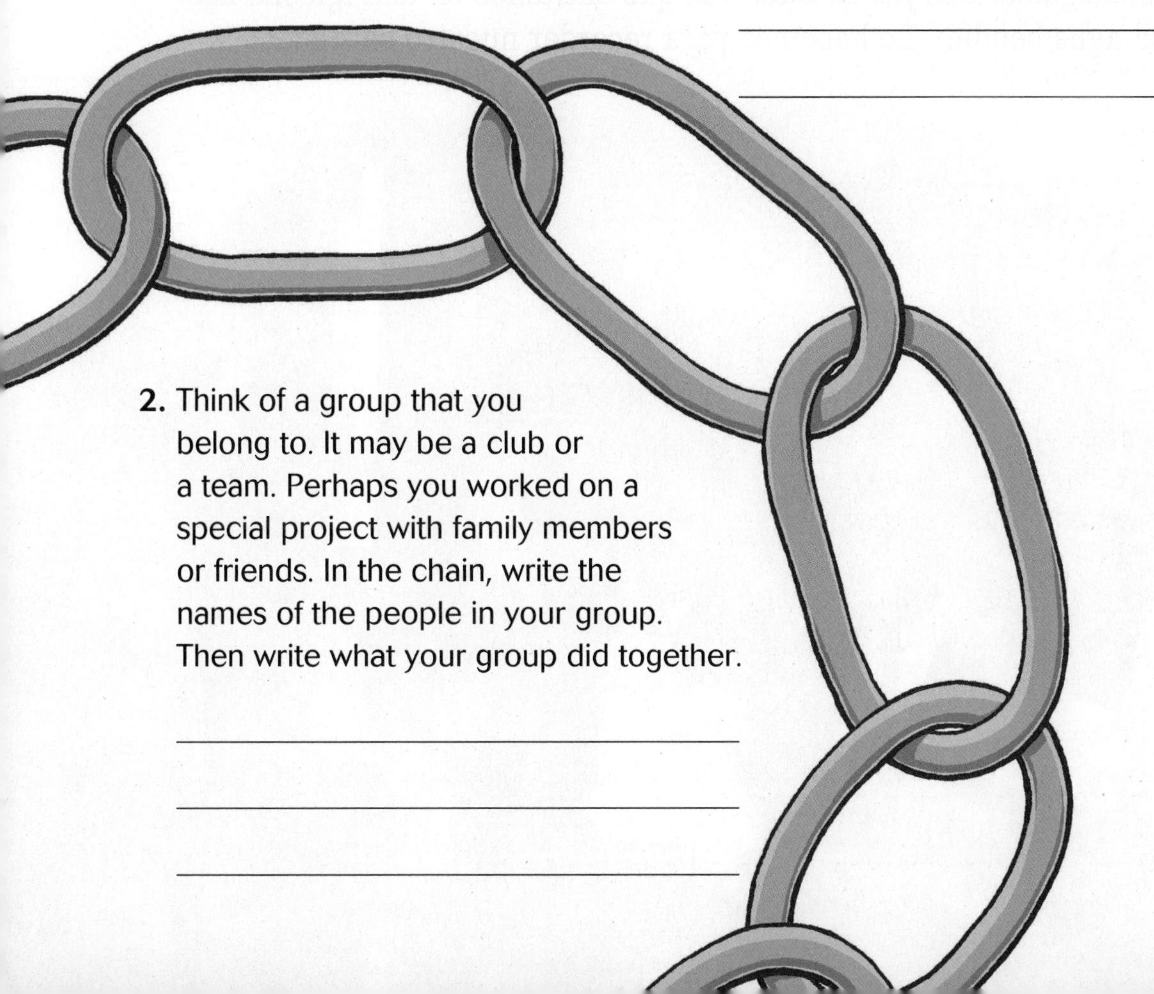

2. Think of a group that you belong to. It may be a club or a team. Perhaps you worked on a special project with family members or friends. In the chain, write the names of the people in your group. Then write what your group did together.

Escuchamos y creemos

El culto El Sacramento del Bautismo

En nuestro bautismo, el Espíritu Santo nos unió con Jesucristo y con el pueblo santo de Dios, la Iglesia. Al ser uno con Cristo y con la Iglesia, podemos trabajar juntos para mostrar a todos la bondad de Dios.

Bautismo y unción

Hay muchos signos que se usan en el Sacramento del **Bautismo**. Se derrama agua tres veces sobre la cabeza de la persona que se bautiza, mientras el sacerdote o el diácono dice:

"Yo te bautizo en el nombre del Padre,
y del Hijo,
y del Espíritu Santo".

Ritual para el Bautismo

El ser **sumergido** en agua es un signo de la muerte y la Resurrección de Jesús. Indica que la persona está limpia de pecados y preparada para empezar una nueva vida como seguidora de Jesús. Cada vez que entramos en una iglesia, nos bendecimos con agua bendita. Lo hacemos para recordar nuestro bautismo.

Worship The Sacrament of Baptism

At our baptism, the Holy Spirit united us with Jesus Christ and with God's holy people, the Church. Being one with Christ and the Church, we can work together to show God's goodness to everyone.

Baptism and Anointing

There are many signs used in the Sacrament of **Baptism**. Water is poured three times over the head of the person being baptized, while the priest or deacon says:

> "I baptize you in the name of the Father,
> and of the Son,
> and of the Holy Spirit."
>
> *Rite of Baptism*

Being **immersed** in water is a sign of Jesus' death and Resurrection. It shows that the person is cleansed of sin and ready to start a new life as a follower of Jesus. Each time we enter a church, we bless ourselves with holy water. We do this to remember our baptism.

Quien se bautiza es también **ungido** con el óleo del crisma. Éste es un signo de que la persona bautizada continuará la misión de Jesús de difundir la bondad de Dios.

Vestidura bautismal

A la persona que se bautiza se le pone ropa blanca. Éste es un signo de que se empieza una nueva vida como seguidor de Jesucristo. Luego el sacerdote o el diácono dice:

"Hijos míos, ya han sido ustedes transformados en una nueva creatura y se han revestido de Cristo. Que esa vestidura blanca sea para ustedes el símbolo de su nueva dignidad de cristianos. Con la ayuda de los consejos y ejemplos de sus familiares, consérvenla sin mancha hasta la vida eterna".

Ritual para el Bautismo

Vela bautismal

Al final de la celebración, se enciende una vela a partir del cirio pascual. Éste es un signo de que cada persona que se bautiza va a ser una luz para el mundo igual que Jesús.

Nuestra Iglesia nos enseña

Por medio del Bautismo, el Espíritu Santo nos une con Cristo y con la Iglesia. Empieza nuestra nueva vida en el Cristo Resucitado. En esta vida nueva, se limpia el **pecado original** y se nos llama a vivir como cristianos. Recibimos la fortaleza de los otros miembros de la comunidad cristiana a medida que trabajamos juntos para difundir la bondad de Dios. Como cristianos, cuando tratamos de vivir como vivió Jesús, damos verdadero significado a los signos que se usan en el Bautismo. Le damos gracias y alabanza a Dios por el don del Espíritu Santo.

Creemos

En el Bautismo nos unimos a Cristo y a la Iglesia.

Palabras de fe

Bautismo

El Bautismo es el Sacramento de la Iniciación que nos da la bienvenida a la Iglesia y nos libera de todo pecado.

ungido

Ser ungido significa que la persona continuará difundiendo el mensaje de Cristo.

pecado original

El pecado original es el pecado de Adán y Eva que se ha pasado a todos los seres humanos. Por esto, nos debilitamos en nuestra habilidad de resistir al pecado y de hacer el bien.

The person being baptized is also **anointed** with the oil of **chrism**. This is a sign that the baptized person will continue Jesus' mission of spreading God's goodness.

Baptismal Garment

A white robe is put on the person being baptized. This is a sign of starting a new life as a follower of Jesus Christ. Then the priest or deacon says:

"You have become a new creation, and have clothed yourself in Christ. See in this white garment the outward sign of your Christian dignity. With your family and friends to help you by word and example, bring that dignity unstained into the everlasting life of heaven."

The Rite of Baptism

Baptismal Candle

At the end of the celebration, a candle is lighted from the Easter candle. This is a sign that each baptized person is to be a light for the world just like Jesus.

Our Church Teaches

Through Baptism, the Holy Spirit unites us with Christ and the Church. Our new life begins in the Risen Christ. In this new life **original sin** is wiped away and we are called to live as Christians. We receive strength from other members of the Christian community as we work together to spread God's goodness. As Christians, we bring true meaning to the signs used in Baptism when we try to live as Jesus did. We give thanks and praise to God for the gift of of the Holy Spirit.

We Believe

In Baptism we are united with Christ and the Church.

Faith Words

Baptism
Baptism is the Sacrament of Initiation that welcomes us into the Church and frees us from all sin.

anointed
Being anointed means that the person will continue to spread Christ's message.

original sin
Original sin is the sin of Adam and Eve that has been passed on to all human beings. Because of this, we are weakened in our ability to resist sin and to do good.

Respondemos

Llevar vida nueva a los demás

Tommy miraba por la ventanilla del autobús escolar. Vio que un estudiante nuevo de primer o de segundo grado saludaba a su mamá en la parada del autobús. Lo que le interesó a Tommy fue que ellos se comunicaban con lenguaje de señas.

Los demás niños también lo notaron, porque ninguno le habló al niño nuevo en el autobús. Él siguió en silencio el resto del camino hasta la escuela.

Aquella tarde, después de terminar la tarea, Tommy encontró información sobre el lenguaje de señas estadounidense en un sitio web. Empezó a memorizar algunas señas y letras. Cuando el niño nuevo subió al autobús al día siguiente, Tommy le hizo una señal para que se sentara con él. En lenguaje de señas, le dijo: "¡Hola! Me llamo Tommy". "Yo soy Jimmy", contestó con señas el niño. Los dos se sonrieron. Tommy y Jimmy se sentaron juntos en el autobús el resto del año.

Respond

Bringing New Life to Others

Tommy looked through the window of the school bus. He saw a new student in the first or second grade saying good-bye to his mom at the bus stop. What interested Tommy was that they were using sign language to speak to each other.

Other children noticed this, too, because no one spoke to the new boy on the bus. He rode in silence the rest of the way to school.

That evening, after finishing his homework, Tommy found information about American Sign Language on a Web site. He began to memorize some signs and letters. When the new boy boarded the bus the next day, Tommy motioned for him to share his seat. In sign language he said, "Hi. My name is Tommy." "I'm Jimmy," the boy signed. They both smiled at each other. Tommy and Jimmy sat together on the bus for the rest of the school year.

Actividad

¡Acercamiento!

Observa a las personas que están en primer plano. Debajo de cada fotografía, escribe cómo tú o las otras personas de la foto podrían llevarles la luz de Cristo.

Activity

Zoom In!

Take a look at the people in the close-up pictures. Under each picture, write how you or the other people in the photo could bring the light of Christ to them.

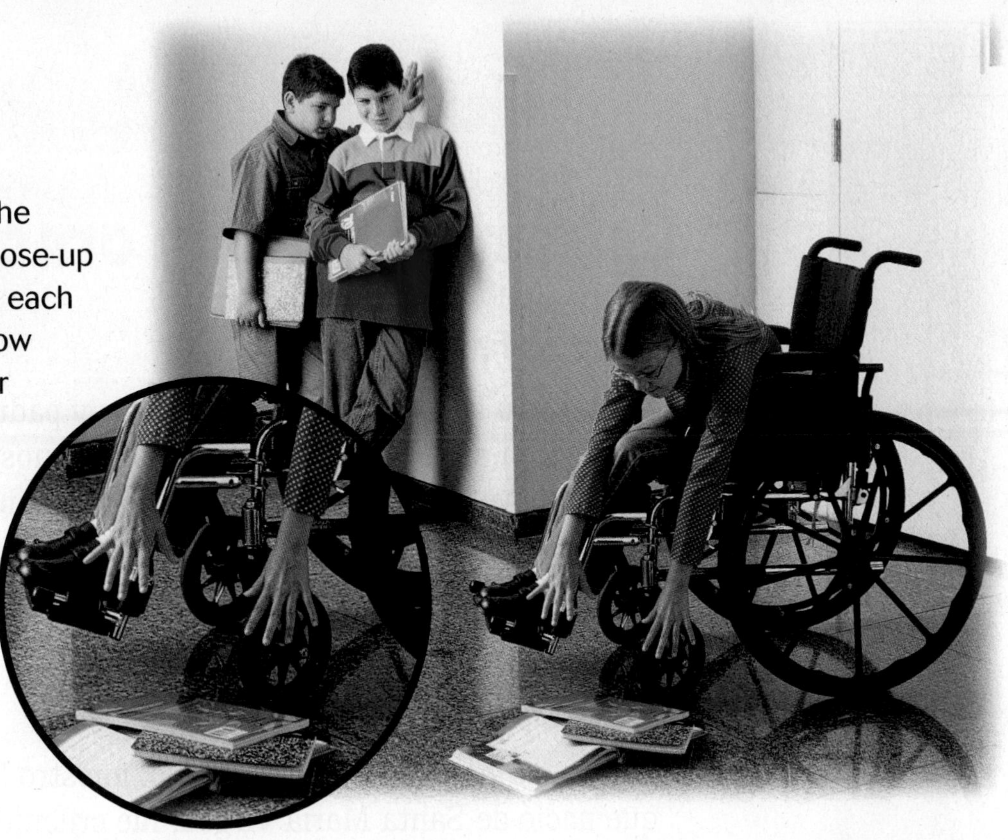

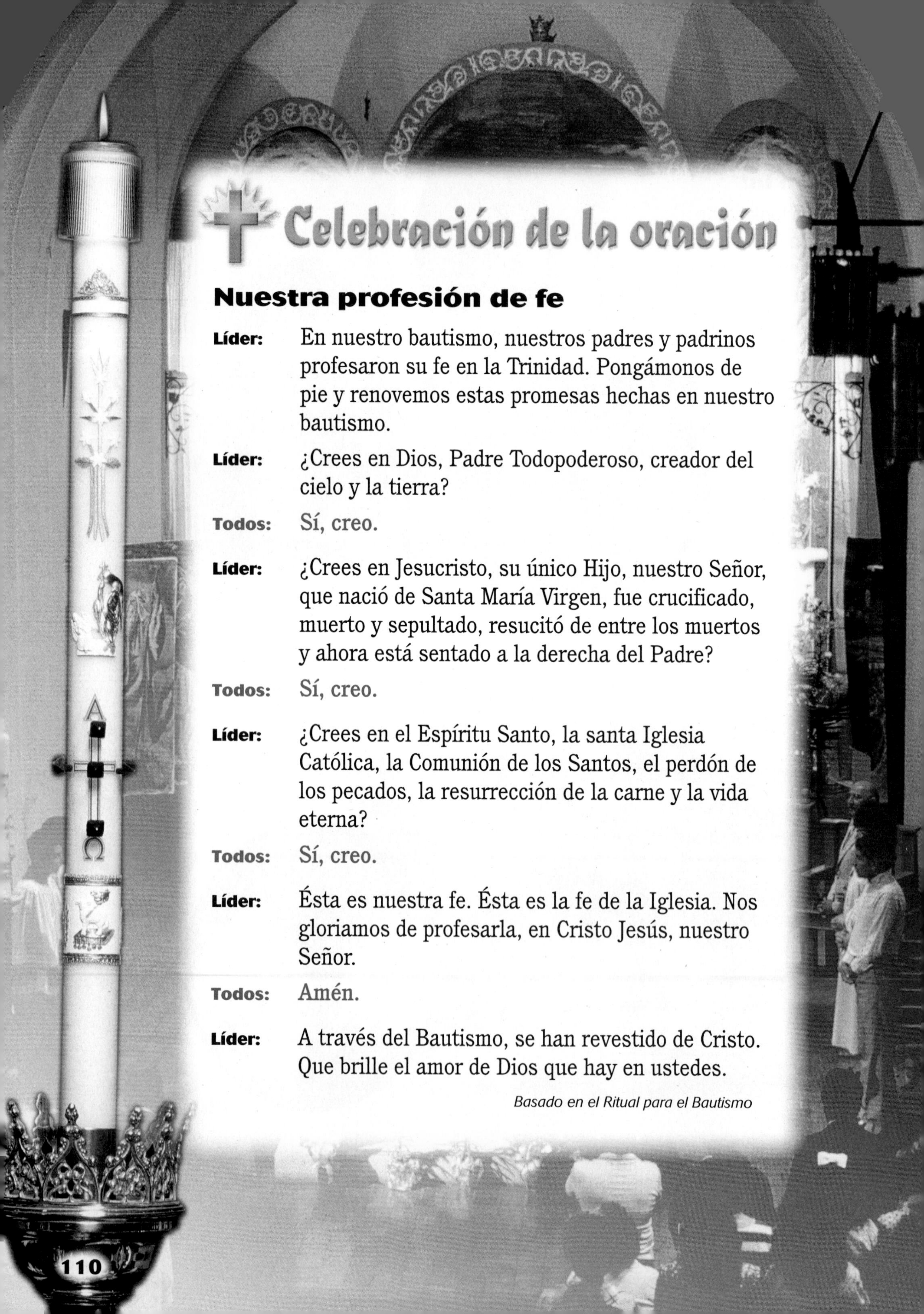

Celebración de la oración

Nuestra profesión de fe

Líder: En nuestro bautismo, nuestros padres y padrinos profesaron su fe en la Trinidad. Pongámonos de pie y renovemos estas promesas hechas en nuestro bautismo.

Líder: ¿Crees en Dios, Padre Todopoderoso, creador del cielo y la tierra?

Todos: Sí, creo.

Líder: ¿Crees en Jesucristo, su único Hijo, nuestro Señor, que nació de Santa María Virgen, fue crucificado, muerto y sepultado, resucitó de entre los muertos y ahora está sentado a la derecha del Padre?

Todos: Sí, creo.

Líder: ¿Crees en el Espíritu Santo, la santa Iglesia Católica, la Comunión de los Santos, el perdón de los pecados, la resurrección de la carne y la vida eterna?

Todos: Sí, creo.

Líder: Ésta es nuestra fe. Ésta es la fe de la Iglesia. Nos gloriamos de profesarla, en Cristo Jesús, nuestro Señor.

Todos: Amén.

Líder: A través del Bautismo, se han revestido de Cristo. Que brille el amor de Dios que hay en ustedes.

Basado en el Ritual para el Bautismo

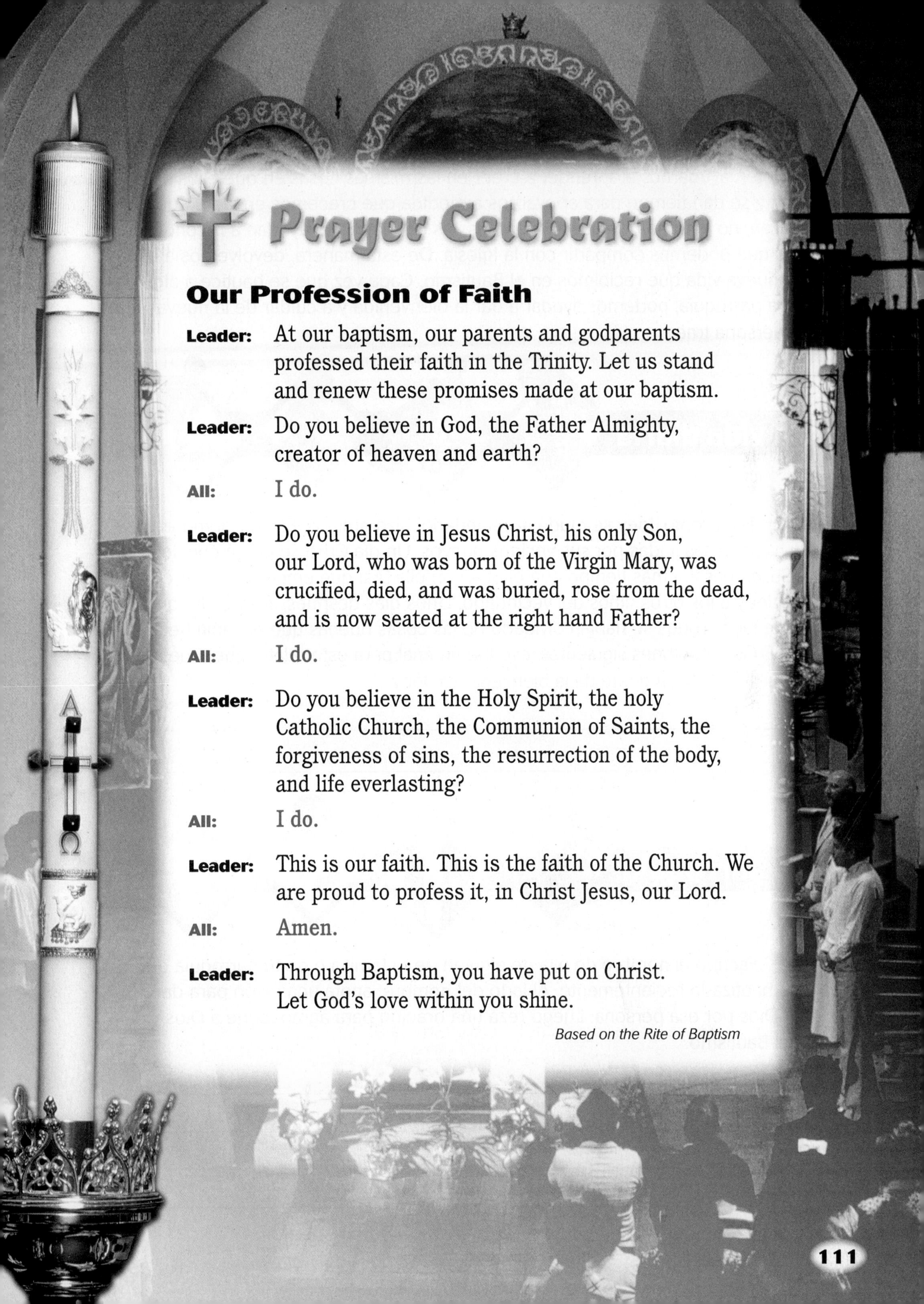

Prayer Celebration

Our Profession of Faith

Leader: At our baptism, our parents and godparents professed their faith in the Trinity. Let us stand and renew these promises made at our baptism.

Leader: Do you believe in God, the Father Almighty, creator of heaven and earth?

All: I do.

Leader: Do you believe in Jesus Christ, his only Son, our Lord, who was born of the Virgin Mary, was crucified, died, and was buried, rose from the dead, and is now seated at the right hand Father?

All: I do.

Leader: Do you believe in the Holy Spirit, the holy Catholic Church, the Communion of Saints, the forgiveness of sins, the resurrection of the body, and life everlasting?

All: I do.

Leader: This is our faith. This is the faith of the Church. We are proud to profess it, in Christ Jesus, our Lord.

All: Amen.

Leader: Through Baptism, you have put on Christ. Let God's love within you shine.

Based on the Rite of Baptism

La fe en acción

El ministerio de los padrinos Nuestros padrinos son personas con una fe sólida que prometen ayudarnos a aprender a creer en las mismas cosas en que ellos creen. Nos aman y se dan tiempo para apoyarnos a medida que crecemos en la fe. Cuando nos bautizan, no importa qué edad tengamos, los padrinos nos ayudan a reconocer los dones que podemos compartir con la Iglesia. De esta manera, devolvemos a la Iglesia la nueva vida que recibimos en el Bautismo. Cada vez que se bautice a alguien en nuestra parroquia, podemos ayudar a dar la bienvenida y a cuidar de la nueva vida que esa persona trae.

Actividad Tan pronto Joey se mudó al vecindario, hizo amigos. Estaba siempre alegre y hacía cosas lindas por sus vecinos nuevos. Un día Cristi se enojó con Joey, porque Susan pasaba más tiempo con él que con ella. Así que empezó a decir cosas malas de Joey a los otros niños del vecindario. Unos días después, Joey sintió que lo dejaban de lado. Todos se habían olvidado de las cosas buenas que él había hecho por ellos. En los renglones siguientes, escribe un final para este relato, que muestre que después de todo la gente da la bienvenida a Joey.

____

____

Actividad Escribe el nombre de pila de alguien de tu familia o de tu parroquia que haya sido bautizado recientemente. Al lado del nombre, anota una razón para dar gracias a Dios por esa persona. Luego reza una oración para agradecerle a Dios el don del Bautismo.

Nombre: ____

Agradezco a Dios por esta persona, porque... ______________________

____

____

The Ministry of Godparents Our godparents are people with a strong faith who promise to help us learn to believe in the same things they do. They love us and take the time to support us as we grow in faith. When we are baptized, no matter what age we are, godparents help us recognize the gifts that we can share with the Church. In this way, we give back to the Church the new life that we received at Baptism. Each time someone is baptized in our parish, we can help welcome and nurture the new life that person brings.

Activity When Joey first moved in down the street, he made friends very quickly. He was always happy and did nice things for his new neighbors. One day, Christi got angry at Joey because Susan was spending more time with Joey than with her. So she started saying bad things about Joey to the other kids on the street. After a few days, Joey was feeling very left out. Everyone forgot about all the good things Joey had done for them. On the lines below, write an ending to the story that shows people welcoming Joey after all.

____

____

Activity Write down the first name of anyone in your family or parish who was recently baptized. Next to the name, write down one reason you can thank God for that person. Then say a prayer thanking God for the gift of Baptism.

Name: ______________________________

I thank God for this person because... ______________________________

____

____

7 Los mandamientos y las Bienaventuranzas

A tu derecha, felicidad para siempre.

Basado en el Salmo 16:11

Compartimos

Dios quiere que cada uno de nosotros sea feliz y que el mundo entero sea un lugar feliz donde vivir. Algunas cosas que decidimos hacer nos pueden ayudar a ser felices. A veces decidimos hacer cosas que nos pueden dar felicidad por un tiempo, pero luego terminan haciéndonos infelices a nosotros y a los demás.

Actividad

Lee la lista de la casilla y marca aquellas cosas que podrías decidir hacer y que podrían terminar haciéndolos felices a ti y a los demás.

___ Hablar sobre lo que no te gusta de las otras personas.

___ Ser justo.

___ Poner a Dios en primer lugar en la vida.

___ Tratar de entender cómo se sienten los demás.

___ Gritarles a tus amigos cuando te enojas.

___ Perdonar a las personas. Hacer las paces.

___ No preocuparte por los sentimientos de tu amigo.

___ Tratar de respetar a todo el mundo.

___ No compartir. Quedarte todas las cosas buenas para ti.

___ Reírte de alguien que se equivoca.

7 The Commandments and the Beatitudes

In your right hand, happiness forever.

Based on Psalm 16:11

Share

God wants each of us to be happy and the whole world to be a happy place in which to live. Some things we decide to do can help make us happy. Sometimes we decide to do things that can make us happy for a time, but then end up making us and others unhappy.

Activity

Read the list in the box and check those things you might decide to do that would end up making you and others happy.

___ Talk about what you don't like about other people.

___ Be fair.

___ Put God first in your life

___ Try to understand how others feel.

___ Yell at your friends when you are angry.

___ Forgive people. Make up.

___ Don't worry about your friend's feelings.

___ Try to respect everyone.

___ Do not share. Keep all the good stuff for yourself.

___ Laugh at people who make mistakes.

Escuchamos y creemos

La Escritura Las Bienaventuranzas

Durante días, semanas y meses, Jesús había estado ocupado hablando a la gente sobre el Reino de Dios. Había viajado a muchos lugares, donde ayudó a todos los necesitados. Ayudó a caminar a los paralíticos. Hizo ver a los ciegos y oír a los sordos.

Un día se reunió una multitud en la ladera de un monte para escuchar la predicación de Jesús. Cuando Jesús se puso de pie y empezó a hablar, la multitud se quedó en silencio. Entonces Jesús dijo las **Bienaventuranzas**. *Las Bienaventuranzas son las enseñanzas de Jesús acerca de cómo vivir y encontrar la verdadera felicidad en el Reino de Dios. Lee el siguiente párrafo para descubrir lo que dijo Jesús.*

Felices los que tienen el espíritu del pobre,
 porque de ellos es el Reino de los Cielos.
Felices los que lloran, porque recibirán consuelo.
Felices los pacientes, porque recibirán la tierra
 en herencia.
Felices los que tienen hambre y sed de justicia,
 porque serán saciados.
Felices los compasivos, porque obtendrán
 misericordia.
Felices los de corazón limpio, porque
 verán a Dios.
Felices los que trabajan por la paz, porque
 serán reconocidos como hijos de Dios.
Felices los que son perseguidos por causa
 del bien, porque de ellos es el Reino
 de los Cielos.

Basado en Mateo 4:23–25; 5:1–10

VE A la página 388 para leer más acerca de las Bienaventuranzas.

Hear & Believe

Scripture The Beatitudes

For days, weeks, and months, Jesus had been busy telling people about God's kingdom. He had traveled to many places, where he helped anyone who was in need. He helped those who were paralyzed walk. He made the blind see and the deaf hear.

One day a crowd gathered on a mountainside to hear Jesus preach. As Jesus stood up and began to speak, the crowd became quiet. Jesus then told the people the **Beatitudes**. *The Beatitudes are Jesus' teachings about how to live and find real happiness in God's kingdom. Read the passage below to find out what Jesus said.*

Blessed are the poor in spirit,
for theirs is the Kingdom of Heaven.
Blessed are they who mourn,
for they will be comforted.
Blessed are the meek,
for they will inherit the land.
Blessed are they who hunger and thirst
for righteousness,
for they will be satisfied.
Blessed are the merciful,
for they will be shown mercy.
Blessed are the clean of heart,
for they will see God.
Blessed are the peacemakers,
for they will be called children of God.
Blessed are they who are persecuted for
the sake of righteousness,
for theirs is the Kingdom of Heaven.

Based on Matthew 4:23–25; 5:1–10

GO TO page 389 to read more about the Beatitudes.

Vivir los mandamientos de Dios

Cuando Jesús predicaba sobre las Bienaventuranzas, sabía que las personas estaban tratando de cumplir las leyes de Dios. De niños les habían enseñado los Diez Mandamientos. Jesús las ayudó a comprender que, si vivían como Dios quería, podrían ser verdaderamente felices y benditas. Como pueblo del Reino de Dios, debemos pensar en los demás y compartir con los necesitados. Las Bienaventuranzas son sendas hacia la felicidad y hacia el Reino de Dios.

Cumplir los mandamientos y las Bienaventuranzas

Jesús dijo que debemos compartir de buen grado lo que tenemos. Dios quiere que seamos generosos con los demás, especialmente con los que necesitan nuestra ayuda.

Compartir con los demás no es fácil. Confiamos en que Dios nos ayudará a hacer lo correcto. Dios promete que, si cumplimos los Diez Mandamientos y las Bienaventuranzas, seremos felices para siempre en el Reino de Dios.

Nuestra Iglesia nos enseña

Escuchando a Jesús, aprendemos acerca del Reino de Dios. Es la promesa de Jesús de paz, justicia y equidad para todas las personas. Jesús nos dice que el Reino de Dios crece dentro de nuestro corazón si tratamos de vivir como Él enseña. Para que hallemos felicidad verdadera, Jesús nos invita a unirnos a Él en el reino.

El Reino de Dios ha venido, pero aún no está aquí en su gloria plena. Por eso, cuando rezamos el Padre Nuestro, decimos: "venga a nosotros tu reino".

Creemos

Jesús quiere que sigamos su ejemplo y sus enseñanzas, y así seremos felices. Las Bienaventuranzas resumen el camino de Jesús hacia la felicidad, un camino de amor y generosidad. Estas acciones forman parte de obedecer las leyes de Dios que contienen los Diez Mandamientos.

Palabras de fe

Bienaventuranzas
Son las enseñanzas de Jesús acerca de cómo vivir y encontrar la verdadera felicidad. Las Bienaventuranzas nos dicen de qué manera seremos felices en el Reino de Dios.

God's Commandments Fulfilled

When Jesus preached about the Beatitudes, he knew that the people were trying to keep God's laws. They were taught the Ten Commandments when they were children. Jesus helped them to understand that they could be truly happy and blessed if they lived as God wanted them to. As people of the Kingdom of God, we must think of others and share with those in need. The Beatitudes are paths to happiness and to God's kingdom.

Following the Commandments and the Beatitudes

Jesus said that we must be willing to share what we have. God wants us to be generous with others, especially with people who need our help.

Sharing with others is not easy. We trust that God will help us do the right thing. God promises that if we follow the Ten Commandments and the Beatitudes, we will be happy forever in the Kingdom of God.

Our Church Teaches

By listening to Jesus, we learn about the Kingdom of God. It is Jesus' promise of peace, justice, and fairness for all people. Jesus tells us that the Kingdom of God grows within our hearts if we try to live as Jesus teaches. For us to find real happiness, Jesus invites us to join him in the kingdom.

God's kingdom has come, but it is not here in its full glory yet. That is why, when we pray the Lord's Prayer, we pray, "Thy kingdom come."

We Believe

Jesus wants us to follow his example and teachings so that we will be happy. The Beatitudes summarize Jesus' way to happiness, a way of love and caring. These actions are part of obeying God's laws contained in the Ten Commandments.

Faith Words

Beatitudes
Jesus' teachings about how to live and find real happiness. The Beatitudes tell us how we will be happy in God's kingdom.

Respondemos

Vivir hoy las Bienaventuranzas

La clase de la señora Torrado estaba entusiasmada. Hicieron una tabla que explicaba el significado de las Bienaventuranzas hoy en día. La decoraron con fotografías de niños ayudando a otras personas. Su pastor decidió que todos los de la parroquia debían verla. ¡Hizo que la imprimieran en el boletín parroquial! Así es como se ve.

LAS BIENAVENTURANZAS	SIGNIFICADO HOY EN DÍA
1. Felices los que tienen el espíritu del pobre, porque de ellos es el Reino de los Cielos.	Tener el espíritu del pobre significa depender de Dios para todo.
2. Felices los que lloran, porque recibirán consuelo.	Llorar significa consolar a los que sufren.
3. Felices los pacientes, porque recibirán la tierra en herencia.	Ser paciente significa usar los dones de Dios para ayudar a los demás.
4. Felices los que tienen hambre y sed de justicia, porque serán saciados.	Tener hambre y sed de justicia significa compartir con los necesitados.
5. Felices los compasivos, porque obtendrán misericordia.	Ser compasivo significa perdonar a los que han hecho daño a los demás.
6. Felices los de corazón limpio, porque verán a Dios.	Ser de corazón limpio significa permanecer devoto de Dios y amar al prójimo.
7. Felices los que trabajan por la paz, porque serán reconocidos como hijos de Dios.	Trabajar por la paz significa ayudar a llevar al mundo la paz de Dios.
8. Felices los que son perseguidos por causa del bien, porque de ellos es el Reino de los Cielos.	Sufrir un trato injusto por hacer lo que está bien significa llevar a cabo la obra de Jesús en el mundo.

Aquí se aceptan ABRIGOS PARA LOS POBRES

Respond

Living the Beatitudes Today

Mrs. Torrado's class was excited. They made a chart that explained the meaning of the Beatitudes for today. They decorated it with photographs showing children helping other people. Their pastor decided that everyone in the parish should see it. He had it printed in the parish bulletin! This is what it looks like.

THE BEATITUDES	TODAY'S MEANING
1. Blessed are the poor in spirit, for theirs is the Kingdom of Heaven.	To be poor in spirit means to depend on God for everything.
2. Blessed are they who mourn, for they will be comforted.	To mourn means to comfort those who suffer.
3. Blessed are the meek, for they will inherit the land.	To be meek means to use God's gifts to help others.
4. Blessed are they who hunger and thirst for righteousness, for they will be satisfied.	To hunger and thirst for righteousness means to share with those in need.
5. Blessed are the merciful, for they will be shown mercy.	To be merciful means to forgive those who have hurt others.
6. Blessed are the clean of heart, for they will see God.	To be clean of heart means to stay devoted to God and to love neighbors.
7. Blessed are the peacemakers, for they will be called children of God.	To be a peacemaker means to help bring God's peace to the world.
8. Blessed are they who are persecuted for the sake of righteousness, for theirs is the Kingdom of Heaven.	To suffer unfair treatment for doing what is right means to carry on Jesus' work in the world.

COATS FOR THE POOR Accepted Here

Actividad 

Ahora haz tu propio cartel usando la página 120 como guía. Escribe cómo se podría escribir cada mandamiento en forma de Bienaventuranza. El octavo mandamiento ya está hecho.

Los Diez Mandamientos

1. Yo soy el SEÑOR, tu Dios. No tendrás otros dioses fuera de mí.
2. **No tomes en vano el nombre del SEÑOR, tu Dios.**
3. Acuérdate del día del sábado, para santificarlo.
4. **Respeta a tu padre y a tu madre.**
5. No mates.
6. **No cometas adulterio.**
7. No robes.
8. **No levantes falso testimonio contra tu prójimo.**
9. No codicies la mujer de tu prójimo.
10. **No codicies nada de lo que pertenece a tu prójimo.**

____

____

____

____

____

____

____

____

____

____

____

____

____

Felices los que dicen la verdad,

porque de ellos es el Reino de los Cielos.

____

____

____

____

Activity

Now make your own poster using page 121 as a guide. Write how each commandment could be written as a beatitude. The eighth commandment has been done for you.

The Ten Commandments

1. I am the LORD your God. You shall not have other gods besides me.
2. You shall not take the name of the LORD, your God, in vain.
3. Remember to keep holy the Sabbath day.
4. Honor your father and mother.
5. You shall not kill.
6. You shall not commit adultery.
7. You shall not steal.
8. You shall not bear false witness against your neighbor.
9. You shall not covet your neighbor's wife.
10. You shall not covet anything that belongs to your neighbor.

____

____

____

____

____

____

____

____

____

____

____

____

____

____

Blessed are they who tell the truth,

for theirs is the Kingdom of Heaven.

____

____

____

____

Celebración de la oración

Oración de la Sagrada Escritura

Líder: Querido Dios, sabemos que nos creaste para que seamos felices. Recordamos que tu Hijo, Jesús, dijo: "Al Padre de ustedes le agradó darles el reino".

Todos: Nos enseñas la senda de la vida. En tu presencia hay plenitud de gozo. A tu derecha, felicidad para siempre.

Líder: *(Lean lentamente cada bienaventuranza de la Biblia, en Mateo 5:3–10.)*

Todos: *(Respondan después de cada bienaventuranza.)* Nos enseñas la senda de la vida.

Basado en el Salmo 16:11

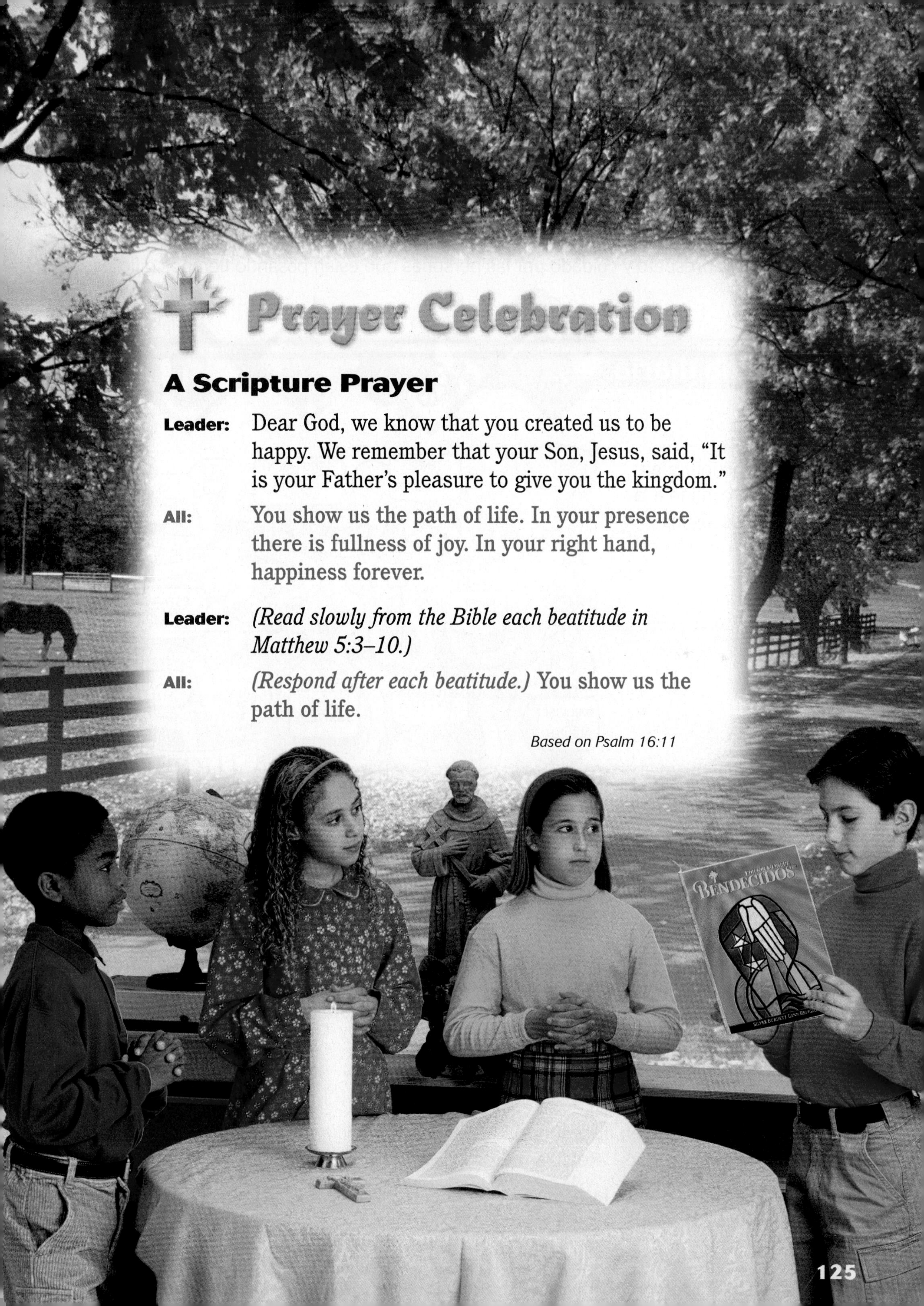

Prayer Celebration

A Scripture Prayer

Leader: Dear God, we know that you created us to be happy. We remember that your Son, Jesus, said, "It is your Father's pleasure to give you the kingdom."

All: You show us the path of life. In your presence there is fullness of joy. In your right hand, happiness forever.

Leader: *(Read slowly from the Bible each beatitude in Matthew 5:3–10.)*

All: *(Respond after each beatitude.)* You show us the path of life.

Based on Psalm 16:11

La fe en acción

La Sociedad del Santo Nombre Mientras Jesús nos enseña a ser verdaderamente felices en el Reino de Dios, Él también sabe que en nuestra vida pasaremos muchos momentos tristes. Los hombres y las mujeres de nuestras parroquias, que se ocupan de los demás a través del Santo Nombre, viven de acuerdo con las Bienaventuranzas. Hay muchas maneras en que podemos mostrar respeto y cuidado por las personas que están pasando tiempos difíciles.

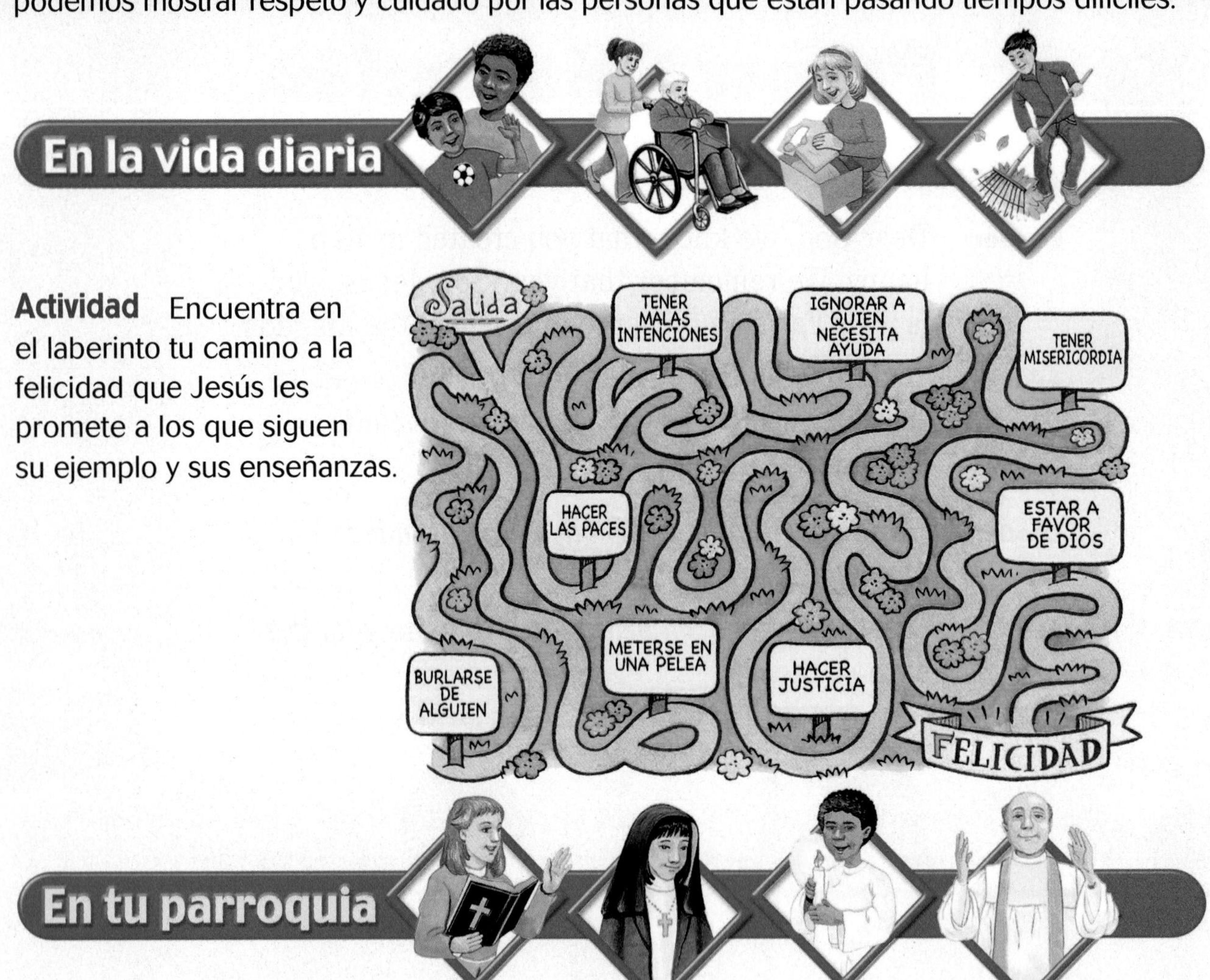

Actividad Encuentra en el laberinto tu camino a la felicidad que Jesús les promete a los que siguen su ejemplo y sus enseñanzas.

Actividad La asociación juvenil de la Sociedad del Santo Nombre recibe a jóvenes de 9 a 18 años de edad. Se dedican a la oración, al servicio y al testimonio. En cada uno de los siguientes grupos, subraya una o dos cosas que puedas comprometerte a hacer durante los próximos meses.

Oración: **Leer más la Palabra de Dios.** Rezar el Rosario. **Ir a Misa.** **Encontrar un compañero de oración.**

Servicio: **Ayudar a alguien necesitado.** Apoyar a una organización que viva de acuerdo con el Evangelio. **Realizar actos de caridad al azar.**

Testimonio: **Decir siempre la verdad.** Nunca hacer trampas. **Compartir el Evangelio con alguien.** **Tomar decisiones piadosas.**

Faith in Action

The Holy Name Society While Jesus teaches us how to be truly happy in God's kingdom, he also knows that we will experience many sad times in our lives. Men and women of our parishes who minister to others through the Holy Name live out the Beatitudes. There are many ways we can show respect and care for people who are going through difficult times.

In Everyday Life

Activity Find your way through the maze to the happiness that Jesus promises those who follow his example and teachings.

In Your Parish

Activity The Junior Confraternity of the Holy Name Society welcomes youth from ages 9 through 18. They are committed to prayer, service, and witness. In each group below, underline one or two items that you can commit to over the next few months.

Prayer: **Read God's Word more.** **Pray the Rosary.** **Go to Mass.** **Find a prayer partner.**

Service: **Help someone in need.** **Support an organization that lives out the Gospel.** **Perform random acts of kindness.**

Witness: **Always tell the truth.** **Never cheat.** **Share the Gospel with someone.** **Make prayerful decisions.**

8 Los mandamientos y el Reino

Los últimos serán primeros, y los primeros serán últimos.

Mateo 20:16

Compartimos

Cuando tratamos a los demás con justicia, somos una señal del Reino de Dios.

Actividades

¡No es justo!

1. Melinda y Bob están comiendo pastel como postre. ¿Por qué Bob está disgustado?

____

____

____

____

2. Lee la lista de cosas que podrías considerar injustas. Haz una marca delante de las que te hayan pasado. Luego dibuja una caricatura de algo injusto que te haya sucedido. Usa una de las experiencias de la lista u otra que recuerdes.

___ Te culparon de algo que no hiciste.

___ Una hermana o un hermano mayor se quedó levantado más tarde que tú.

___ No te hicieron el regalo que realmente querías.

___ Tu maestro te dio demasiada tarea.

___ Tú hiciste la mayor parte del trabajo de un proyecto de grupo.

8 The Commandments and the Kingdom

The last will be first, and the first will be last.

Matthew 20:16

Share

When we treat others fairly, we are a sign of God's kingdom.

Activities

It's Not Fair!

1. Melinda and Bob are having cake for dessert. Why is Bob upset?

____

____

____

____

2. Read the list of things that you might consider unfair. Put a check in front of the ones you have experienced. Then draw a cartoon for something unfair that has happened to you. Use one from the list or another experience you remember.

___ You were blamed for something you didn't do.

___ An older brother or sister stayed up later than you.

___ You didn't get the present you really wanted.

___ Your teacher gave you too much homework.

___ You did the most work on a group project.

Escuchamos y creemos

La Escritura Los trabajadores de la viña

A veces es difícil entender a Dios. La **justicia** *de Dios puede ser distinta de la nuestra. Jesús hablaba de esto cuando contó este relato.*

Un propietario rico tenía una viña. A la madrugada salió a contratar trabajadores para sus campos. Los trabajadores estuvieron de acuerdo con lo que el propietario iba a pagarles y fueron a trabajar. A las nueve de la mañana, el propietario vio unos trabajadores más y les dijo: "Vayan a trabajar a mi viña. Les pagaré lo que sea justo". Hizo lo mismo al mediodía, a las tres de la tarde y a las cinco. Al final del día, todos los trabajadores vinieron a cobrar. El propietario le pagó la misma cantidad a cada trabajador, sin importar cuánto había trabajado. Los que habían trabajado más tiempo dijeron: "¡Esto no es justo! Nosotros trabajamos mucho más tiempo que los otros".

El propietario contestó: "Amigos míos, yo no los estoy estafando. Les pagué lo que habíamos acordado. ¿No puedo hacer lo que quiera con mi dinero? ¿O será que a ustedes les da envidia que yo sea generoso?".

Jesús terminó su relato diciendo: "Los últimos serán primeros, y los primeros serán últimos".

Basado en Mateo 20:1–16

Hear & Believe

Scripture The Laborers in the Vineyard

At times, God's ways are difficult to understand. God's **justice** *can be different from our own. Jesus spoke of this when he told this story.*

A rich landowner owned a vineyard. At dawn he went out and hired laborers to work in his fields. The workers agreed on how much the landowner would pay them and then went to work. At nine o'clock the landowner saw some more workers. He said, "Go and work in my vineyard. I will pay you what is fair." He did the same at noon, at three o'clock, and at five o'clock. At the end of the day, all the workers came for their money. The landowner paid each worker the same amount no matter how long he had worked. Those who had worked longest said, "This is not fair! We worked much longer than the others!"

The landowner replied, "My friends, I am not cheating you. I paid you what we agreed on. Can I not do what I want with my own money? Are you jealous because I am generous?"

Jesus finished his story by saying, "The last will be first, and the first will be last."

Based on Matthew 20:1–16

La justicia de Dios

Todos esperamos ser tratados de manera justa. Queremos recibir lo que merecemos. Pero la justicia de Dios no siempre es como la nuestra. Dios nos trata distinto de como nosotros podemos tratarnos unos a otros. Él nos ama y nos trata equitativamente. Dios siempre ve la bondad que hay en cada uno de nosotros y nos colma con amor eterno.

Para ayudarnos a entender la justicia de Dios, miramos a Jesús, nuestro modelo de conducta. Con su forma de vida, Jesús nos mostró cómo es el Reino de Dios.

Los Diez Mandamientos y las Bienaventuranzas conducen a la justicia de Dios. Seguimos su ejemplo al obedecer los Diez Mandamientos y al vivir las Bienaventuranzas.

Nuestra Iglesia nos enseña

Durante la Misa rezamos el Padre Nuestro. Jesús enseñó a sus seguidores a rezar esta oración para pedir la venida del reino y la justicia de Dios. Cuando decimos las palabras *venga a nosotros tu reino*, pedimos la bondad y la justicia de Dios para todas las personas. Creemos en que un día estaremos completamente unidos en el Reino de Dios.

Creemos

Cuando rezamos el Padre Nuestro, expresamos nuestra creencia en la justicia y el amor del Reino de Dios.

Palabras de fe

justicia

Justicia significa "tratar a todos con imparcialidad y con respeto siguiendo las enseñanzas de Jesús".

God's Justice

We expect to be treated fairly. We want to receive what we deserve. But God's justice is not always the same as ours. God treats us differently than we may treat each other. He loves us and treats us equally. God always sees the goodness in each of us and fills us with everlasting love.

To help us understand God's justice, we look to Jesus, our role model. By the way he lived, Jesus showed us what the Kingdom of God is like.

The Ten Commandments and the Beatitudes lead to God's justice. We follow his example by obeying the Ten Commandments and living the Beatitudes.

Our Church Teaches

During Mass, we pray the Lord's Prayer. Jesus taught his first followers to pray this prayer for the coming of the kingdom and God's justice. When we pray the words *thy kingdom come*, we ask for God's goodness and justice for all people. We believe that one day we will be fully joined with the Kingdom of God.

We Believe

When we pray the Lord's Prayer, we express our belief in God's kingdom of justice and love.

Faith Words

justice
Justice means treating everyone fairly and with respect by following Jesus' teachings.

Respondemos

Santa Teresa y cumplir los mandamientos

Santa Teresa nació en Ávila, España, en 1515. De pequeña le encantaba leer acerca de los santos con Rodrigo, su hermano. A los dieciocho años, Teresa se hizo monja en un convento de las carmelitas. En aquella época las monjas de su orden llevaban una vida muy social. A Teresa le gustaba conversar con las otras monjas y recibir a las personas que visitaban el convento.

A medida que transcurría el tiempo, Teresa sentía que las cosas materiales la distraían de una relación cercana con Dios. Les enseñó a las monjas carmelitas a vivir con sencillez, pasando más tiempo en oración. Teresa quería poner a Dios en el primer lugar de su vida.

Aprendió a rezar en silencio durante muchas horas. Incluso escribió libros sobre la oración y sobre cómo venerar a Dios.

Honramos a Santa Teresa el 15 de octubre. Ella nos enseñó a acercarnos a Dios a través de la oración.

Al cumplir los mandamientos, elegimos acercarnos a Dios. Cuando ponemos a Dios en el primer lugar de nuestra vida, estamos respondiendo con amor a la alianza de Dios.

Actividades

1. Las intercesiones son oraciones a Dios por las necesidades de las demás personas. Elige una bienaventuranza y escríbela en forma de intercesión. Por ejemplo, para la segunda bienaventuranza, podrías escribir lo siguiente.

Por los que lloran, para que Dios les dé consuelo. Oramos...

• llorar • pacientes • hambre y sed de justicia • espíritu del pobre • perseguidos por causa del bien • trabajar por la paz • corazón limpio

____

____

____

VE A la página 388 para leer más acerca de las Bienaventuranzas.

Respond

Saint Teresa and Following the Commandments

Saint Teresa was born in Ávila, Spain, in 1515. As a child, she loved to read about the saints with her brother, Rodrigo. When she was eighteen, Teresa became a nun in a Carmelite convent. At that time the nuns in her order led a very social life. Teresa enjoyed talking to the other nuns and entertaining visitors who came to the convent.

As time went on, Teresa felt that material things were distracting her from a close relationship with God. She taught the Carmelite nuns to live simply, spending more time in prayer. Teresa wanted to place God first in her life.

She learned to pray in silence for many hours. She even wrote books about prayer and how to worship God.

We honor Saint Teresa on October 15. She showed us how to draw closer to God through prayer.

By following the commandments, we choose to grow closer to God. When we place God first in our lives, we are responding to God's covenant with love.

Activities

1. Intercessions are prayers to God for the needs of other people. Select one beatitude and write it as an intercession. For example for the second beatitude, you could write the following.

   For those who mourn, that God will comfort them. We pray...

• mourn • meek • hunger and thirst for righteousness •

Clean of heart

Poor in spirit

____

____

____

• peacemakers • persecuted for the sake of righteousness •

page 389 to read more about the Beatitudes.

2. Halla y encierra en un círculo siete palabras escondidas que nos hablan del reino de Dios.

justicia unidad gozo misericordia paz bondad amor

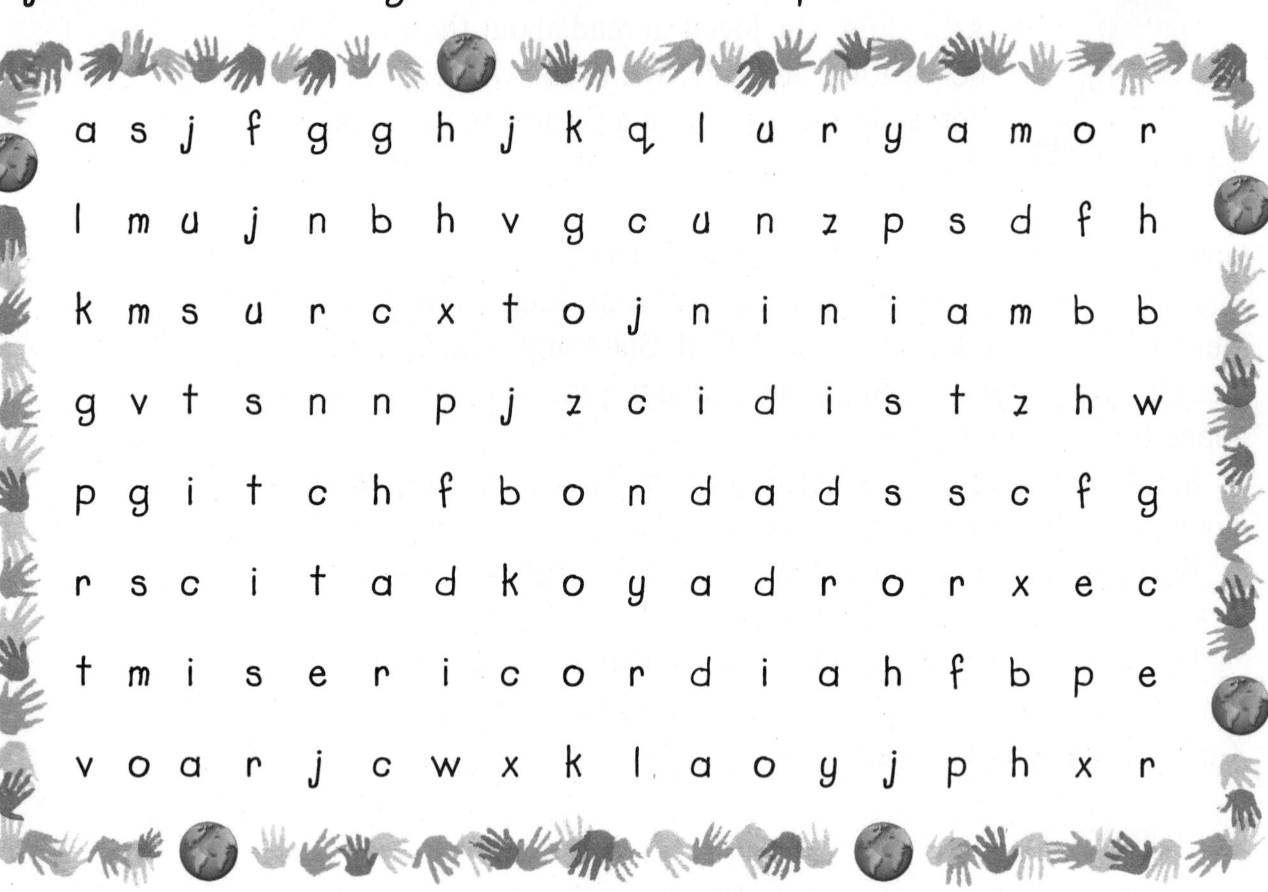

a	s	j	f	g	g	h	j	k	q	l	u	r	y	a	m	o	r
l	m	u	j	n	b	h	v	g	c	u	n	z	p	s	d	f	h
k	m	s	u	r	c	x	t	o	j	n	i	n	i	a	m	b	b
g	v	t	s	n	n	p	j	z	c	i	d	i	s	t	z	h	w
p	g	i	t	c	h	f	b	o	n	d	a	d	s	s	c	f	g
r	s	c	i	t	a	d	k	o	y	a	d	r	o	r	x	e	c
t	m	i	s	e	r	i	c	o	r	d	i	a	h	f	b	p	e
v	o	a	r	j	c	w	x	k	l	a	o	y	j	p	h	x	r

3. Usando el lenguaje de señas estadounidense, aprende a decir con señas la siguiente frase del Padre Nuestro. Repasa lo que aprendiste en el Capítulo 4 y di con señas todas las frases.

venga **a nosotros** **tu** **reino;**

2. Find and circle seven hidden words below that tell us about God's kingdom.

justice unity joy mercy peace goodness love

a	s	d	f	g	g	h	j	k	q	l	e	r	y	l	o	v	e
l	m	w	j	n	b	h	v	g	c	f	x	p	z	s	d	f	h
k	m	r	u	r	c	x	t	o	j	s	f	t	e	i	m	b	b
g	v	o	s	n	n	p	j	q	c	y	n	m	s	a	t	h	w
p	g	b	t	c	h	f	g	o	o	d	n	e	s	s	c	f	g
r	u	n	i	t	y	m	k	o	y	y	m	r	o	r	x	e	c
t	s	n	c	b	m	r	a	e	p	z	z	c	h	f	b	p	e
v	o	l	e	j	c	w	x	k	l	a	o	y	j	p	h	x	r

3. Using American Sign Language, learn to sign the following phrase from the Lord's Prayer. Review what you learned in Chapter 4 and sign all the phrases together.

Thy kingdom come.

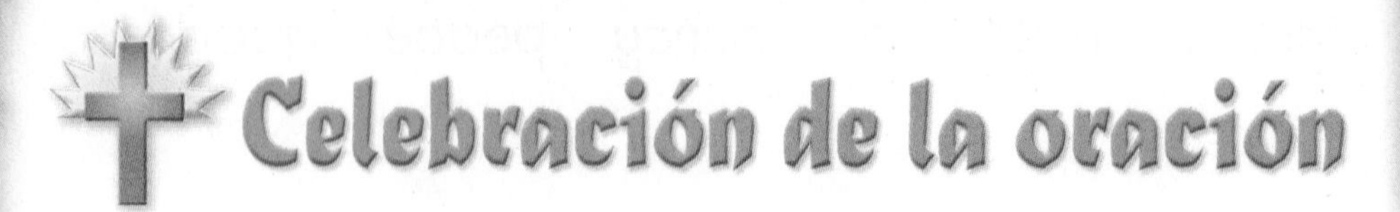

Oración de alabanza

Líder: Oremos juntos por nuestras necesidades y por las necesidades de la Iglesia, y digamos con señas “Venga a nosotros tu reino”.

Lector 1: Por todos los cristianos, para que siempre podamos seguir a Jesús, nuestro modelo de conducta. Oramos…

Todos: Venga a nosotros tu reino.

Lector 2: Por todos los líderes de la Iglesia, especialmente el Papa, nuestros obispos y nuestro pastor, para que puedan ser verdaderos signos de Cristo. Oramos…

Todos: Venga a nosotros tu reino.

Lector 3: Por los que son perseguidos por causa del bien, porque de ellos es el Reino de los Cielos. Oramos…

Todos: Venga a nosotros tu reino.

Lector 4: Por todos los que estamos aquí reunidos, para que algún día experimentemos plenamente la justicia de Dios en el Reino de Dios. Oramos…

Todos: Venga a nosotros tu reino.

Líder: Por nuestras propias intenciones especiales que ahora recordamos… *(Digan por turnos las intercesiones que escribieron para la Actividad 1 de la página 134.)*

Líder: Juntos digamos el Padre Nuestro con señas.

A Prayer of Praise

Leader: Together let us pray for our needs and the needs of the Church and sign "Thy kingdom come."

Reader 1: For all Christians, that we may always follow Jesus, our role model. We pray . . .

All: thy kingdom come.

Reader 2: For all Church leaders, especially the pope, our bishops, and our pastor, that they may be true signs of Christ. We pray . . .

All: thy kingdom come.

Reader 3: For those who are persecuted for the sake of righteousness, for the Kingdom of Heaven is theirs. We pray . . .

All: thy kingdom come.

Reader 4: For all of us gathered here, that someday we will fully experience God's justice in the Kingdom of God. We pray . . .

All: thy kingdom come.

Leader: For our own special intentions that we now remember ... *(Take turns praying the intercessions written for Activity 1 on page 135.)*

Leader: Together, let us sign the Lord's Prayer.

La fe en acción

El personal de la parroquia En tu parroquia hay muchas personas que trabajan entre bastidores. Por ejemplo, la secretaria prepara los boletines informativos y las hojas parroquiales para mantener a todos informados. No importa lo que hagamos por la Iglesia, formamos parte de la familia de Dios.

Actividad ¿Te has imaginado alguna vez que pudieras llevar la ventaja en algo, como una carrera, para tener más posibilidades de ganar? A veces, la sola participación en la carrera es premio suficiente. En cada uno de los siguientes enunciados, marca con una ***X*** la columna que mejor se ajuste a tu opinión. Comenta tus respuestas con un compañero.

	Estoy de acuerdo	**No estoy de acuerdo**	**No estoy seguro**
1. El valor de una persona se determina por la cantidad de dinero que gana.			
2. Decir "No tengo tiempo" es una buena excusa para no ayudar a alguien.			
3. La forma en que tratas a la persona menos importante que conoces es la forma en que tratas a Jesús.			

Actividad Piensa en las muchas personas que hacen posible que disfrutes de todo lo que tienes. ¿Quién cocina? ¿Quién compra la comida? ¿Quién cultiva o quién embala los alimentos que compras? ¿Qué pasaría si alguna de estas personas no hiciera su trabajo? Escoge una persona que trabaje o que sea voluntaria en tu parroquia y anota dos cosas que podrían ocurrir si esta persona no hiciera su trabajo.

Nombre/Puesto: ______________________________

1. ______________________________

____

2. ______________________________

____

Faith in Action

The Parish Staff There are many people who work behind the scenes in your parish. For example, the parish secretary prepares newsletters and bulletins to keep everyone in the parish informed. No matter what we do for the Church, we are a part of God's family.

Activity Have you ever imagined you could get a head start on something, such as a race, to increase your chances of winning? Sometimes, just being in the race is enough of a reward. For each statement below mark an ***X*** in the column that best fits your opinion. Discuss your responses with a partner.

	Agree	Disagree	Not Sure
1. A person's worth is determined by how much money he or she makes.			
2. Saying "I don't have time" is a good excuse not to help someone.			
3. How you treat the least important person you know is how you treat Jesus.			

Activity Think about the many people who make it possible for you to enjoy all that you have. Who cooks? Who buys the food? Who grows or packages the food you buy? What would happen if one of these people did not do his or her job? Choose one person who works or volunteers in your parish and list two things that could happen if this person did not do his or her job.

Name/Job Title: ______________________________

1. ______________________________

____

2. ______________________________

____

El Espíritu Santo

UNIDAD 3

El Espíritu Santo dio a los primeros discípulos la fortaleza para predicar acerca de Jesucristo y para edificar la Iglesia con miembros nuevos. El Espíritu Santo hace posible que seamos testigos de la misma fe.

Todos quedaron llenos del Espíritu Santo.
Basado en Hechos 2:4

La paloma de este fresco de la Trinidad es un símbolo tradicional del Espíritu Santo. Posiblemente los discípulos de Jesús, llenos del Espíritu Santo, caminaron por esta calle de Jerusalén difundiendo la Buena Nueva.

The Holy Spirit

UNIT 3

The Holy Spirit gave the first disciples the courage to preach about Jesus Christ, and to build up the Church with new members. The Holy Spirit enables us to become witnesses to the same faith.

They were all filled with the Holy Spirit.
Based on Acts 2:4

The dove in this fresco of the Trinity is a traditional symbol of the Holy Spirit. Jesus' disciples, filled with the Holy Spirit, may have walked this Jerusalem street spreading the Good News.

Espíritu Consolador

Texto: Edwin Hatch, trad. por el Comité de Revisory para *Cántico Nuevo,* ©, alt.
Música: ST. COLUMBA, CM; Gaélico

UNIT 3 Song

O Breathe on Me, O Breath of God

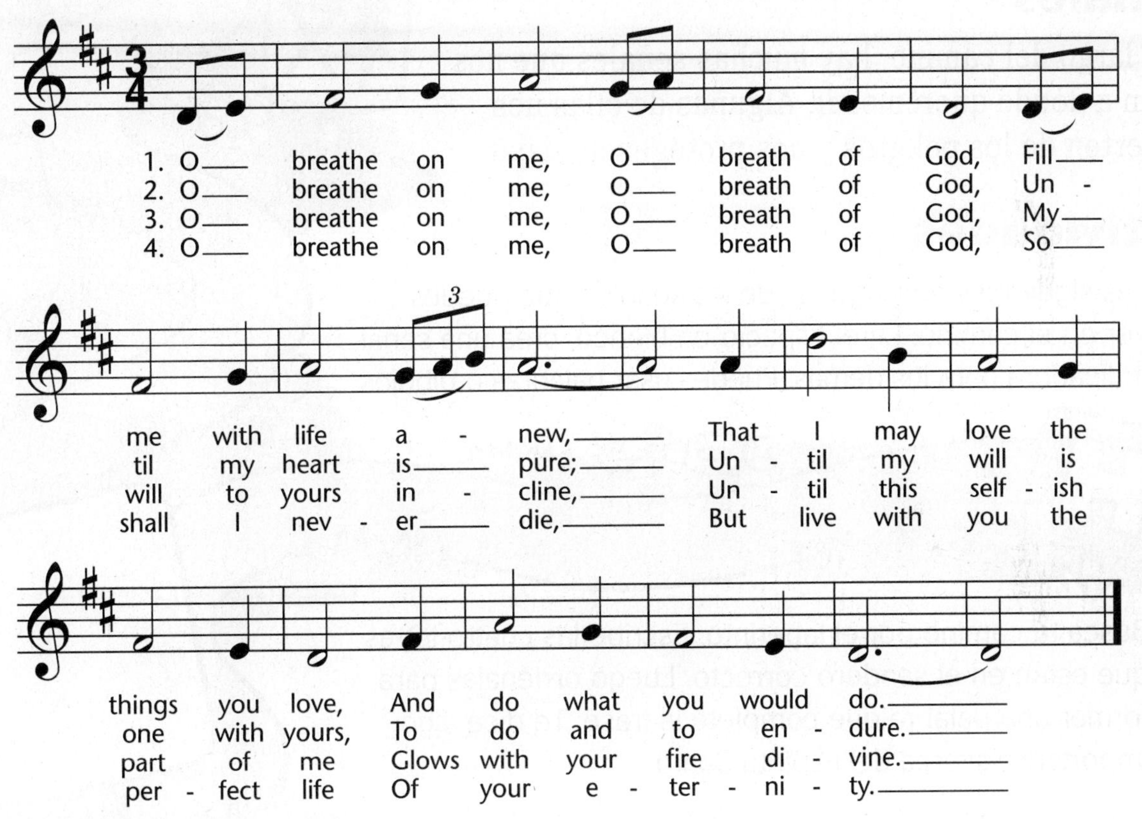

Text: Edwin Hatch
Tune: ST. COLUMBA, CM; Gaelic

9 El Espíritu Santo nos guía

Todos quedaron llenos del Espíritu Santo.

Basado en Hechos 2:4

Compartimos

Señales

A lo largo del camino, hay muchas señales que nos guían a dónde queremos ir. Algunas de ellas nos advierten de los peligros y nos protegen al viajar.

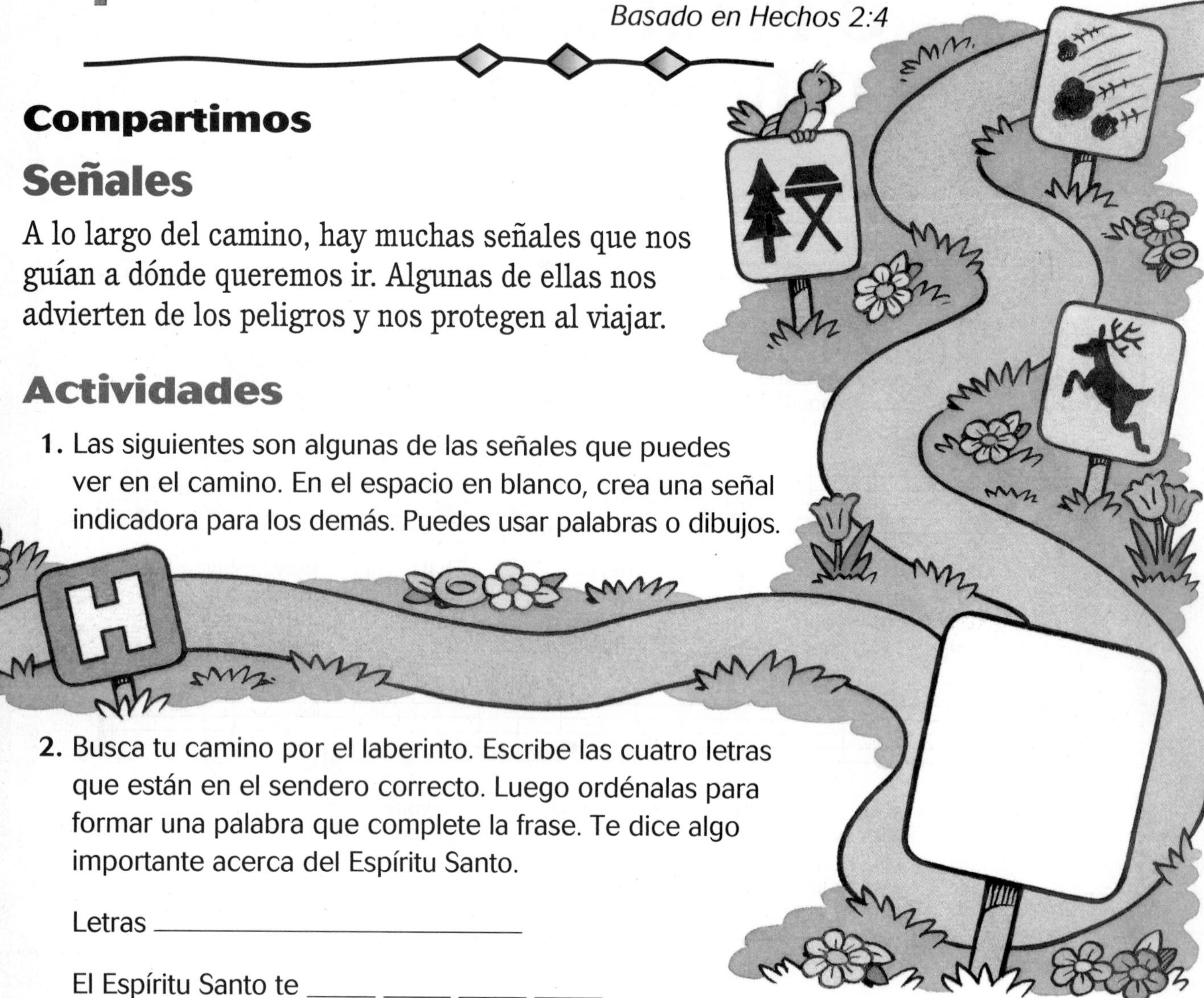

Actividades

1. Las siguientes son algunas de las señales que puedes ver en el camino. En el espacio en blanco, crea una señal indicadora para los demás. Puedes usar palabras o dibujos.

2. Busca tu camino por el laberinto. Escribe las cuatro letras que están en el sendero correcto. Luego ordénalas para formar una palabra que complete la frase. Te dice algo importante acerca del Espíritu Santo.

   Letras ____________________

   El Espíritu Santo te ____ ____ ____ ____ en tu viaje de la vida.

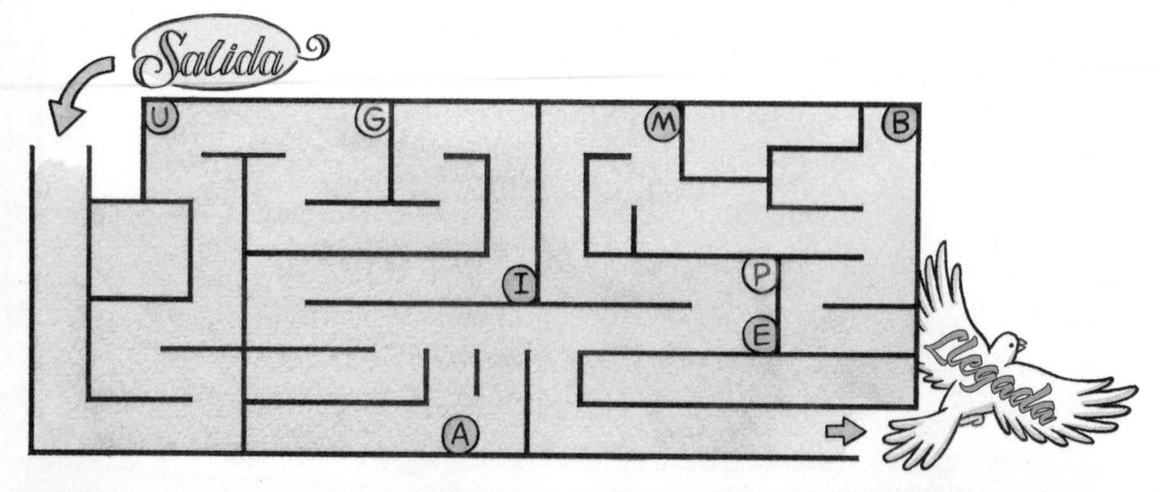

9 The Holy Spirit Guides Us

They were all filled with the holy Spirit.

Based on Acts 2:4

Share

Signs

There are many signs along the road that guide us to where we want to go. Some signs warn us of danger and help protect us as we travel.

Activities

1. The following are some signs that you may see along the road. In the blank space, create a sign to direct others. You may use words or pictures.

2. Find your way through the maze. Write the six letters that are along the correct path. Then unscramble them to make a word that completes the sentence. It tells you something important about the Holy Spirit.

   Letters ______________________

   The Holy Spirit ____ ____ ____ ____ ____ ____ you on your journey in life.

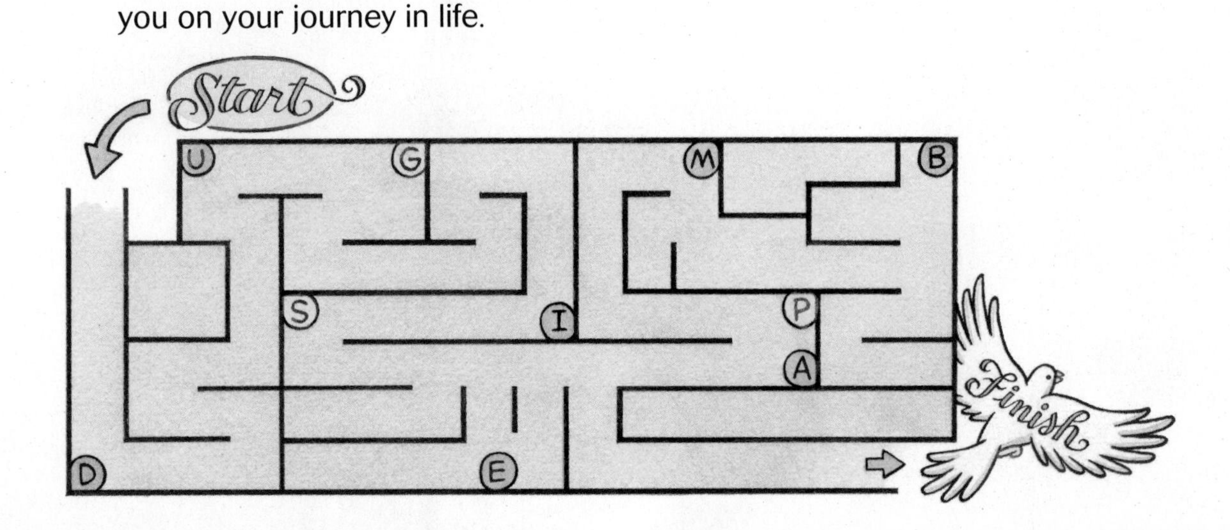

Escuchamos y creemos

La Escritura La promesa del Espíritu Santo

Antes de su Ascensión al cielo, Jesús habló a sus discípulos. Les recordó la promesa que les había hecho en la Última Cena. Les dijo que se quedaran en Jerusalén para que fueran bautizados en el Espíritu Santo. El Espíritu Santo les daría la fuerza para difundir las enseñanzas de Jesús por el mundo.

Pentecostés

La ciudad estaba llena de gente. Muchos judíos habían viajado a Jerusalén para celebrar el festival de la cosecha llamado Pentecostés. Los discípulos de Jesús y María, su madre, estaban en una casa rezando juntos. De repente, desde el cielo, se oyó un ruido como una ráfaga de viento fuerte, que llenó ¡toda la casa! Luego aparecieron en el aire muchas llamitas como lenguas de fuego y se posaron sobre cada una de aquellas personas. Eran una señal de que ahora todos estaban llenos del Espíritu Santo. De inmediato, los discípulos salieron de la casa y empezaron a alabar a Dios.

La gente que estaba fuera oyó sus voces alegres y corrió a escucharlos. Aunque todos hablaban lenguas diferentes, cada uno podía entender las alabanzas de los discípulos. Estaban desconcertados y se preguntaban qué podía significar esto.

Basado en Hechos de los Apóstoles 2:1–12

Hear & Believe

Scripture The Promise of the Holy Spirit

Before his Ascension into heaven, Jesus spoke to his disciples. He reminded them of the promise he made at the Last Supper. He told them to remain in Jerusalem to be baptized in the Holy Spirit. The Holy Spirit would give them the power to spread Jesus' teachings to the world.

Pentecost

The city was crowded. Many Jewish people had traveled to Jerusalem to celebrate the harvest festival called Pentecost. Jesus' disciples and Mary, his mother, were in a house praying together. Suddenly, from the sky, there was a sound like a strong wind. It filled the house! Then many small flames, like tongues of fire, appeared in the air. These came to rest on each of the people. These were a sign that they were now filled with the Holy Spirit. Right away the disciples left the house and began praising God.

Outside, people heard these joyful voices and they came running to listen. The listeners all spoke different languages, yet each could understand the disciples' praises. They were greatly puzzled and wondered what this might mean.

Based on the Acts of the Apostles 2:1–12

Pentecostés, el comienzo de la Iglesia

Después de la Ascensión de Jesús, los discípulos estaban perdidos sin Jesús en la tierra para guiarlos. Tal como se los prometió, Jesús les envió el Espíritu Santo para que fuera su Ayudante y su Guía. Este acontecimiento especial se llama **Pentecostés** y marca el comienzo de la Iglesia.

El Espíritu Santo hizo que los discípulos tuvieran más conciencia del amor de Dios por ellos. Con el poder del Espíritu Santo, el mensaje de amor y perdón de Jesús estaba preparado para difundirlo a los demás. La vida del Espíritu estaba viva dentro de los discípulos. Ellos conocían y amaban a Dios como Padre, Hijo y Espíritu Santo.

Creemos

El Espíritu Santo nos guía para que tomemos decisiones que muestren la bondad de Dios.

Palabras de fe

Pentecostés

En Pentecostés Jesús envió el don del Espíritu Santo a sus primeros discípulos. Este acontecimiento marca el comienzo de la Iglesia.

Nuestra Iglesia nos enseña

Rezamos para que el Espíritu Santo esté con nosotros cada día. Él nos guía para que hagamos lo correcto. Si elegimos mal, el Espíritu Santo nos guía para que regresemos a Dios. Nos ayuda a seguir a Cristo, que nos enseña a amar a Dios y a los demás.

Formamos parte de la Iglesia que comenzó en Pentecostés. Al dejar que el Espíritu Santo nos guíe, continuamos mostrando a los demás la bondad de Dios.

Pentecost, the Beginning of the Church

After Jesus' Ascension, the disciples were lost without Jesus being on earth to guide them. As he promised, Jesus sent the Holy Spirit to be their Helper and Guide. This special event is called the **Pentecost** and it marks the beginning of the Church.

The Holy Spirit made the disciples more aware of God's love for them. By the power of the Holy Spirit, Jesus' message of love and forgiveness was ready to be spread to others. The life of the Spirit was alive within the disciples. They knew and loved God as Father, Son, and Holy Spirit.

We Believe

The Holy Spirit guides us in making choices that show God's goodness.

Faith Words

Pentecost
On Pentecost, Jesus sent the gift of the Holy Spirit to his first disciples. This event marks the beginning of the Church.

Our Church Teaches

We pray for the Holy Spirit to be with us each day. The Holy Spirit guides us to do the right thing. If we make bad choices, the Holy Spirit guides us back to God. The Holy Spirit helps us follow Christ, who shows us how to love God and others.

We are part of the Church that began on Pentecost. By letting the Holy Spirit guide us, we continue to show others the goodness of God.

Respondemos

Hacer elecciones

Todos los días hacemos elecciones. El Espíritu Santo nos puede ayudar a tomar buenas decisiones que muestren que el amor de Dios está en nosotros.

La promesa de Kayla

"Empecemos a trabajar en nuestros proyectos de ciencia", dijo la señora Liu, la maestra. Nombró a los compañeros que trabajarían juntos en la tarea. Melissa se molestó, porque no podría trabajar con Kayla. Eran muy buenas amigas y hacían juntas casi todo.

Kayla también estaba desilusionada. Pero le gustaba la idea de trabajar con Marina, la niña más popular de la clase. Marina se lo pasaba contando chistes y hacía reír a los demás.

Kayla y Marina empezaron a discutir su tarea. Tenían que hacer un cartel sobre los diferentes tipos de nubes. "Yo haré los dibujos. ¿Por qué no escribes alguna información sobre cada nube?", dijo Marina. "Bueno", contestó Kayla mientras abría su libro. A Kayla le gustaba estar con Marina.

Mientras trabajaban, Marina le contaba algunas cosas divertidas sobre sus compañeros. Kayla se reía tanto que casi se caía. Se acordó de algo divertido pero vergonzoso sobre Melissa, su mejor amiga. Kayla le había prometido que nunca se lo contaría a nadie, pero lo estaba pasando tan bien con Marina.

Miró a Melissa, que estaba ocupada haciendo un cartel con su compañera. Entonces...

Respond

Making Choices

Every day we make choices. The Holy Spirit can help us make good decisions that show that God's love is within us.

Kayla's Promise

"Let's start working on our science projects," said the teacher, Mrs. Liu. She called the names of partners who would work together on the assignment. Melissa was upset because she could not work with Kayla. They were best friends and did almost everything together.

Kayla was also disappointed. But she liked the idea of working with Marina, the most popular girl in the class. Marina was always telling jokes and making others laugh.

Kayla and Marina began discussing their assignment. They were supposed to make a poster on the different types of clouds. "I'll draw the pictures. Why Don't you write some information about each cloud," said Marina. "OK," agreed Kayla as she opened her book. Kayla enjoyed being with Marina.

While they were working, Marina told Kayla some funny stories about some of their classmates. Kayla laughed so hard she almost fell over. She thought of a funny but embarrassing story about her best friend, Melissa. She had promised Melissa she would never tell anyone. But Kayla was having such a good time with Marina.

She looked over at Melissa, who was busy making a poster with her partner. Then she . . .

Actividades

1. Escribe un final para el cuento de Kayla.

2. Comenta las siguientes preguntas con un compañero.

   a. En tu final, ¿permitió Kayla que el Espíritu Santo la guiara para hacer lo correcto?

   b. ¿Por qué querría Kayla contar algo que pudiera avergonzar a su mejor amiga?

   c. ¿Cómo se sentiría Melissa si Kayla rompiera su promesa?

3. Busca en un periódico o en una revista un ejemplo de una persona o de un grupo que esté difundiendo la bondad de Dios. Escribe sobre eso en los siguientes renglones.

Activities

1. Write an ending for the story about Kayla.

2. Discuss with a partner the following questions.

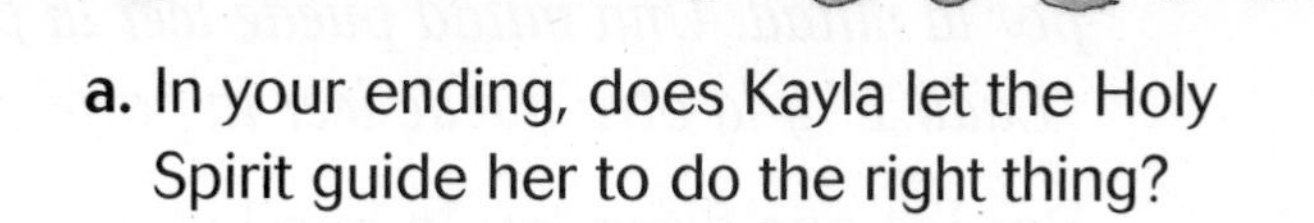

a. In your ending, does Kayla let the Holy Spirit guide her to do the right thing?

b. Why would Kayla want to tell a story that might embarrass her best friend?

c. How would Melissa feel if Kayla broke her promise?

3. Look at a newspaper or a magazine for an example of a person or a group who is spreading God's goodness. Write about it on the lines below.

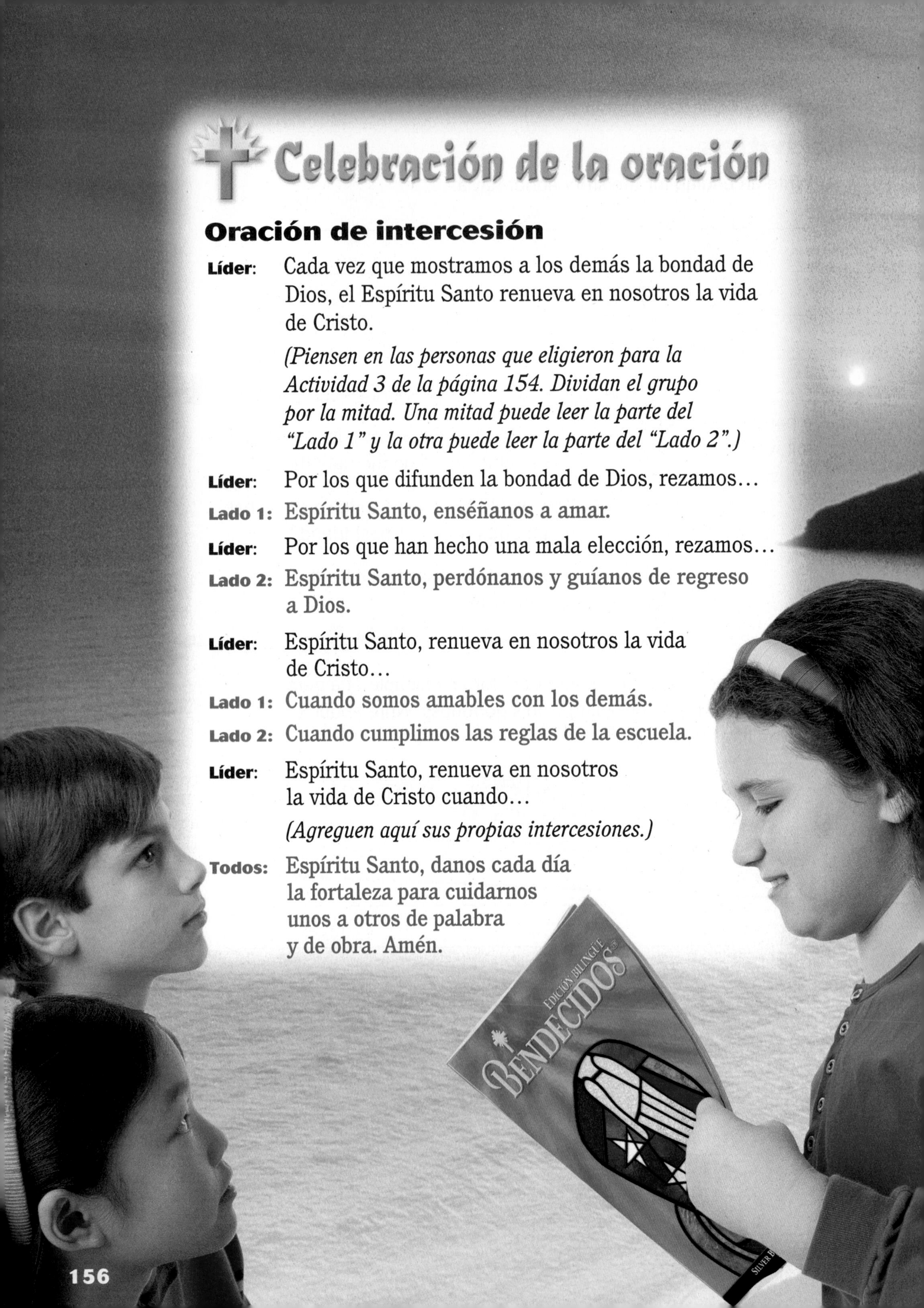

Celebración de la oración

Oración de intercesión

Líder: Cada vez que mostramos a los demás la bondad de Dios, el Espíritu Santo renueva en nosotros la vida de Cristo.

(Piensen en las personas que eligieron para la Actividad 3 de la página 154. Dividan el grupo por la mitad. Una mitad puede leer la parte del "Lado 1" y la otra puede leer la parte del "Lado 2".)

Líder: Por los que difunden la bondad de Dios, rezamos...

Lado 1: Espíritu Santo, enséñanos a amar.

Líder: Por los que han hecho una mala elección, rezamos...

Lado 2: Espíritu Santo, perdónanos y guíanos de regreso a Dios.

Líder: Espíritu Santo, renueva en nosotros la vida de Cristo...

Lado 1: Cuando somos amables con los demás.

Lado 2: Cuando cumplimos las reglas de la escuela.

Líder: Espíritu Santo, renueva en nosotros la vida de Cristo cuando...

(Agreguen aquí sus propias intercesiones.)

Todos: Espíritu Santo, danos cada día la fortaleza para cuidarnos unos a otros de palabra y de obra. Amén.

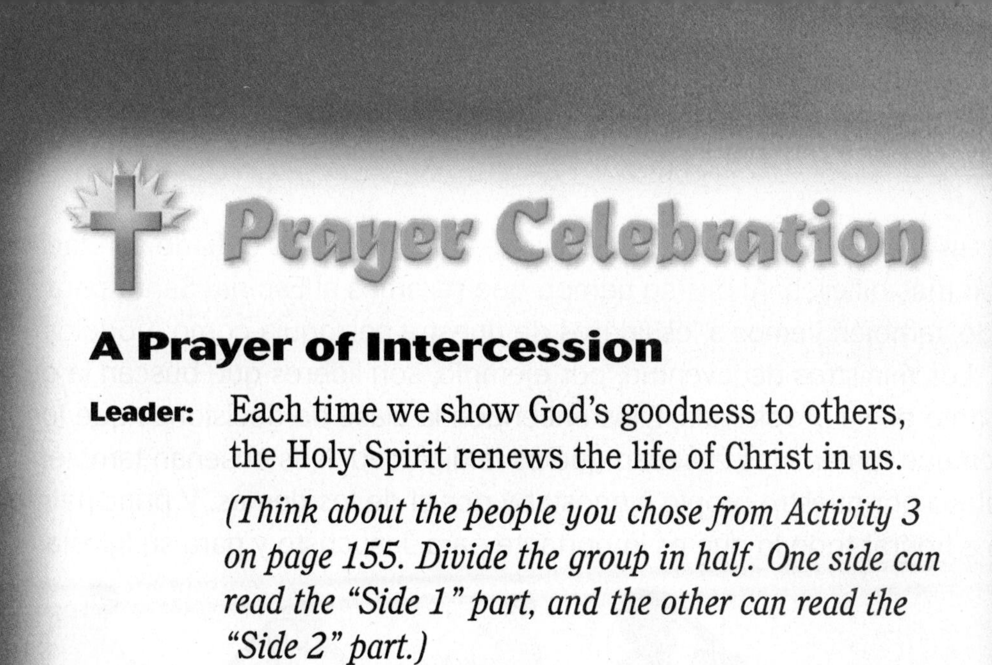

Prayer Celebration

A Prayer of Intercession

Leader: Each time we show God's goodness to others, the Holy Spirit renews the life of Christ in us.

(Think about the people you chose from Activity 3 on page 155. Divide the group in half. One side can read the "Side 1" part, and the other can read the "Side 2" part.)

Leader: For those who spread God's goodness, we pray . . .

Side 1: Holy Spirit, show us how to love.

Leader: For those who have made a bad choice, we pray . . .

Side 2: Holy Spirit, forgive us and guide us back to God.

Leader: Holy Spirit, renew the life of Christ in us . . .

Side 1: When we are polite to others.

Side 2: When we follow the rules at school.

Leader: Holy Spirit, renew the life of Christ in us when . . .

(Add your own intercessions here.)

All: Holy Spirit, give us the strength to care for one another through our words and deeds each day. Amen.

La fe en acción

Ministros de juventud Algunas de las decisiones que tomamos a diario son fáciles, pero otras son más difíciles. Al mismo tiempo que rezamos al Espíritu Santo para que nos ayude, también vemos a los líderes de nuestra parroquia como modelos de conducta. Los ministros de juventud, por ejemplo, son líderes que buscan la guía del Espíritu Santo en su propia vida. Ellos entienden la clase de decisiones que los jóvenes tienen que tomar. Nos enseñan qué es la dignidad. Nos enseñan también a ser responsables por nuestro propio bienestar y por el de los demás. Y principalmente, nos enseñan a honrar todo lo que es importante para Jesucristo y para su Iglesia.

Actividad Piensa en quién o qué influye más en las elecciones que haces a diario. Describe tres maneras en que estas personas o estas experiencias te ayudan a tomar buenas decisiones.

En tu parroquia

Actividad Haz una lista de cinco reglas para tu sesión que consideres que son buenas maneras de mostrar respeto por uno mismo y por los demás. Por ejemplo, "Seremos siempre honestos unos con otros". Cuélgalas en el salón donde se reúnen. Cada vez que se encuentren, asegúrate de reconocer y de elogiar a, por lo menos, una de las personas del grupo por vivir de acuerdo con estas reglas.

Youth Ministers Some of the decisions we make each day are easy, but others are more difficult. As we pray to the Holy Spirit for help, we also look to our parish leaders as role models. Parish youth ministers, for example, are leaders who seek the guidance of the Holy Spirit in their own lives. They understand the kinds of decisions young people have to make. They teach us self-respect. They also teach us to take responsibility, both for our own well-being and the well-being of others. Most importantly, they teach us to honor all that is important to Jesus Christ and his Church.

Activity Think about who or what most influences the choices you make each day. Describe three ways these people or experiences help you to make good choices.

In Your Parish

Activity Make a list of five rules for your session that you all agree are good ways to show respect for yourselves and one another. For example, "We will always be honest with each other." Post them in the room where you gather. Each time you meet, be sure to recognize and praise at least one person in the group for living by these rules.

10 Confirmados en el Espíritu

Recibe por esta señal el Don del Espíritu Santo.

Ritual para la Confirmación

Compartimos

El Espíritu en nosotros

Las manos de Dios crearon
lágrimas y cataratas,
retoños y árboles de copas muy altas.
Yo siento temor de Dios.
Jesús, el Hijo de Dios, nos mostró cómo tratar con mansedumbre y caridad al enfermo y al pobre; a tender una mano a los demás tratando siempre de hacer algo más.
Yo lo sigo con entendimiento y sabiduría.
La Iglesia nos enseña
a escoger siempre con prudencia;
a creer en Dios, que nos da fuerzas.
Yo vivo con fortaleza y consejo.
Con la ciencia de que Dios me ama,
y con piedad, ruego para que responda con alegría
todos y cada uno de mis días.

Actividad

Con el poema anterior como guía, escribe cómo habita el Espíritu Santo en ti.

10 Confirmed in the Spirit

Be sealed with the Gift of the Holy Spirit.

Rite of Confirmation

Share

The Spirit Within Us

God's hands created
  a teardrop and a waterfall,
  an opening bud, and a tree so tall.
I stand in wonder and awe.
God's Son, Jesus, showed us
  to treat gently and kindly the sick and the poor;
  to reach out to others, always trying to do more.
I follow with understanding and wisdom.
The Church teaches us
  to make wise choices each day;
  to believe in God who strengthens us along the way.
I live with courage and right judgment.
With the knowledge that God loves me,
and with reverence, I pray
that I respond with joy,
each and every day.

Activity

Using the poem above as a guide, write how the Holy Spirit dwells within you.

Escuchamos y creemos

El culto El Sacramento de la Confirmación

Cuando recibimos la **Confirmación**, el Espíritu Santo aumenta la **gracia** de nuestro bautismo. Nos volvemos más plenamente unidos a Cristo. Nuestra participación en su Cuerpo, la Iglesia, se fortalece. Podemos volvernos más dedicados a la misión de la Iglesia. Podemos volvernos testigos verdaderos de las enseñanzas de Cristo y de la Iglesia.

En Pentecostés los discípulos aceptaron los **Dones del Espíritu Santo** con alegría. Renovados por el Espíritu, empezaron a compartir su fe con los demás.

La imposición de las manos

El **obispo** celebra el Sacramento de la Confirmación con nosotros. Durante el Ritual para la Confirmación, el obispo le pide a Dios que envíe al Espíritu Santo para que fortalezca a los que van a recibir el sacramento.

> Oremos, hermanos, a Dios Padre todopoderoso, por estos hijos tuyos,
> que renacieron ya a la vida eterna en el Bautismo,
> para que envíe abundantemente sobre ellos
> al Espíritu Santo,
> a fin de que este mismo Espíritu los fortalezca con la abundancia
> de sus dones, los consagre con su unción espiritual
> y haga de ellos imagen fiel de Jesucristo.
>
> *Ritual para la Confirmación*

Worship The Sacrament of Confirmation

When we receive **Confirmation**, the Holy Spirit increases the **grace** of our baptism. We become more fully united with Christ. Our membership in his Body, the Church, is strengthened. We can become more dedicated to the mission of the Church. We can become true witnesses to the teachings of Christ and the Church.

On Pentecost the disciples accepted the **Gifts of the Holy Spirit** with joy. Made new by the Spirit, they began to share their faith with others.

The Laying on of Hands

The **bishop** celebrates the Sacrament of Confirmation with us. During the Rite of Confirmation, the bishop asks God to send the Holy Spirit to strengthen those about to receive the sacrament.

> My dear friends:
> In baptism God our Father gave
> the new birth of eternal life to his
> chosen sons and daughters.
> Let us pray to our Father
> that he will pour out the Holy Spirit
> to strengthen his sons and daughters
> with his gifts and anoint them to be more like
> Christ, the Son of God.
>
> *Rite of Confirmation*

Después el obispo reza con la comunidad por la venida del Espíritu Santo. Extiende las manos sobre los que están recibiendo el sacramento. Esto se llama "imposición de las manos". El obispo reza:

Dios todopoderoso,
Padre de nuestro Señor Jesucristo,
que has hecho nacer de nuevo a estos hijos tuyos
por medio del agua y del Espíritu Santo,
librándolos del pecado,
escucha nuestra oración
y envía sobre ellos al Espíritu Santo Consolador:
espíritu de sabiduría y de inteligencia,
espíritu de consejo y de fortaleza,
espíritu de ciencia, de piedad
y de tu santo temor.
Por Jesucristo, nuestro Señor.
Amén.

Ritual para la Confirmación

La unción con el crisma

Después de imponer las manos sobre los que se están confirmando, el obispo los unge con el óleo del crisma. Llama a cada uno por su nombre y lo unge haciéndole la Señal de la Cruz en la frente con el óleo del crisma y dice:

Recibe por esta señal el Don del Espíritu Santo.

Ritual para la Confirmación

Nuestra Iglesia nos enseña

Jesús nos envía al Espíritu Santo en los **Sacramentos de la Iniciación**: Bautismo, Confirmación y Eucaristía. En el Bautismo, empezamos nuestra vida como miembros de la Iglesia Católica. En el Sacramento de la Confirmación, se nos fortalece para que seamos seguidores de Jesús. En el Sacramento de la Eucaristía, se nos une a Cristo, y su Cuerpo y su Sangre nos fortalecen.

Creemos

En la Confirmación el Espíritu Santo nos fortalece para que nos parezcamos más a Cristo.

Palabras de fe

Confirmación
La Confirmación es un Sacramento de la Iniciación. El Espíritu Santo fortalece nuestra fe y nos ayuda a hacernos miembros plenos de la Iglesia.

gracia
La gracia es la vida de Dios en nosotros que nos llena con su amor.

The bishop then prays with the community for the coming of the Holy Spirit. He extends his hands over those receiving the sacrament. This is called the "laying on of hands." He prays:

All-powerful God, Father of our Lord Jesus Christ,
by water and the Holy Spirit
you freed your sons and daughters from sin
and gave them new life.
Send your Holy Spirit upon them
to be their Helper and Guide.
Give them the spirit of wisdom and understanding,
the spirit of right judgment and courage,
the spirit of knowledge and reverence.
Fill them with the spirit of wonder and awe
in your presence.
We ask this through Christ our Lord.
Amen.

Rite of Confirmation

The Anointing with Chrism

After the bishop lays hands on those being confirmed, he anoints them with the oil of chrism. He calls each of them by name and anoints them by making the Sign of the Cross with the oil of chrism on their foreheads. He says,

Be sealed with the Gift of the Holy Spirit.

Rite of Confirmation

Our Church Teaches

Jesus sends us the Holy Spirit in the **Sacraments of Initiation**—Baptism, Confirmation, and Eucharist. In Baptism, we begin our life as members of the Catholic Church. In the Sacrament of Confirmation, we are strengthened to be Jesus' followers. In the Sacrament of Eucharist, we are united with Christ and strengthened by his Body and Blood.

We Believe

In Confirmation the Holy Spirit strengthens us to become more like Christ.

Faith Words

Confirmation
Confirmation is a Sacrament of Initiation. The Holy Spirit strengthens our faith and helps us become fuller members of the Church.

grace
Grace is God's life within us. We are filled with his love.

Respondemos

Los Dones del Espíritu Santo

Recibimos los Dones del Espíritu Santo en el Bautismo. Estos dones se fortalecen en nuestra Confirmación para que vivamos una vida santa.

Sabiduría	nos ayuda a conocer la voluntad de Dios para nuestra vida.
Entendimiento	nos permite saber las enseñanzas de nuestra fe católica.
Consejo	nos ayuda a saber qué es lo correcto y a hacer buenas elecciones.
Fortaleza	nos da fuerzas para que seamos testigos de Jesucristo y defendamos nuestra fe católica.
Ciencia	nos ayuda a saber que Dios es lo más importante en la vida.
Piedad	nos ayuda a amar y a respetar a Dios y a todo lo que Él ha creado.
Temor de Dios	nos ayuda a estar llenos de reverencia por Dios y de agradecimiento por toda la creación.

Actividades

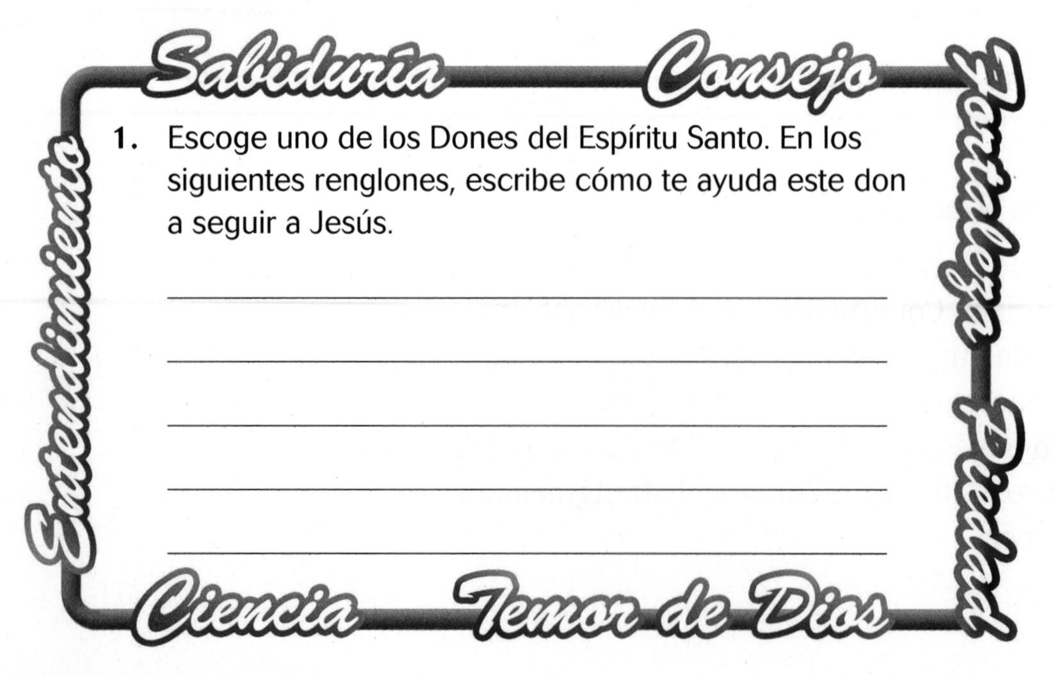

1. Escoge uno de los Dones del Espíritu Santo. En los siguientes renglones, escribe cómo te ayuda este don a seguir a Jesús.

____

____

____

____

____

Respond

The Gifts of the Holy Spirit

At Baptism, we receive the Gifts of the Holy Spirit. These gifts are strengthened in us at Confirmation to help us live holy lives.

Wisdom	helps us to know God's will for our lives.
Understanding	enables us to know the teachings of our Catholic faith.
Right Judgment	helps us to know what is right and to make good choices.
Courage	strengthens us to be witnesses of Jesus Christ and to defend our Catholic faith.
Knowledge	helps us to know that God is more important than anything else in life.
Reverence	helps us to love and respect God and all that he has created.
Wonder and Awe	helps us to be filled with reverence for God and thanksgiving for all of creation.

Activities

Wisdom Right Judgment Courage Reverence Understanding Knowledge Wonder and Awe

1. Choose one of the Gifts of the Holy Spirit. On the lines below, write how this gift helps you to follow Jesus.

____

____

____

____

____

2. Los Dones del Espíritu Santo nos dan la fortaleza para enseñar a los demás la Buena Nueva de Jesús. Con la ayuda del Espíritu Santo, tú también puedes usar tus dones y tus talentos para ayudar a los demás.

Imagina que un grupo parroquial está planeando una visita al hogar de ancianos local. Éstas son las imágenes de los niños y de los adultos que irán. Debajo de cada imagen hay una descripción de un talento o de una característica de la personalidad de cada persona.

Comenta con tu grupo de qué manera puede cada persona usar su talento para servir a los residentes del hogar. Escribe tus respuestas en el espacio que hay junto a cada imagen.

a. Escucha atentamente

____

____

____

____

____

____

b. Sabe de deportes

c. Le gusta leer

____

____

____

____

____

____

d. Es cordial

Imagina que formas parte de este grupo. Escribe qué don o qué talento compartirías con alguien del hogar de ancianos.

____

____

2. The Gifts of the Holy Spirit give us the strength to teach others the good news about Jesus. With the help of the Holy Spirit, you also can use your gifts and talents to help others.

Imagine that a parish group is planning a visit to the local nursing home. Here are pictures of the children and adults who are going. Below each picture is a description of a talent or personality trait that each person has.

Discuss with your group how each of them can use his or her talents to serve the residents of the nursing home. Write your answers in the space next to each picture.

a. Good listener

b. Knows about sports

c. Likes to read

d. Friendly

Imagine you are part of this group. Write what gift or talent you would share with someone at the nursing home.

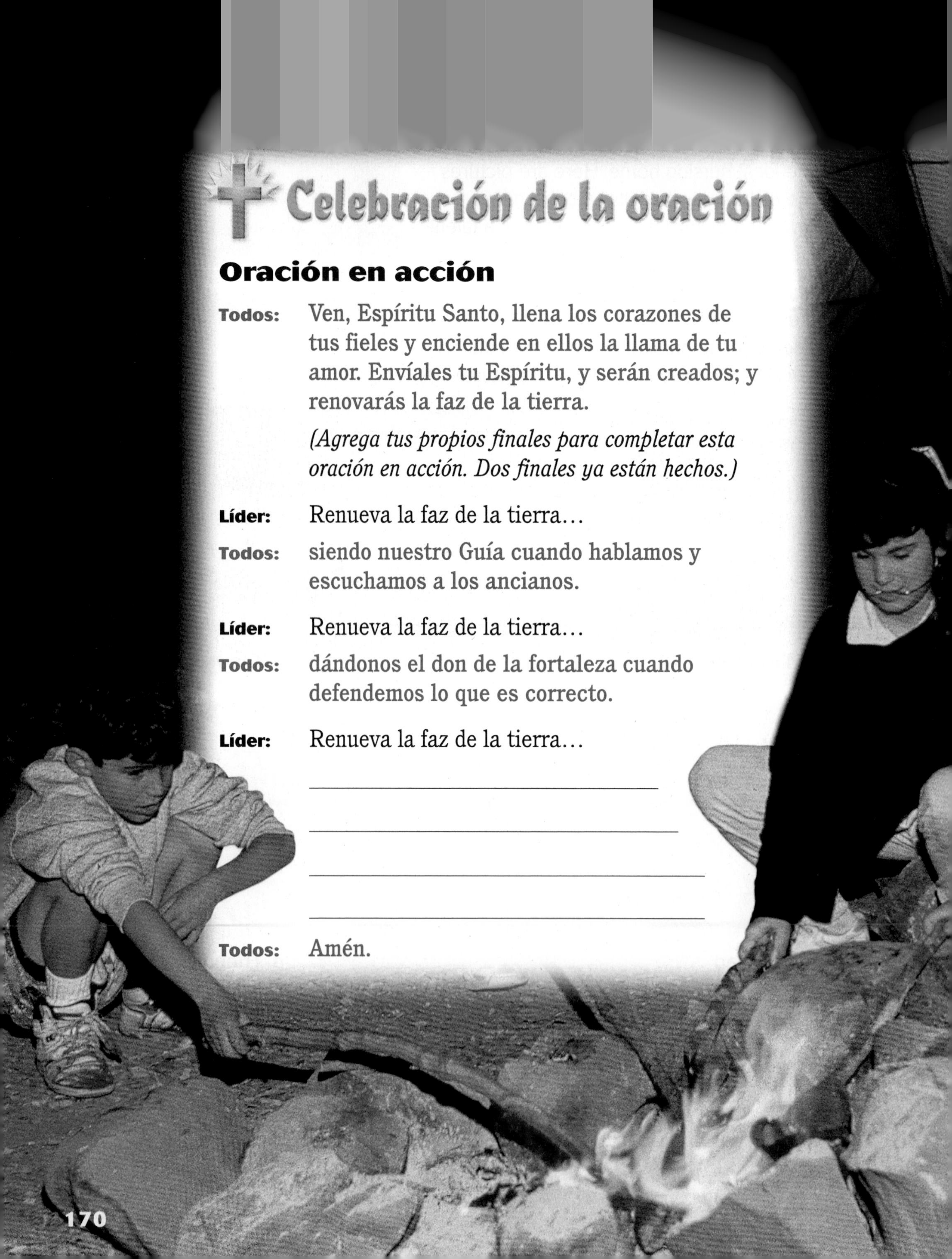

Celebración de la oración

Oración en acción

Todos: Ven, Espíritu Santo, llena los corazones de tus fieles y enciende en ellos la llama de tu amor. Envíales tu Espíritu, y serán creados; y renovarás la faz de la tierra.

(Agrega tus propios finales para completar esta oración en acción. Dos finales ya están hechos.)

Líder: Renueva la faz de la tierra…

Todos: siendo nuestro Guía cuando hablamos y escuchamos a los ancianos.

Líder: Renueva la faz de la tierra…

Todos: dándonos el don de la fortaleza cuando defendemos lo que es correcto.

Líder: Renueva la faz de la tierra…

____

____

____

____

Todos: Amén.

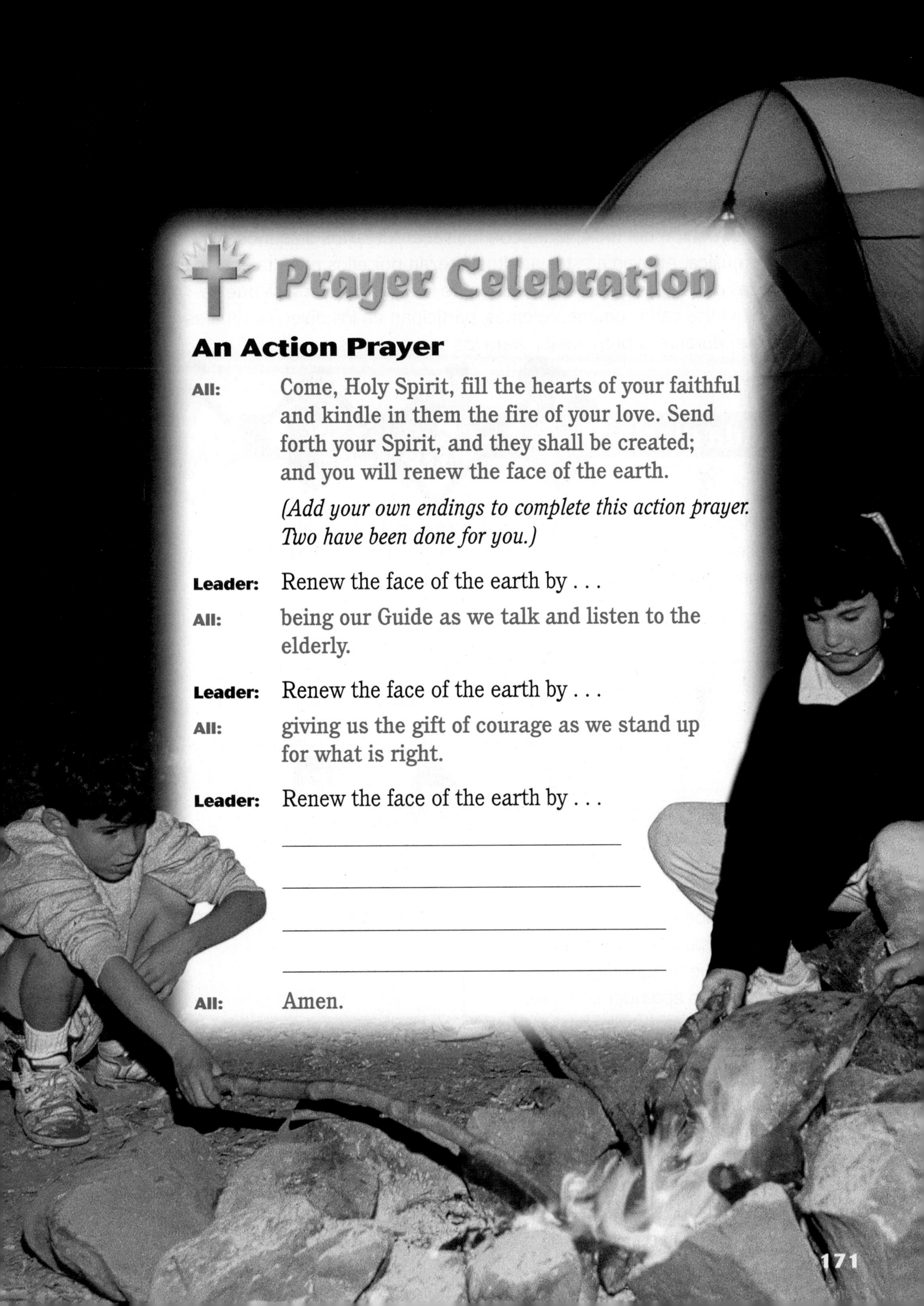

Prayer Celebration

An Action Prayer

All: Come, Holy Spirit, fill the hearts of your faithful and kindle in them the fire of your love. Send forth your Spirit, and they shall be created; and you will renew the face of the earth.

(Add your own endings to complete this action prayer. Two have been done for you.)

Leader: Renew the face of the earth by . . .

All: being our Guide as we talk and listen to the elderly.

Leader: Renew the face of the earth by . . .

All: giving us the gift of courage as we stand up for what is right.

Leader: Renew the face of the earth by . . .

____

____

____

____

All: Amen.

La fe en acción

El equipo del RICA "RICA" es la sigla de Rito de la Iniciación Cristiana de Adultos. Muchas personas trabajan juntas para preparar a los adultos para el Bautismo y la Confirmación. Los catequistas y los padrinos son miembros muy importantes del equipo del RICA, junto con los sacerdotes, los diáconos y los ministros de música. Apoyan a estos adultos y rezan por ellos mientras estudian las enseñanzas de la Iglesia Católica y hablan de la Sagrada Escritura que se proclama en la Misa cada semana. Además, participan en los diversos rituales que se realizan durante la preparación para los sacramentos.

En la vida diaria

Actividad Piensa en algunos de tus amigos más cercanos. En los siguientes renglones, escribe algunas maneras en que un recién llegado a tu grupo de amigos podría conocer mejor a cada uno de ustedes.

____

____

____

____

En tu parroquia

Actividad Describe con palabras o con dibujos las tres cosas más importantes de tu fe católica que te gustaría compartir con quienes quieren aprender cómo ser católicos. Cuando hayas terminado, tómate tiempo para rezar por los catecúmenos (los que se bautizarán) y los confirmandos (los ya bautizados que se confirmarán) adultos que se están preparando para recibir los sacramentos este año. Reza para que los que se conviertan en católicos atesoren las mismas cosas de la Iglesia que tú atesoras.

Faith in Action

The RCIA Team "RCIA" stands for the Rite of Christian Initiation of Adults. Many people work together to prepare adults for Baptism and Confirmation. Along with priests, deacons, and music ministers, catechists and sponsors are very important members of the RCIA team. They support and pray for these adults as they study the teachings of the Catholic Church and talk about the Scriptures proclaimed at Mass each week. They also participate in the various rituals that take place during the time of preparation for the sacraments.

In Everyday Life

Activity Think about some of the closest friends you have. On the lines below, write some of the ways a newcomer to your group of friends might get to know each of you better.

____

____

____

____

In Your Parish

Activity Describe in words or pictures the three most important things about your Catholic faith that you would want to share with people who want to learn about becoming a Catholic. When you are finished, take time to pray for the adult catechumens (those who will be baptized) and candidates (those already baptized who will be confirmed) preparing to receive the sacraments this year. Pray that those who become Catholic treasure the same things that you treasure about the Church.

11 Los mandamientos y la ley del amor

Ustedes deben amarse unos a otros
como yo los he amado.

Basado en Juan 13:34

Compartimos

Como cristianos, mostramos nuestro amor por las personas tratándolas con caridad y con respeto.

Actividad

Haz un juego de tres en raya. Elige tres casillas en fila. Lee la palabra de los cuadrados que quieres marcar. Da ejemplos de cómo tú o alguien que conoces actuó de esta manera. Luego marca el cuadrado con una ***X*** o una ***O***.

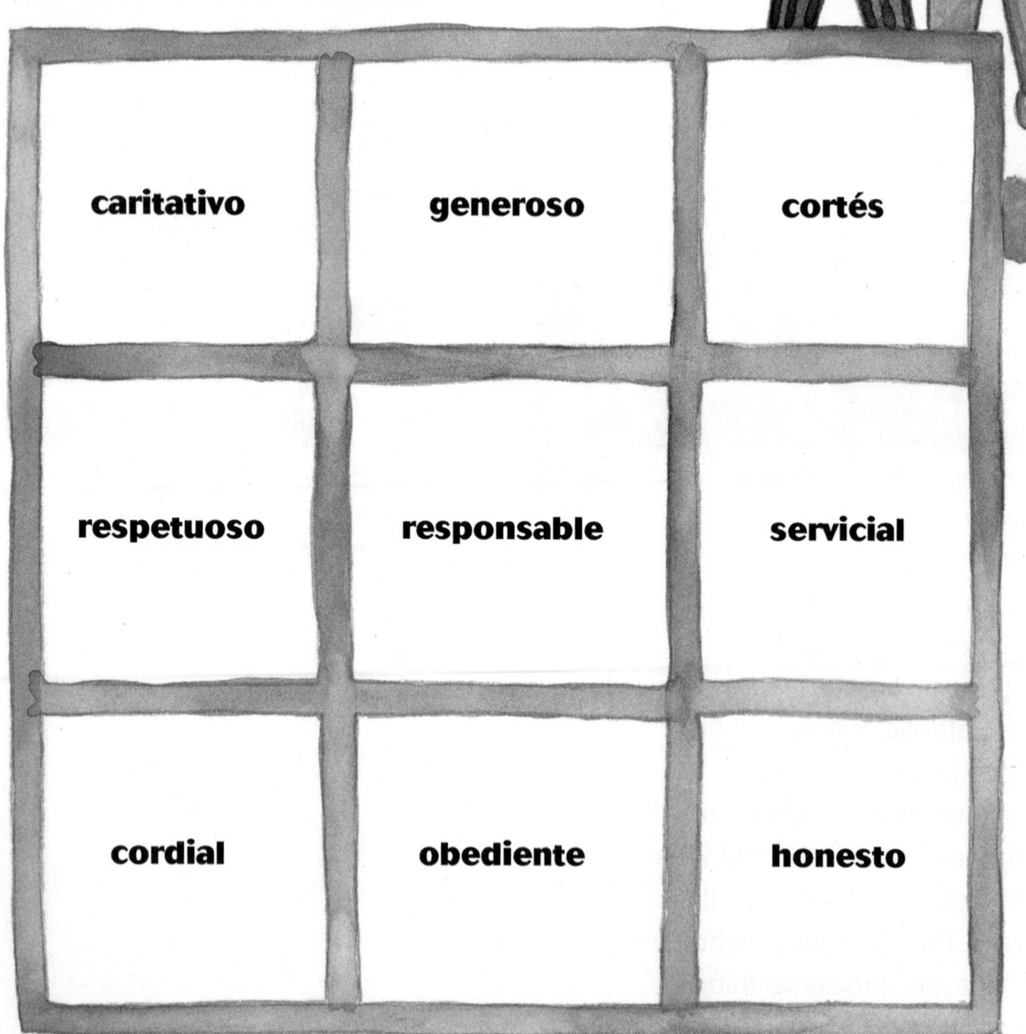

caritativo	**generoso**	**cortés**
respetuoso	**responsable**	**servicial**
cordial	**obediente**	**honesto**

11 The Commandments and the Law of Love

As I have loved you, so you should love one another.

Based on John 13:34

Share

As Christians we show our love for people by treating them with kindness and respect.

Activity

Play a game of tic-tac-toe. Choose three boxes in a line. Read the word in the squares you want to mark. Give examples of how you or someone you know acted in this way. Then mark the square with an ***X*** or an ***O***.

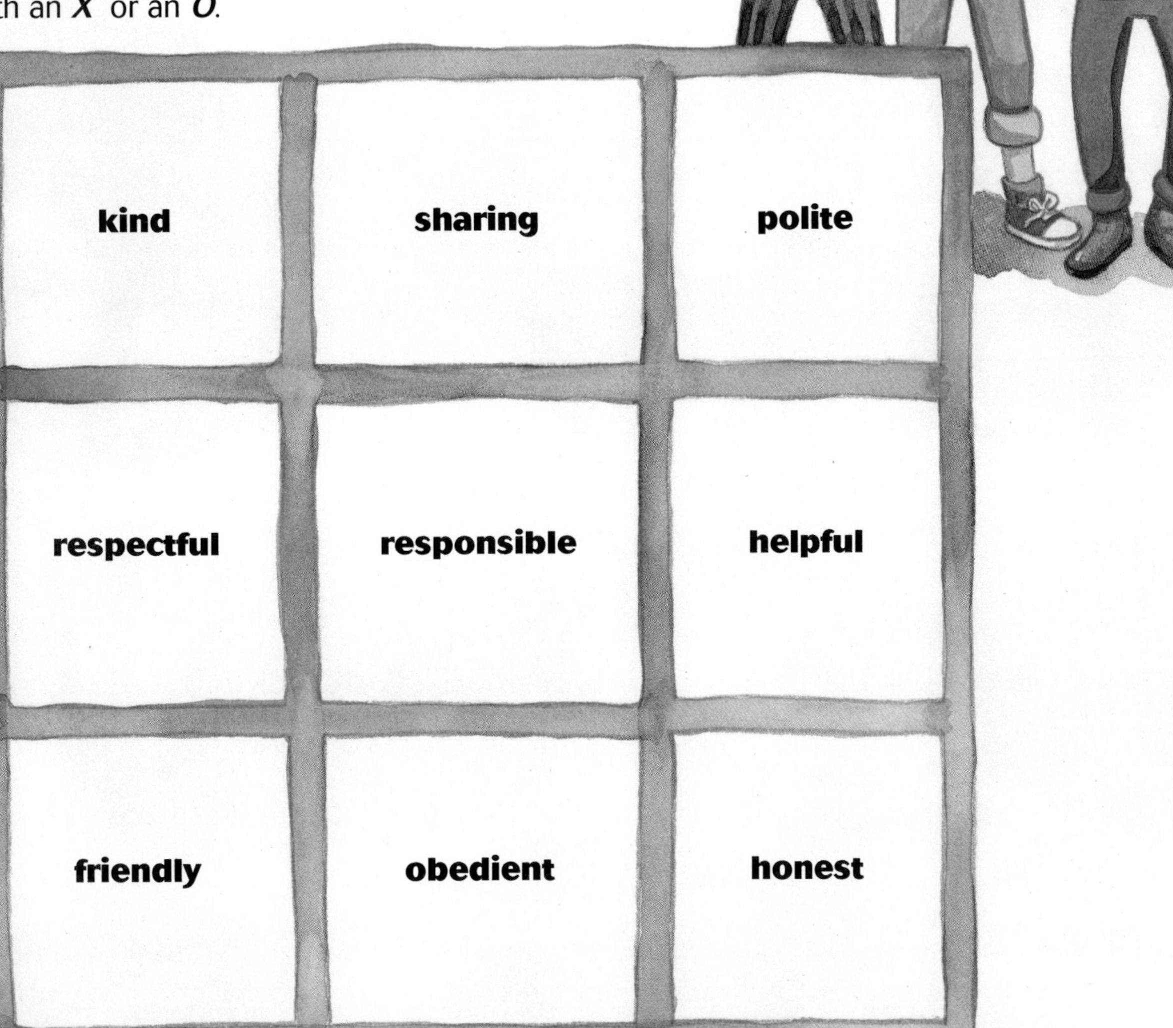

Escuchamos y creemos

La Escritura El Nuevo Mandamiento

Jesús les enseñó lecciones a sus discípulos por medio de ejemplos y de palabras. Muchas de estas lecciones fueron sobre amar a los demás. La noche antes de morir, Jesús volvió a hablar del amor. Dijo que iba a darles a los discípulos un mandamiento nuevo sobre el amor. Lee en el siguiente relato cómo explicó Jesús este mandamiento a sus discípulos.

"Hijos míos", dijo Jesús a sus discípulos. "Sólo estaré con ustedes muy poco tiempo más. Así que ahora les daré un mandamiento nuevo: Ámense los unos a los otros. Ustedes deben amarse unos a otros como yo los he amado. Será por su amor a los demás que la gente sabrá que ustedes son mis seguidores".

Basado en Juan 13:33–35

Scripture The New Commandment

Jesus taught his disciples lessons through examples and words. Many of these lessons were about loving others. On the night before he died, Jesus again spoke of love. He said he was giving the disciples a new commandment about love. In the story below, read how Jesus explained this commandment to his disciples.

"My children," Jesus said to his disciples. "I will be with you only a little while longer. So now I will give you a new commandment: Love one another. As I have loved you, so you should love one another. It will be through your love for others that people will know that you are my followers."

Based on John 13:33–35

Vivir el Nuevo Mandamiento

Jesús resumió los Diez Mandamientos en un solo mandamiento. Este mandamiento se llama **Nuevo Mandamiento** o la ley del amor. Cumplimos el Nuevo Mandamiento cuando tratamos a los demás con amor, respeto y caridad. La Santísima Trinidad trabaja en nosotros para que cumplamos el Nuevo Mandamiento y así podamos llevar el amor de Dios a todas las personas.

A veces elegimos no cumplir los mandamientos de Dios. En cambio elegimos pecar y apartarnos del amor de Dios. En estas ocasiones podemos usar los Diez Mandamientos y el Nuevo Mandamiento para que nos ayuden a examinar nuestra conciencia. En un **examen de conciencia**, pensamos en cuánto hemos amado a Dios y a los demás. La Iglesia nos anima a que cumplamos los Diez Mandamientos y el Nuevo Mandamiento para que podamos permanecer cerca de Dios y complacerlo haciendo elecciones buenas y morales.

las páginas 390 y 392 para repasar los Diez Mandamientos y aprender más acerca del Nuevo Mandamiento.

Nuestra Iglesia nos enseña

Cuando cumplimos los Diez Mandamientos, mantenemos la alianza que Dios hizo con Moisés y el pueblo hebreo. Los mandamientos, del cuarto al sexto, nos guían para que respetemos a todas las personas.

Jesús nos enseñó a amar. Él vivió de acuerdo con los mandamientos y nos mostró el camino a una vida feliz con Dios. Nosotros, como cristianos, cumplimos los Diez Mandamientos y el Nuevo Mandamiento cuando tratamos a la gente con caridad.

Creemos

Los mandamientos, del cuarto al sexto, nos guían para que amemos y respetemos a todas las personas. Podemos usar los Diez Mandamientos y el Nuevo Mandamiento para que nos ayuden a examinar nuestra conciencia.

Palabras de fe

Nuevo Mandamiento
El Nuevo Mandamiento es el mensaje amoroso en el que Jesús une los Diez Mandamientos y las Bienaventuranzas en un solo mandamiento. También se llama la ley del amor.

examen de conciencia
En un examen de conciencia, decidimos si nuestras palabras y acciones muestran amor por Dios y por los demás.

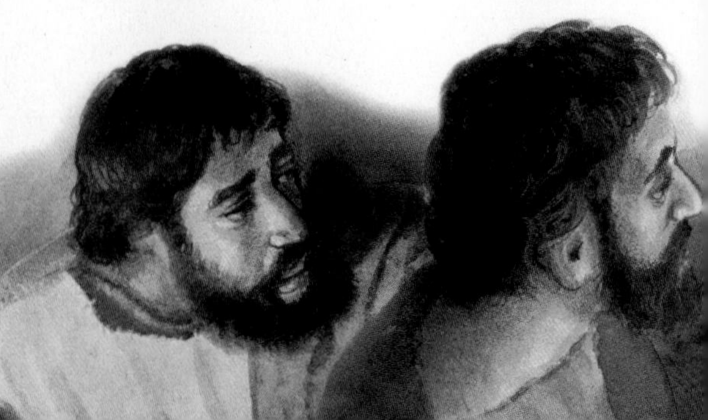

Living the New Commandment

Jesus combined the Ten Commandments into one commandment. This commandment is called the **New Commandment** or the law of love. We follow the New Commandment when we treat others with love, respect, and kindness. The Holy Trinity works in us helping us to follow the New Commandment so that we can bring God's love to all people.

Sometimes we choose not to follow God's commandments. We choose instead to sin and turn away from God's love. At these times, we can use the Ten Commandments and the New Commandment to help us examine our conscience. In an **examination of conscience**, we think about how well we have loved God and others. The Church encourages us to follow the Ten Commandments and the New Commandment so that we can stay close to God and please him by making good, moral choices.

pages 391 and 393 to review the Ten Commandments and learn more about the New Commandment.

Our Church Teaches

We keep the covenant God made with Moses and the Hebrew people by following the Ten Commandments. The fourth through sixth commandments guide us to respect all people.

Jesus taught us how to love. He lived by the commandments, showing us the way to a happy life with God. As Christians, we follow the Ten Commandments and the New Commandment by treating people with kindness.

We Believe

The fourth through sixth commandments guide us to love and respect all people. We can use the Ten Commandments and the New Commandment to help us examine our conscience.

Faith Words

New Commandment

The New Commandment is the loving message in which Jesus united the Ten Commandments and the Beatitudes into one. It is also known as the law of love.

examination of conscience

In an examination of conscience, we decide whether our words and actions show love for God and others.

Respondemos

Nicholas Green y el don de la vida

En septiembre de 1994, Nicholas Green, de siete años de edad, estaba de vacaciones en Italia con sus padres y su hermana. Sin advertencia, unos asaltantes de camino le dispararon a Nicholas y lo mataron.

Los padres de Nicholas tomaron una decisión muy valiente y amorosa. Donaron el corazón y otros órganos de Nicholas a personas de Italia que los necesitaban para vivir. Algunas de esas personas fueron niños que estaban muy enfermos y se alegraron de tener la oportunidad de llevar una vida sana.

Las acciones del señor y la señora Green mostraron a todos cómo de lo malo puede salir algo bueno. Esta historia inspiró a personas de todo el mundo.

Si visitas el pueblo natal de Nicholas, Bodega Bay, en California, verás un magnífico campanario. El Papa Juan Pablo II bendijo la campana más grande, que cuelga de la parte superior del campanario. Tiene el nombre de Nicholas y los nombres de las siete personas que recibieron sus órganos. El campanario es un recordatorio del precioso don de la vida que Dios nos da.

Vivir los mandamientos 4.º, 5.º y 6.º

La historia de la familia Green nos recuerda la importancia de respetar la vida. Los mandamientos cuarto, quinto y sexto nos ayudan a amar y a respetar a todas las personas. Cumplimos el cuarto mandamiento cuando escuchamos a nuestros padres y mostramos que nos preocupamos por ellos. Cuando trabajamos juntos para proteger la vida, estamos cumpliendo el quinto mandamiento. El sexto mandamiento ayuda a que esposo y esposa se amen y se respeten mutuamente cada vez más. Nos enseña que todos los matrimonios y todas las familias son sagradas, o santas.

Monumento de las campanas en Bodega Bay, California, del escultor Bruce Hasson

Respond

Nicholas Green and the Gift of Life

In September 1994, seven-year-old Nicholas Green was on vacation in Italy with his parents and sister. Without warning, highway robbers shot and killed Nicholas.

Nicholas's parents made a very courageous and loving decision. They donated Nicholas's heart and other organs to people in Italy who needed them to live. Some of the people who received the organs were children who were very sick. They were happy to be given the chance to live a healthy life.

Mr. and Mrs. Green's actions showed people everywhere how something good can come out of evil. Their story inspired people throughout the world.

If you visit Nicholas's hometown in Bodega Bay, California, you will see a magnificent bell tower. Pope John Paul II blessed the largest bell, which hangs from the top of the tower. It has Nicholas's name and the names of the seven people who received his organs. The bell tower stands as a reminder of God's precious gift of life.

Living the 4th, 5th, and 6th Commandments

The story of the Green family reminds us of the importance of respecting life. The fourth, fifth, and sixth commandments help us to love and respect all people. We keep the fourth commandment when we listen to our parents and show that we care about them. When we work together to protect life, we are keeping the fifth commandment. The sixth commandment helps a husband and wife grow in love and respect for each other. This commandment teaches us that every marriage and family is sacred, or holy.

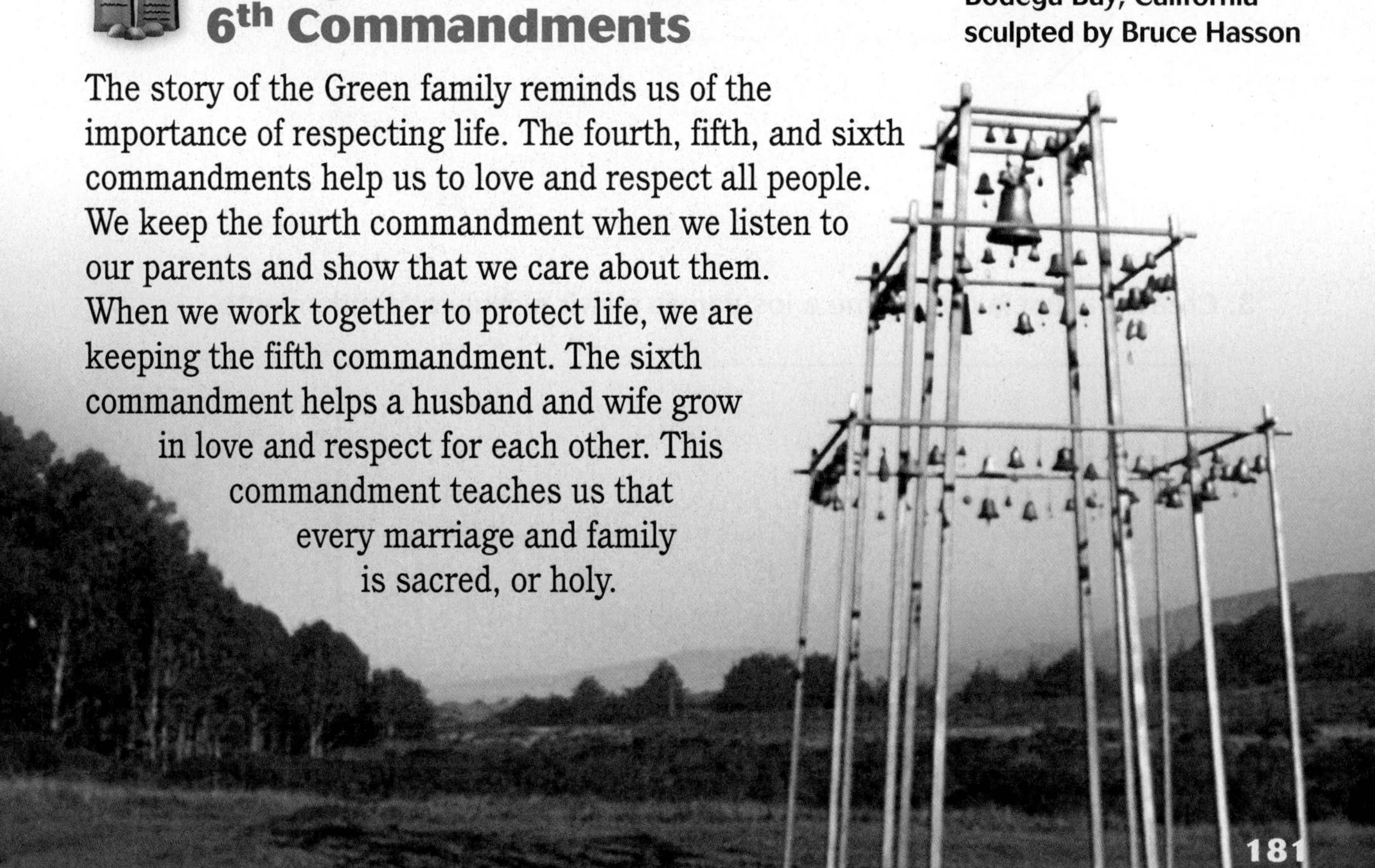

The Bell Memorial in Bodega Bay, California sculpted by Bruce Hasson

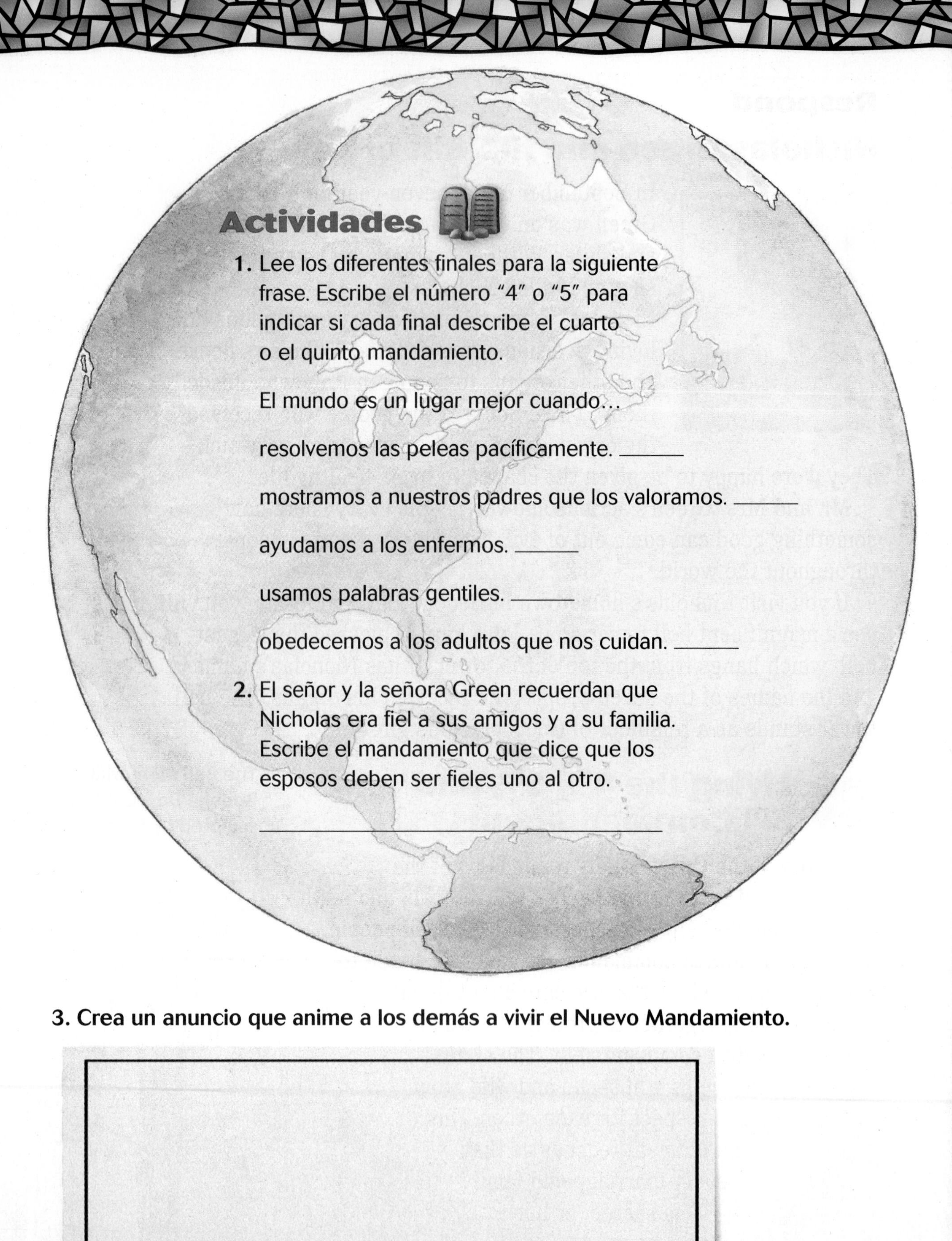

Actividades

1. Lee los diferentes finales para la siguiente frase. Escribe el número "4" o "5" para indicar si cada final describe el cuarto o el quinto mandamiento.

   El mundo es un lugar mejor cuando...

   resolvemos las peleas pacíficamente. ______

   mostramos a nuestros padres que los valoramos. ______

   ayudamos a los enfermos. ______

   usamos palabras gentiles. ______

   obedecemos a los adultos que nos cuidan. ______

2. El señor y la señora Green recuerdan que Nicholas era fiel a sus amigos y a su familia. Escribe el mandamiento que dice que los esposos deben ser fieles uno al otro.

   ____

3. Crea un anuncio que anime a los demás a vivir el Nuevo Mandamiento.

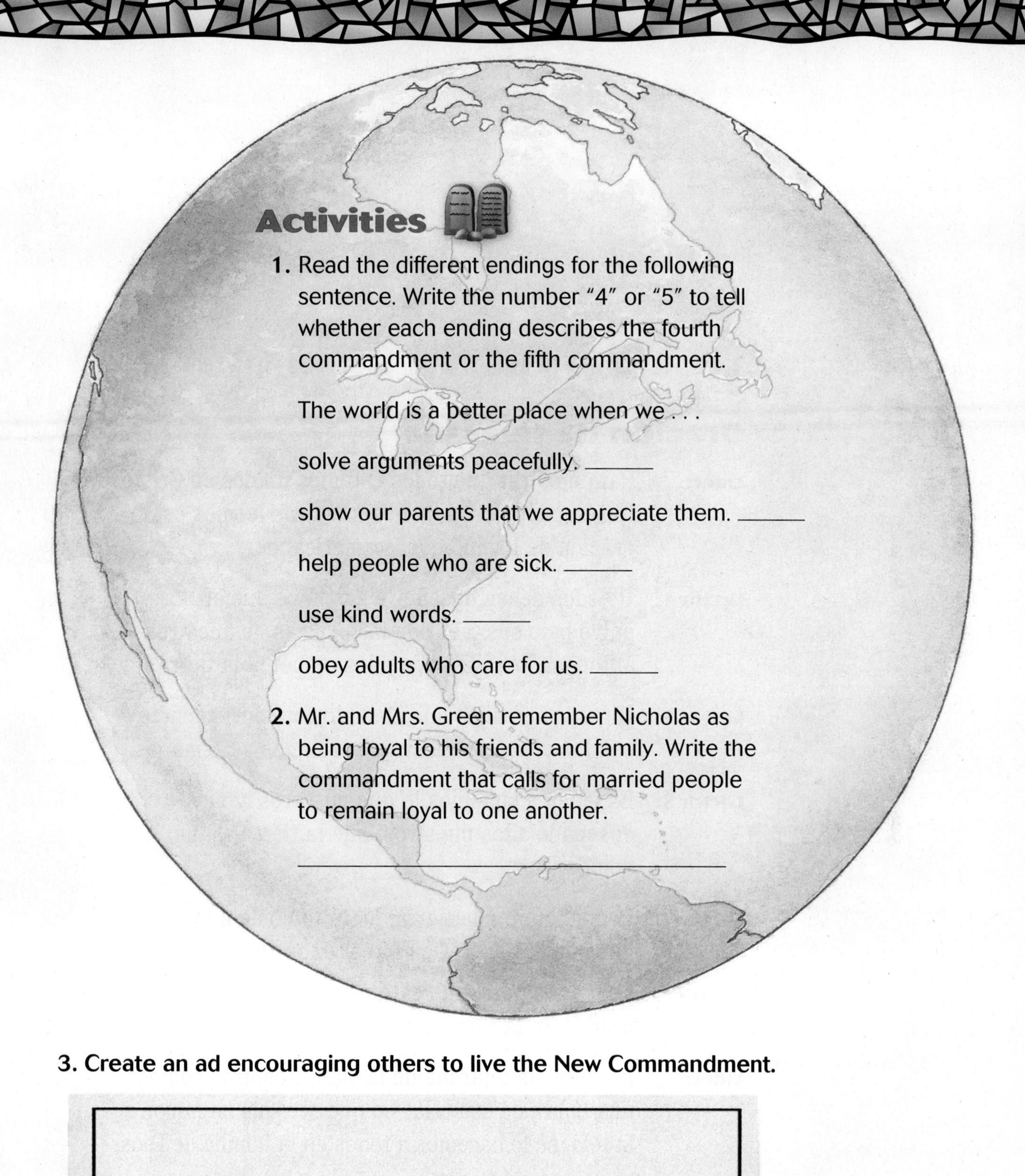

Activities

1. Read the different endings for the following sentence. Write the number "4" or "5" to tell whether each ending describes the fourth commandment or the fifth commandment.

   The world is a better place when we . . .

   solve arguments peacefully. ______

   show our parents that we appreciate them. ______

   help people who are sick. ______

   use kind words. ______

   obey adults who care for us. ______

2. Mr. and Mrs. Green remember Nicholas as being loyal to his friends and family. Write the commandment that calls for married people to remain loyal to one another.

   ____

3. Create an ad encouraging others to live the New Commandment.

Celebración de la oración

Oración de telaraña

Líder: Para mostrar que todos estamos unidos en Cristo, tomémonos de las manos mientras leemos esta oración de los indígenas americanos.

Lector 1: Ustedes deben enseñar a sus hijos que el polvo bajo sus pies son las cenizas de nuestros antepasados, para que ellos respeten la tierra.

Lector 2: Digan a sus hijos que el suelo está enriquecido con las vidas de nuestros hermanos y hermanas.

Lector 3: Enseñen a sus hijos lo que nosotros hemos enseñado a los nuestros, que la tierra es un don de Dios.

Lector 4: Lo que hiere a la tierra, hiere también a los hijos de la tierra. De eso estamos seguros.

Todos: **Todas las personas estamos conectadas, unidas en la familia de Dios.**

Líder: Dios teje la telaraña de la vida. Nosotros somos una hebra de esa tela. Lo que sea que hagamos a la tela, se lo hacemos a todos en la familia de Dios.

Basado en la oración indígena americana atribuida al jefe Seattle, líder de la tribu Duwamish

Prayer Celebration

A Web Prayer

Leader: To show that we are all joined together in Christ, let us join hands as we read this Native American prayer.

Reader 1: You must teach your children that the ground beneath their feet is the ashes of our ancestors so that they will respect the land.

Reader 2: Tell your children that the earth is rich with the lives of our brothers and sisters.

Reader 3: Teach your children what we have taught our children, that the earth is a gift from God.

Reader 4: Whatever affects the earth, affects the children of earth. This we know.

All: All people are connected, united in the family of God.

Leader: God weaves the web of life. We are a strand in that web. Whatever we do to the web, we do to everyone in God's family.

Based on the Native American Prayer Attributed to Chief Seattle, Leader of the Duwamish Tribe

La fe en acción

Ministerios del respeto a la vida Desde 1972, los católicos han celebrado anualmente el Domingo del Respeto a la Vida el primer domingo de octubre. Durante todo el mes de octubre, nos detenemos a pensar en el respeto a la vida que nos enseña la Iglesia. Igual que nuestro Señor Jesús, a todos se nos llama a mostrar un amor y un respeto especiales por las personas de quienes los demás no siempre se ocupan lo suficiente. Nosotros defendemos a los que no pueden defenderse a sí mismos, por ejemplo, los que aún no han nacido, los ancianos y los discapacitados.

Actividad Escribe algo que, en grupo o individualmente, podrías decir o hacer para mostrar amor y respeto por cada persona necesitada.

1. Los nietos de la señora Johnson se han mudado lejos y ahora ya nadie la visita.

   ____

2. Tu compañero David tiene una dificultad para hablar de la que a menudo los demás niños se ríen.

   ____

3. Crystal, la vecina que acaba de tener un bebé, parece siempre cansada y triste.

   ____

Actividad Describe un problema de tu zona que creas que lo causan o lo empeoran las personas que no tienen respeto a la vida. En los siguientes renglones, sugiere una manera de que los líderes de la Iglesia y del gobierno respondan a la situación.

____

____

____

Respect Life Ministries Since 1972, Catholics have celebrated Respect Life Sunday on the first Sunday of October each year. Throughout the month of October, we pause to think about the respect for life that our Church teaches. Like our Lord Jesus, we are all called to show a special love and respect for people whom others do not always care enough about. We stand up for people who cannot stand up for themselves. These people include the unborn, the elderly, and people with disabilities.

Activity Write one thing that you (as a group or individually) could say or do to show love and respect for each person in need.

1. Mrs. Johnson's grandchildren moved far away, and nobody ever visits her anymore.

   ____

2. Your classmate David has a speech problem that other kids often make fun of.

   ____

3. Crystal, the person down the street who just had a baby, always seems tired and sad.

   ____

Activity Describe a problem in your area that you believe is caused or made worse by people's lack of respect for life. On the lines below, propose a way for church and government leaders to respond to the situation.

____

____

____

12 Los mandamientos y obrar según la voluntad de Dios

Que este sacramento de vida nueva nos caliente el corazón con tu amor.

Basado en las oraciones de la bendición del Santísimo Sacramento

Compartimos

Vivir los mandamientos

Por todas partes hay personas que comparten el amor de Dios con los demás. Viven de acuerdo con los mandamientos de Dios.

Actividad

Mira las fotografías. Cada una muestra personas ayudándose unas a otras. Di por qué estas personas están haciendo la voluntad de Dios.

12 The Commandments and Doing God's Will

May this sacrament of new life warm our hearts with your love.

Based on the Prayers from Benediction of the Blessed Sacrament

Share

Living the Commandments

All around, there are people who are sharing the love of God with others. They live according to God's commandments.

Activity

Look at the pictures. Each one shows people helping one another. Tell how these people are doing the will of God.

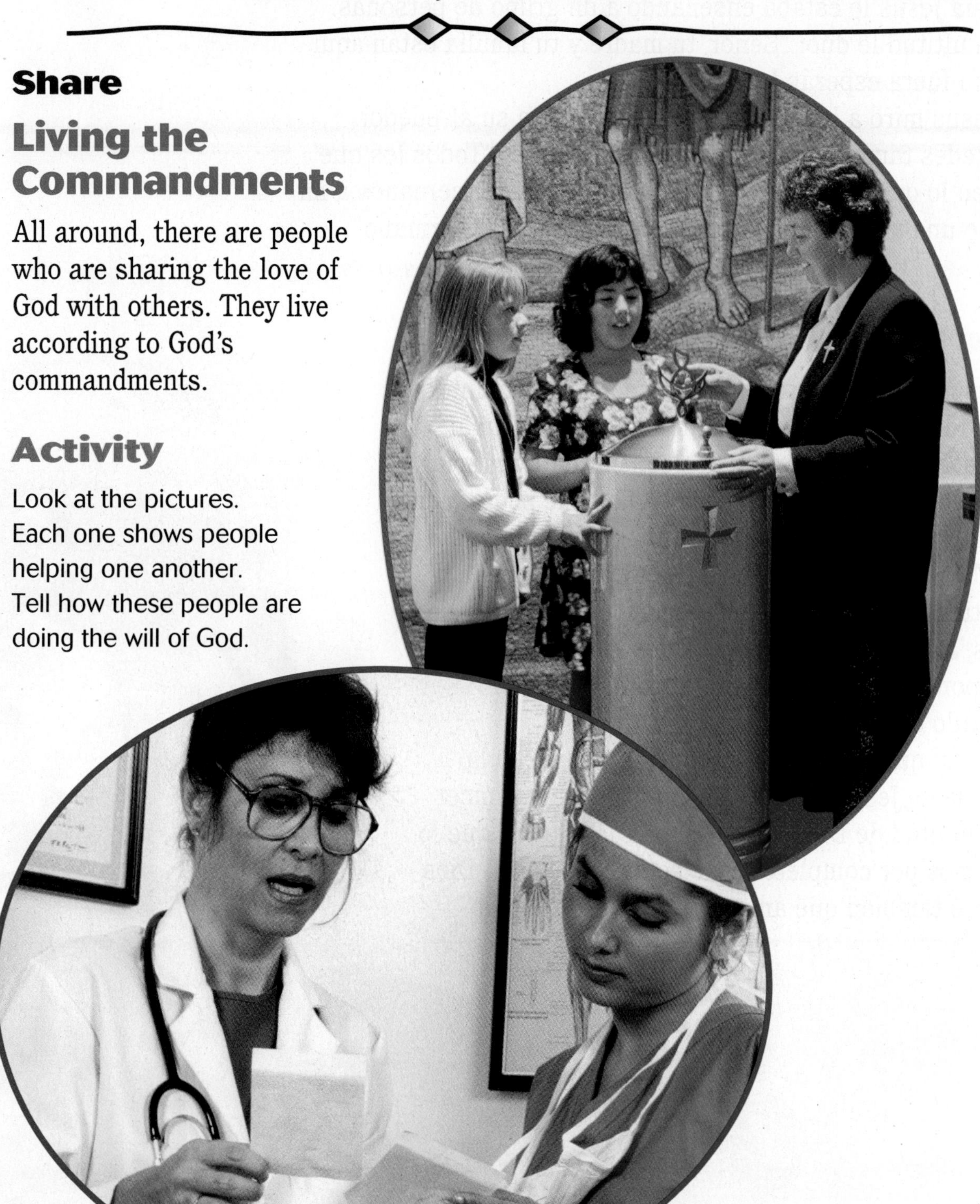

Escuchamos y creemos

La Escritura Jesús y su familia

Jesús tenía muchas maneras de mostrar a la gente la importancia de hacer la voluntad de Dios.

Un día Jesús le estaba enseñando a un grupo de personas. La multitud le dijo: "Señor, tu madre y tu familia están aquí. Están fuera esperándote".

Jesús miró a los que estaban sentados a su alrededor. "Ustedes también son mi familia", contestó. "Todos los que hacen lo que Dios pide son mi familia. Son tan cercanos a mí como una madre, un padre, una hermana o un hermano".

Basado en Marcos 3:31–35

Aceptar la voluntad de Dios

Jesús nos enseñó a vivir de acuerdo con la voluntad de su Padre. Él cumplía los mandamientos de amar a los demás. Jesús trataba a todos con caridad, justicia y misericordia. Siempre rezaba a Dios y le pedía fuerza y valor para llevar el amor de Dios a toda la gente.

María, la madre de Jesús, es un modelo de la fe cristiana. Cuando se le pidió que fuera la Madre de Dios, María se puso en las manos amorosas de Dios. Respondió: "Hágase en mí tal como has dicho" (basado en Lucas 1:38).

Igual que María, nosotros somos parte de la familia de Jesús cuando elegimos aceptar y hacer la voluntad de Dios. Sobre todo, Dios quiere que lo amemos por completo y que confiemos en Él. Dios quiere también que amemos a nuestro prójimo.

Hear & Believe

Scripture Jesus and His Family

Jesus had many ways of showing people the importance of doing God's will.

One day Jesus was teaching a group of people. The crowd told him, "Lord, your mother and family are here. They are waiting outside for you."

Jesus looked around at the people near him. "You are my family, too," Jesus said. "Whoever does what God asks is in my family. They are as close to me as a mother, father, sister, or brother."

Based on Mark 3:31–35

Accepting the Will of God

Jesus showed us how to live according to his Father's will. He followed the commandments to love others. Jesus treated all people with kindness, justice, and mercy. He always prayed and asked God for strength and courage to bring God's love to everyone.

Mary, Jesus' mother, is a model of Christian faith. When she was asked to be the Mother of God, Mary placed herself in God's loving hands. She responded, "Let it be done unto me according to your word" (based on Luke 1:38).

Like Mary, we are part of Jesus' family when we choose to accept and do the will of God. Above all else, God wants us to love him completely, placing our trust in him. God also wants us to love our neighbor.

Devoción a Dios

Jesús enseñó que, para estar cerca de Él, se nos pide que aceptemos la voluntad de Dios y que mostremos que la aceptamos de muchas maneras. Tenemos que obedecer los mandamientos de Dios y vivir en el espíritu del mandamiento de Jesús de amar a los demás como Él nos ama.

Jesús rezaba a menudo a su Padre celestial para pedirle fuerza y valor para hacer la voluntad de Dios, aun cuando fuera difícil. El rezar a Dios es un signo de que se es fiel a la voluntad de Dios. Hay muchas maneras de rezar. Una forma especial de rezar con devoción es hacerlo en silencio ante el **Santísimo Sacramento**.

En tu iglesia, cerca del altar del santuario, o en una capilla aparte, se guarda el pan consagrado de la Eucaristía en un **tabernáculo**, para llevarle la comunión a los que no pueden venir a la Misa por su edad avanzada o por enfermedad. Cuando la Eucaristía está reservada en el tabernáculo se llama Santísimo Sacramento. Cuando rezamos en silencio a Jesucristo en el Santísimo Sacramento, podemos pedir que aceptemos y hagamos siempre la voluntad de Dios.

Nuestra Iglesia nos enseña

Al igual que Jesús y María, somos llamados a aceptar la voluntad de Dios. Cuando rezamos, podemos pedir la ayuda de Dios para comprender su plan para cada uno de nosotros. A través de la oración, nuestra fe se fortalece. Podemos rezar el Padre Nuestro con intención cuando decimos: "hágase tu voluntad en la tierra como en el cielo".

Creemos

Jesús nos enseñó que a través de la oración aprendemos a confiar en Dios y comprender su plan para nosotros.

Palabras de fe

Santísimo Sacramento
El Santísimo Sacramento es otro nombre de la Eucaristía guardada en el tabernáculo.

tabernáculo
Un tabernáculo es un recipiente en la iglesia donde se guarda el Santísimo Sacramento para los que no pudieron asistir a la Misa por enfermedad o para una oración privada.

Devotion to God

Jesus taught the people that, in order to become close to him, we are asked to accept God's will. We are asked to show that we accept God's will in many ways. We are to keep God's commandments. We are to live in the spirit of Jesus' command to love others as he loves us.

Jesus often prayed to his Father in heaven for the strength and courage to do God's will, even when it was difficult. Praying to God is a sign of being faithful to God's will. There are many ways in which we can pray. One special prayer of devotion is to pray quietly before the **Blessed Sacrament**.

In your church, near the altar in the sanctuary, or in a separate chapel, the consecrated bread of the Eucharist is kept in a **tabernacle** in order to bring communion to people who are unable to come to Mass due to old age or illness. The Eucharist when it is reserved in the tabernacle is called the Blessed Sacrament. When we pray silently to Jesus Christ in the Blessed Sacrament, we can ask that we will always accept and do God's will.

We Believe

Jesus taught us that through prayer we learn to understand and trust God's plan for each of us.

Faith Words

Blessed Sacrament
The Blessed Sacrament is another name for the Eucharist kept in the tabernacle.

tabernacle
A tabernacle is a container in church where the Blessed Sacrament is kept for those unable to come to Mass due to illness or for private prayer.

Our Church Teaches

Like Jesus and Mary, we are called to accept the will of God. When we pray, we can ask for God's help in understanding his plan for each of us. Through prayer our faith grows stronger. We can pray the Lord's Prayer with meaning when we pray, "Thy will be done on earth as it is in heaven."

Respondemos

Los mandamientos, del cuarto al sexto, y nuestra relación con el pueblo de Dios

Los mandamientos de Dios nos ayudan a respetar nuestra propia vida y la vida y la salud de los demás. El cuarto mandamiento nos ayuda a respetar a nuestros familiares, especialmente a nuestros padres. El quinto mandamiento nos ayuda a mantenernos sanos y a respetar la vida y la salud de los demás. El sexto mandamiento nos ayuda a respetar nuestro cuerpo y el cuerpo y la privacidad de los demás.

Actividades

1. Aunque estas leyes se dieron hace más de tres mil años, todavía hoy los Diez Mandamientos tienen significado para nosotros. Se basan en nuestra relación con Dios y con todos los hijos de Dios. En el espacio que hay junto a cada uno de los siguientes mandamientos, escribe una o dos frases sobre qué te parece que significa y cómo puedes obedecerlo. Obedecer los mandamientos es una manera de cumplir la voluntad de Dios.

Los Diez Mandamientos	Lo que significa este mandamiento para mí y cómo puedo obedecerlo
IV Respeta a tu padre y a tu madre.	
V No mates.	
VI No cometas adulterio.	

las páginas 390 y 392 para repasar el significado de cada mandamiento.

Respond

The Fourth Through Sixth Commandments and Our Relationship with God's People

God's commandments help us respect our own life and the life and health of others. The fourth commandment helps us respect members of our families, especially our parents. The fifth commandment helps us to keep healthy and respect the life and health of others. The sixth commandment helps us respect our bodies and the bodies and privacy of others.

Activities

1. Even though these laws were given over three thousand years ago, the Ten Commandments still have meaning for us today. They are based on our relationship with God and all God's children. In the space next to each commandment below, write a sentence or two about what you think it means and how you can obey it. Obeying the commandments is one way we follow the will of God.

The Ten Commandments	What this commandment means to me and how I can obey it
IV Honor your father and mother.	
V You shall not kill.	
VI You shall not commit adultery.	

GO TO pages 391 and 393 to review the meaning of each commandment.

2. Aprende a decir con señas las siguientes frases del Padre Nuestro. Repasa lo que aprendiste en los Capítulos 4 y 8. Luego une todas las frases.

hágase

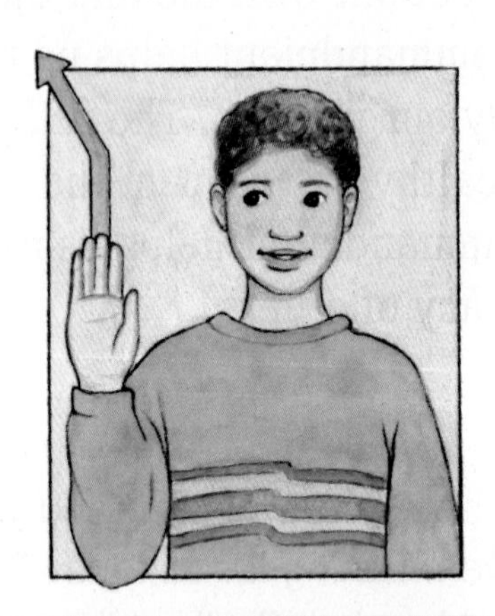

tu

voluntad

en la tierra

como

en

el cielo.

2. Learn to sign the following phrases from the Lord's Prayer. Review what you learned in Chapters 4 and 8. Then put all the phrases together.

Thy

will

be done

on earth,

as it is

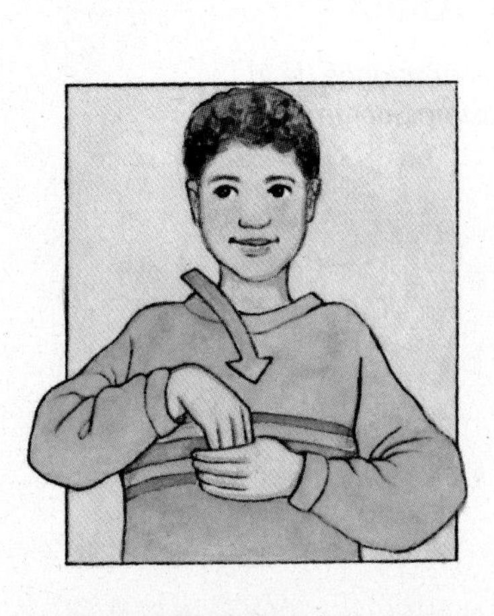

in

heaven.

Celebración de la oración

Oración de adoración

Líder: Los que se reúnen para venerar a Cristo en el Santísimo Sacramento pueden cantar canciones de alabanza. Pueden también escuchar la palabra de Dios y rezar juntos. Ahora recemos juntos.

Todos: Señor, nuestro Dios, en este gran sacramento, venimos en la presencia de Jesucristo, tu Hijo, que nació de María Virgen y fue crucificado para nuestra salvación. Que este sacramento de vida nueva nos caliente el corazón con tu amor y nos dé ansias del gozo eterno de tu reino. Te lo pedimos por Cristo, nuestro Señor. Amén.

Basado en las oraciones de la bendición del Santísimo Sacramento

Prayer Celebration

An Adoration Prayer

Leader: People who gather to worship Christ in the Blessed Sacrament may sing songs of praise. They may also listen to God's word and pray together. Let us pray together now.

All: Lord our God, in this great sacrament, we come into the presence of Jesus Christ, your Son. He was born of the Virgin Mary and crucified for our salvation. May this sacrament of new life warm our hearts with your love and make us eager for the eternal joy of your kingdom. We ask this through Christ our Lord. Amen.

Based on the Prayers from the Benediction of the Blessed Sacrament

La fe en acción

Ministerio de la Hora Santa Eucarística Desde los tiempos del nacimiento de Cristo, la gente ha venido a venerarlo y a adorarlo. Antes de morir, Jesús pidió a sus discípulos que permanecieran con Él, y que velaran y rezaran. Hoy los católicos pueden pasar un tiempo con Jesús si rezan en silencio ante el Santísimo Sacramento. En una Hora Santa podemos encontrar paz en nuestro corazón mientras rezamos en silencio. Durante estos momentos silenciosos también escuchamos lo que Cristo quiere decirnos. Él nos habla en el silencio y a través de las canciones y las lecturas de la Sagrada Escritura. Dios sabe lo que hay en nuestro corazón, aun antes de que hablemos.

En la vida diaria

Actividad Los buenos amigos no usan siempre palabras para comunicarse. Describe una vez en que hayas disfrutado de un momento de silencio, sólo estando con alguien que te importa.

___

___

___

En tu parroquia

Actividad Una Hora Santa es una oportunidad para pasar un tiempo en la presencia de Jesucristo en el Santísimo Sacramento. Coloca un ✔ al lado de las cosas o las personas que te gustaría incluir si estuvieras participando en una Hora Santa.

___ momento de oración en silencio

___ oraciones para leer en silencio

___ un canasto con peticiones escritas

___ canciones

___ mis padres

___ rezar el Rosario

___ lecturas de la Sagrada Escritura

___ mis amigos

___ el Santísimo Sacramento

___ el personal de la parroquia

Eucharistic Holy Hour Ministry From the time of Christ's birth, people came to worship and adore him. Just before his death, he asked his disciples to stay with him and to watch and pray. Catholics today can spend time with Jesus in silent prayer before the Blessed Sacrament. In a Holy Hour, we can find peace in our hearts as we pray silently. We also listen during these times of quiet to what Christ wants to say to us. He speaks to us in the silence and through Scripture readings and songs. God knows what is in our hearts, even before we speak.

Activity Good friends don't always use words to communicate. Describe a time when you have enjoyed some quiet time, just being with someone you care about.

____

____

____

In Your Parish

Activity A Holy Hour is an opportunity to spend time in the presence of Jesus Christ in the Blessed Sacrament. Place a ✔ next to the things or people you would like to include if you were participating in a Holy Hour.

___ silent prayer time

___ prayers to read silently

___ a basket of written prayer requests

___ songs

___ my parents

___ pray the Rosary

___ Scripture readings

___ my friends

___ the Blessed Sacrament

___ the parish staff

La Iglesia

La Iglesia se extendió rápidamente durante el siglo I. Los discípulos, como San Pablo, predicaron el Evangelio y fundaron comunidades por el mundo mediterráneo. Estas iglesias se transformaron en centros de un nuevo sentido de la justicia y del culto.

Todos somos bautizados en un cuerpo.
Basado en 1.ª Corintios 12:13

Algunas de las cartas de Pablo a las comunidades cristianas las llevaba un mensajero por este antiguo camino romano. Pablo escribió sus cartas con una pluma de junco que mojaba en un frasco de tinta negra.

The Church

UNIT 4

The Church spread rapidly in the first century. Disciples such as Saint Paul preached the Gospel and established communities around the Mediterranean world. These churches became centers of a new sense of justice and worship.

We are all baptized into one body.
Based on 1 Corinthians 12:13

Some of Paul's letters to Christian communities were sent by messenger along this ancient Roman road. Paul wrote his letters with a reed pen dipped in a pot of black ink.

Arriba los corazones

Texto: Tradicional
Música: Tradicional

UNIT 4 Song

We Lift Up Our Hearts in Gladness

Text: Traditional; tr. by Ronald F. Krisman, © 2005, GIA Publications, Inc.
Tune: Traditional

13 Los sacramentos de la Iglesia

Estamos todos bautizados en un solo cuerpo.

Basado en 1.ª Corintios 12:13

Compartimos

Como cristianos creemos que toda persona es un miembro importante de la familia de Dios. Debemos trabajar juntos para llevar a todos la bondad de Dios.

Actividad

Espíritu de equipo

Elijan a quiénes interpretarán los siguientes papeles y representen el relato.

Narrador: Durante el día de campo de la parroquia St. Joseph, un grupo de niñas decide jugar al voleibol. Cuando están a punto de empezar un partido, Ashleigh se les acerca.

Ashleigh: ¿Puedo jugar en un equipo?

Narrador: Nadie contesta. Todos saben que Ashleigh no corre demasiado rápido. Un rato después, Juanita la deja entrar en su equipo. Trata de ayudarla cada vez que no llega a la pelota lo bastante rápido.

Juanita: Yo te ayudaré, Ashleigh.

Narrador: Cuando le toca sacar a Ashleigh, la niña le pega a la pelota realmente fuerte y anota un punto para su equipo. Juanita y las demás la ovacionan. Gritan…

El equipo: ¡Así se hace!

13 Sacraments in the Church

We are all baptized into one Body.

Based on 1 Corinthians 12:13

Share

As Christians, we believe that every person is an important member of God's family. We must work together to bring God's goodness to everyone.

Activity

Team Spirit

Choose who will play the following roles and act out the story.

Narrator: At St. Joseph's parish picnic, a group of girls decide to play volleyball. As they are about to begin a game, Ashleigh comes over to join them.

Ashleigh: "Can I play on a team?"

Narrator: No one answers. Everyone knows Ashleigh does not run very fast. After a while Juanita agrees to let Ashleigh on her team. She tries to help Ashleigh whenever she cannot get to the ball fast enough.

Juanita: "I'll help you, Ashleigh."

Narrator: When it is Ashleigh's turn to serve, she hits the ball really hard and scores a point for her team. Juanita and the others cheer her on. They shout . . .

The Team: "Way to go!"

Escuchamos y creemos

La Escritura Un cuerpo, muchas partes

Nuestra Iglesia realiza la ***misión de Cristo*** *en el mundo. La misión de Cristo es llevar el Reino de Dios a todos. Todas las personas tienen talentos que ayudan a difundir la paz y el amor de Dios al mundo. San Pablo comprendió que era necesario que todos los miembros de la Iglesia trabajaran juntos. Cuando les escribió a los cristianos de la ciudad de Corinto, Pablo comparó el* ***Cuerpo de Cristo*** *con un cuerpo humano.*

El cuerpo es uno, pero tiene muchas partes. Necesita que funcionen todas ellas: pies, ojos, oídos. Por ejemplo, el cuerpo tiene ojos. ¿Es la oreja una parte del cuerpo aun cuando no sea un ojo? ¡Sí! El cuerpo necesita tanto del oído como de la vista. Pasa lo mismo con Cristo y su Iglesia. Juntos, nosotros formamos el Cuerpo de Cristo. No importa quiénes seamos, todos somos bautizados en un Cuerpo, la Iglesia.

Basado en 1.ª Corintios 12:12–26

Hear & Believe

Scripture One Body, Many Parts

Our Church carries out ***Christ's mission*** *in the world. Christ's mission is to bring the Kingdom of God to all people. Every person has talents that help spread God's peace and love to the world. Saint Paul understood that it was necessary that all members of the Church work together. When he wrote to the Christians in the city of Corinth, Paul compared the* ***Body of Christ*** *to a human body.*

A body is one, but it has many parts. It needs all its parts: feet, eyes, ears, everything to work. For example, the body has eyes. Is the ear a part of the body even if it is not an eye? Yes! The body needs hearing as well as sight. It is the same with Christ and his Church. Together, we make up the Body of Christ. No matter who we are, we are all baptized into one Body, the Church.

Based on 1 Corinthians 12:12–26

Compartir la vida de Jesús

La Iglesia es una comunidad de personas unidas unas con otras y con Dios. A través de Jesucristo, la Iglesia cura a los enfermos y ayuda a los pobres y a los hambrientos. Al hacer esto realizamos la misión de Cristo en el mundo. Juntos guiamos a toda la gente más cerca del reino de Dios.

Por el poder del Espíritu Santo, Jesucristo está presente cuando la Iglesia celebra los **sacramentos**. Cristo instituyó los siete sacramentos para colmarnos de gracia. La gracia nos fortalece para que realicemos su misión y la de la Iglesia. En la comunidad católica celebramos los sacramentos como señal de que la gracia viene a nosotros a través de la Iglesia, unida al Cuerpo de Cristo.

las páginas 370–376 para leer más sobre los sacramentos.

Creemos

La Iglesia celebra los sacramentos para que podamos experimentar plenamente la presencia amorosa de Cristo. Junto con toda la Iglesia, podemos realizar la misión de Cristo en el mundo.

Palabras de fe

Cuerpo de Cristo
El Cuerpo de Cristo es el Pueblo de Dios o la Iglesia.

sacramentos
Los sacramentos son los signos sagrados que celebran el amor de Dios y la presencia de Jesús en nuestra vida y en la Iglesia.

Nuestra Iglesia nos enseña

Celebramos los sacramentos para que nos ayuden a amar a los demás como Jesús nos amó. Decimos que la presencia de Cristo en la Iglesia es un misterio. No vemos a Jesús en persona y, sin embargo, sabemos que Él vive a través de la Iglesia.

La Iglesia nos alienta a que recibamos los sacramentos para poder unirnos a Jesús. Al llevar una vida cristiana, estamos cada vez más cerca de quedarnos en el reino de Dios por siempre.

Sharing the Life of Jesus

The Church is a community of people united with God and with each other. Through Jesus Christ, the Church heals the sick and helps those who are poor and hungry. In doing this we carry out Christ's mission in the world. Together we lead all people closer to God's kingdom.

By the power of the Holy Spirit, Jesus Christ is present when the Church celebrates the **sacraments**. The seven sacraments were instituted by Christ to fill us with grace. Grace strengthens us in carrying out his mission and the mission of the Church. We celebrate the sacraments in the Catholic community as a sign that grace comes to us through the Church, united with the Body of Christ.

pages 371–377 to read more about the sacraments.

Our Church Teaches

We celebrate the sacraments to help us love others as Jesus loved us. Christ's presence in the Church is called a mystery. We do not see Jesus in person, yet we know he lives through the Church.

The Church encourages us to receive the sacraments so that we can be united with Jesus. By leading a Christian life, we move closer to being in God's kingdom forever.

We Believe

The Church celebrates the sacraments so that we can fully experience Christ's loving presence. Together with the whole Church, we can carry out Christ's mission in the world.

Faith Words

Body of Christ
The Body of Christ is the People of God or the Church.

sacraments
Sacraments are sacred signs that celebrate God's love for us and Christ's presence in our lives and in the Church.

Respondemos

Estamos viviendo los sacramentos

Cuando celebramos los sacramentos, nos unimos en Cristo.

Actividades

1. Descubre el mensaje oculto coloreando los espacios según su marca. Diamantes: verdes. Estrellas: rojas. Círculos: azules.

2. Completa la siguiente frase.

Sé que Cristo vive en mí, porque ______________________________

____

____

____.

Respond

We Are Living the Sacraments

When we celebrate the sacraments, we are united in Christ.

Activities

1. Discover the hidden message by coloring the spaces as marked. Diamonds: green. Stars: red. Circles: blue.

2. Complete the following sentence.

I know Christ lives in me because ______________________________

____

____

____.

3. Observa el siguiente crucigrama. Usa las claves para completar el nombre del sacramento que se describe.

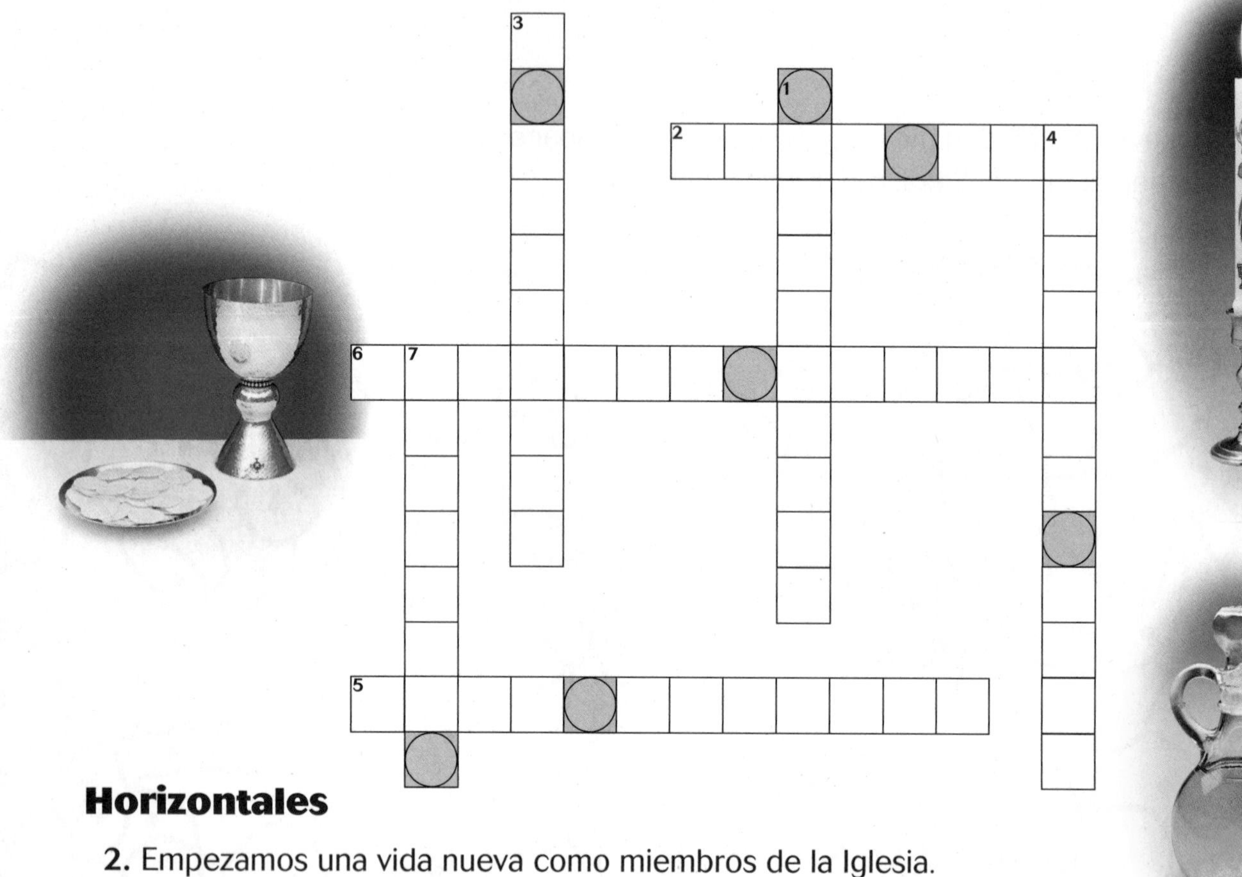

Horizontales

2. Empezamos una vida nueva como miembros de la Iglesia.
5. Nos sellan con el Don del Espíritu Santo.
6. Cristo perdona nuestros pecados.

Verticales

1. El Cuerpo y la Sangre de Cristo nos alimentan.
3. Un hombre y una mujer prometen ser fieles el uno al otro.
4. Obispos, sacerdotes y diáconos prometen participar en la obra de Jesús.
7. Cristo cura y fortalece a quienes no están sanos en el Sacramento de la Unción de los ________________.

4. Escribe las letras que están encerradas en un círculo en el crucigrama.

Letras ______________________________

Ordénalas para completar esta frase.

La ___ ___ ___ ___ ___ ___ ___ celebra siete sacramentos.

3. Look at the crossword puzzle below. Use the clues to fill in the name for the sacrament being described.

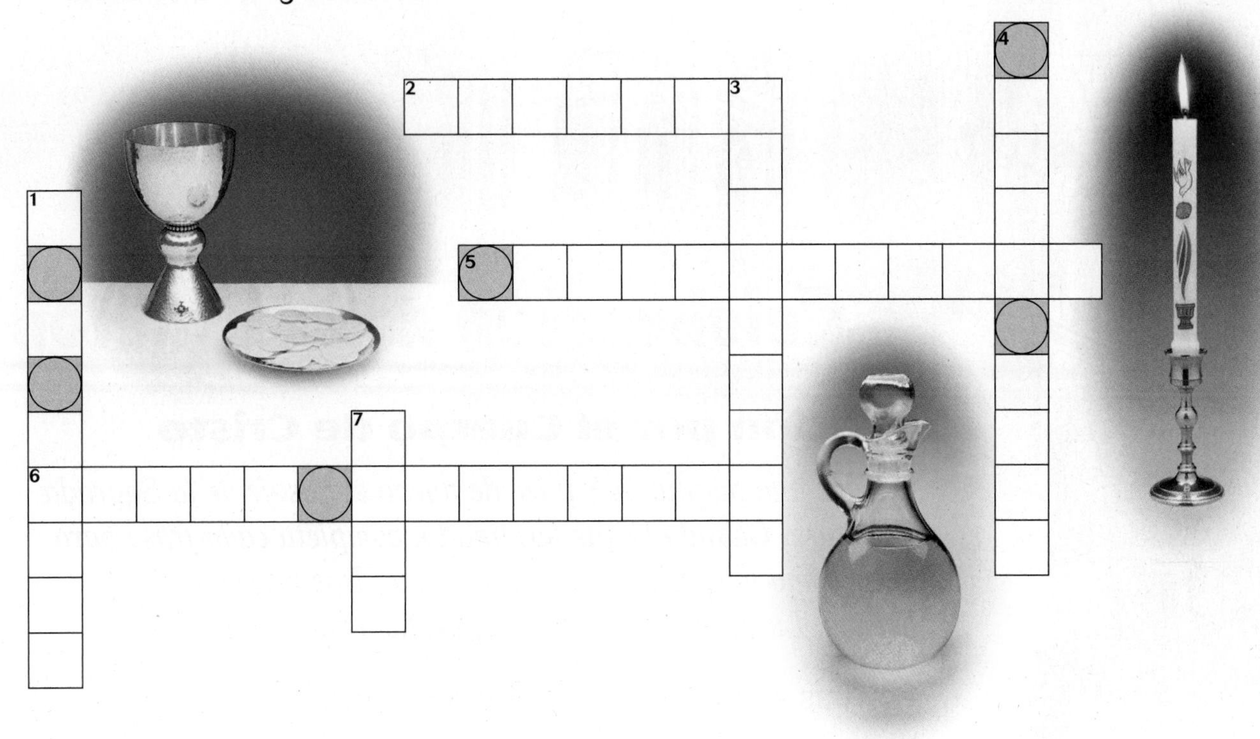

Across

2. We begin a new life as members of the Church.
5. We are sealed with the Gift of the Holy Spirit.
6. Christ forgives our sins.

Down

1. The Body and Blood of Christ nourish us.
3. A man and a woman promise to be faithful to one another.
4. Bishops, priests, and deacons promise to share in Jesus' work.
7. Christ heals and strengthens those who are ill in the Sacrament of the Anointing of the ________________.

4. Write the letters that are circled in the crossword puzzle.

Letters ____

Unscramble them to complete this sentence.

The ___ ___ ___ ___ ___ ___ celebrates seven sacraments.

Celebración de la oración

Oración por el Cuerpo de Cristo

(Vuelve a la página 208 y lee de nuevo el pasaje de la Sagrada Escritura. Cuando hayas terminado, completa cada frase para decir cómo puedes ayudar a los demás. Dos frases ya están hechas. Luego comparte tus respuestas con un compañero.)

Con mis manos, puedo ayudar a los demás.

Con mis ojos, puedo ______________________.

Con mi cabeza, puedo ______________________.

Con mis pies, puedo ______________________.

Con mis oídos, puedo ______________________.

Con todo mi cuerpo, puedo realizar la misión de Cristo en el mundo.

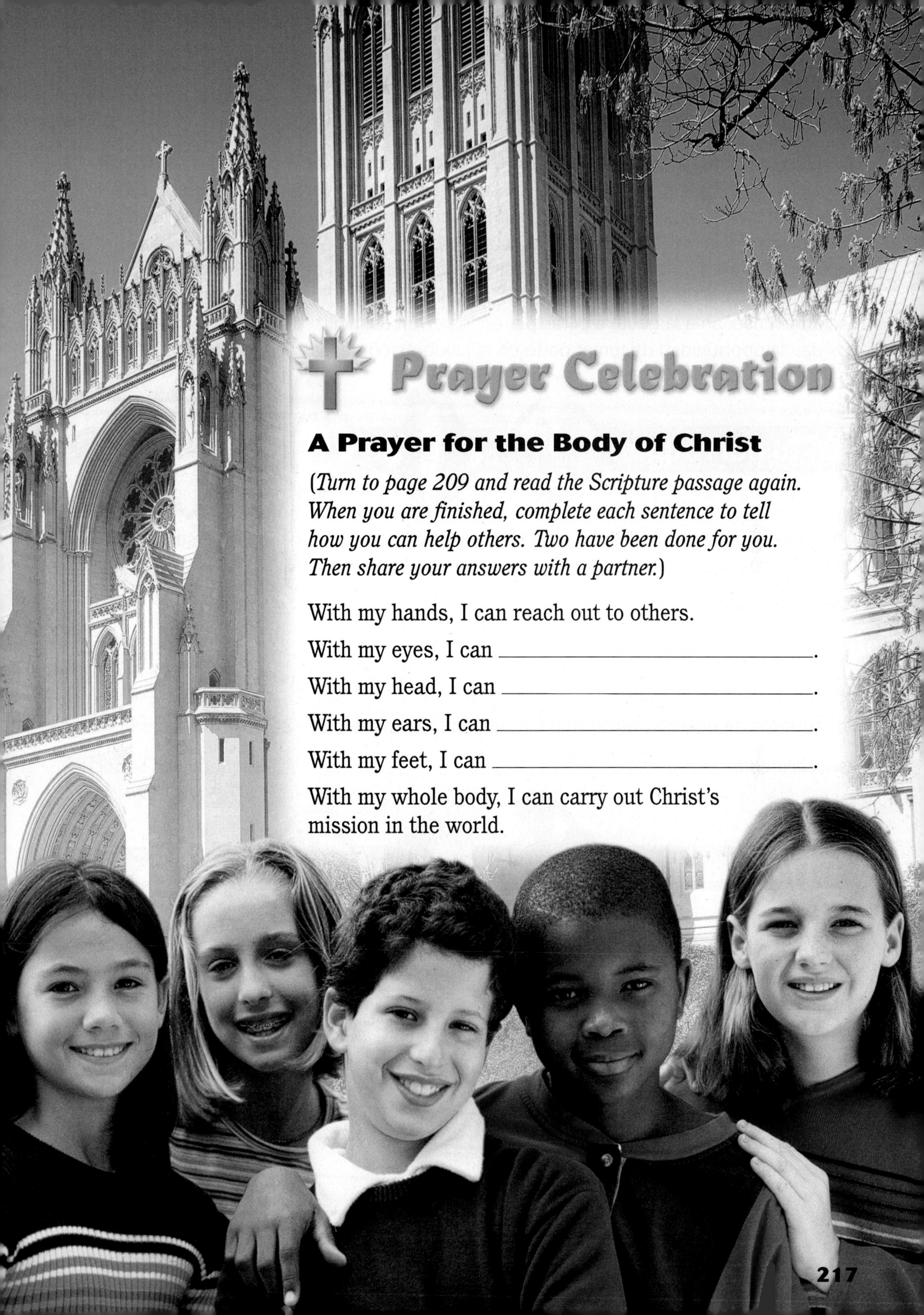

Prayer Celebration

A Prayer for the Body of Christ

(*Turn to page 209 and read the Scripture passage again. When you are finished, complete each sentence to tell how you can help others. Two have been done for you. Then share your answers with a partner.*)

With my hands, I can reach out to others.

With my eyes, I can ______________________________.

With my head, I can ______________________________.

With my ears, I can ______________________________.

With my feet, I can ______________________________.

With my whole body, I can carry out Christ's mission in the world.

La fe en acción

La comisión litúrgica de la parroquia Otra palabra para referirse a la Misa es "liturgia", que significa "el trabajo de la gente". Son las personas que trabajan entre bastidores para ayudarnos a rezar cuando nos reunimos como una comunidad de fe. Nos ayudan a celebrar los tiempos festivos del año eclesiástico, como el Adviento y la Cuaresma, adornando la iglesia y trabajando con los ministros musicales de la parroquia. También pueden escribir la Plegaria Universal. Nos ayudan a amar y a comprender la Sagrada Escritura. Enseñan a la gente a participar en los diversos ministerios sacramentales y nos dan la oportunidad de tomar parte en la celebración de los sacramentos.

En tu parroquia

Actividad En forma individual o en grupo, escribe tu propia Plegaria Universal. Decide cómo quieres que respondan todos después de cada petición.

Respuesta a la oración: ______________________________.

Por los líderes de nuestra parroquia, especialmente, ______________________________

______________________________. Roguemos al Señor.

Por aquellos de nuestra parroquia o de nuestra familia que estén enfermos o moribundos,

especialmente ______________________________. Roguemos al Señor.

En la vida diaria

Actividad Piensa en el próximo día especial del calendario de celebraciones de tu familia, como un cumpleaños. Haz una lista de las tareas que deberás hacer antes de la celebración o durante ella y de quién realizará cada tarea. Puedes nombrar a más de una persona para cada tarea.

The Parish Liturgy Committee Another word for the Mass is "liturgy," which means "the work of the people." People work behind the scenes to help us pray when we come together as a faith community. They help us celebrate the seasons of the Church year, such as Advent and Lent, by decorating the church and working with the parish music ministers. They may also write the General Intercessions. They help us love and understand Scripture. They teach people to share in the many sacramental ministries and give us opportunities to take part in celebrating the sacraments.

In Your Parish

Activity Either alone or as a group, write your own General Intercessions. Decide how you want everyone to respond after each petition.

Prayer response: ______________________________.

For our parish leaders, especially, ______________________________

______________________________. We pray to the Lord.

For those in our parish and families, who are sick or dying, especially

______________________________. We pray to the Lord.

In Everyday Life

Activity Think about the next special event on your family's celebration calendar, such as a birthday. List the jobs that will need to be done before or at the celebration and who will complete each task. More than one person can be named for each task.

14 El Sacramento de la Reconciliación

Demos gracias al Señor, porque es bueno.
Porque es eterna su misericordia.

Basado en el Ritual de la Penitencia

Compartimos

Dios quiere que seamos amables y amorosos. A veces nos olvidamos de que nuestras palabras y nuestras acciones afectan a quienes nos rodean. Si hacemos elecciones egoístas, hacemos daño a las personas con las que estamos.

Actividad

Di por qué las acciones de los dos niños hacen daño a toda la familia.

____

____

____

____

____

14 The Sacrament of Reconciliation

Give thanks to the Lord for he is good.
His mercy endures forever.

Based on the Rite of Penance

Share

God wants us to be kind and loving. Sometimes we forget that our words and actions affect those around us. If we make selfish choices, then we hurt the people we are with.

Activity

Tell how the entire family is hurt by the actions of the two children.

____

____

____

____

____

Escuchamos y creemos

El culto Jesús perdona los pecados

Mediante el Sacramento de la **Reconciliación**, Jesús dio a la Iglesia el poder de perdonar los **pecados**. Cuando nos arrepentimos de nuestros pecados, podemos recibir este sacramento. El Sacramento de la Reconciliación cura nuestra relación con Dios, con la Iglesia y entre nosotros.

Pecado mortal y pecado venial

Cuando pecamos nos apartamos de Dios y de la forma en que Dios quiere que vivamos. Un **pecado mortal** es un pecado grave que nos separa de la gracia de Dios. Para cometer un pecado mortal, una persona debe hacer algo muy malo, comprender que es malo y hacerlo de todas maneras. Un **pecado venial** es un pecado menos grave. Nuestra Iglesia nos enseña que todos los pecados dañan nuestra relación con Dios y entre nosotros.

Celebrar el amor y el perdón de Dios

Podemos celebrar el Sacramento de la Reconciliación solos con el sacerdote o como comunidad con confesión privada. Una celebración comunal nos ayuda a comprender que nuestros pecados individuales afectan a toda la comunidad cristiana.

Hear & Believe

Worship Jesus Forgives Sins

Through the Sacrament of **Reconciliation**, Jesus gave the Church the power to forgive **sin**. When we are sorry for our sins, we can receive this sacrament. The Sacrament of Reconciliation heals our relationship with God, the Church, and one another.

Mortal Sin and Venial Sin

When we sin, we turn away from God and the way God wants us to live. A **mortal sin** is a serious sin that separates us from God's grace. To commit a mortal sin, a person must do something that is very wrong, understand that it is wrong, and do it anyway. A **venial sin** is a less serious sin. Our Church teaches us that all sin hurts our relationship with God and one another.

Celebrating God's Love and Forgiveness

We can celebrate the Sacrament of Reconciliation alone with the priest or as a community with private confession. A communal celebration helps us understand that our individual sins affect the entire Christian community.

El perdón de Dios

En la oración especial de **absolución**, nos reconciliamos con Dios y con la Iglesia.

Dios, Padre misericordioso,
que reconcilió al mundo consigo
por la muerte y la resurrección de su Hijo
y envió al Espíritu Santo para el perdón
de los pecados,
te conceda, por el ministerio de la Iglesia,
el perdón y la paz.
Y yo te absuelvo de tus pecados,
en el nombre del Padre, del Hijo,
y del Espíritu Santo.
Amén.

Ritual de la Penitencia

Dar gracias

Antes de que termine la celebración del sacramento, rezamos la siguiente oración de acción de gracias.

Demos gracias al Señor, porque es bueno.
Porque es eterna su misericordia.

Basado en el Ritual de la Penitencia

la página 374 para leer más sobre el Sacramento de la Reconciliación.

Nuestra Iglesia nos enseña

Mientras estuvo en la Tierra, Jesús nos mostró su poder de curación. Hoy la Iglesia celebra los **Sacramentos de Curación** trayéndonos la fuerza y la paz de Jesús.

Nuestros pecados afectan nuestra relación con Dios y con toda la comunidad cristiana. Dios nos perdona a través del Sacramento de la Reconciliación. Estamos reunidos con Dios y con la Iglesia, y prometemos rechazar el pecado. Estamos agradecidos a Dios por este don especial.

Creemos

Por medio del Sacramento de la Reconciliación, se cura nuestra relación con Dios y con la Iglesia.

Palabras de fe

pecado mortal
Un pecado mortal es una violación grave de la ley de Dios. Nos aparta de la gracia de Dios hasta que pedimos perdón en el Sacramento de la Reconciliación.

pecado venial
Un pecado venial es un pecado menos grave que debilita nuestro amor por Dios y por los demás, y puede resultar en pecado mortal.

absolución
A través de la oración de absolución, el sacerdote perdona nuestros pecados en el nombre de Dios.

Forgiveness from God

In the special prayer of **absolution**, we are reconciled with God and the Church.

God, the Father of mercies,
through the death and Resurrection of his Son
has reconciled the world to himself
and sent the Holy Spirit among us
for the forgiveness of sins;
through the ministry of the Church,
may God give you pardon and peace,
and I absolve you from your sins
in the name of the Father, and of the Son,
and of the Holy Spirit.
Amen.

Rite of Penance

Giving Thanks

Before the celebration of the sacrament is finished, we pray the following prayer of thanksgiving.

Give thanks to the Lord, for he is good.
His mercy endures forever.

Based on the Rite of Penance

page 375 to read more about the Sacrament of Reconciliation.

Our Church Teaches

While he was on earth, Jesus showed us his healing power. The Church celebrates the **Sacraments of Healing** today, bringing us Jesus' strength and peace.

Our sins affect our relationship with God and the entire Christian community. God forgives us through the Sacrament of Reconciliation. We are reunited with God and the Church and promise to reject sin. We are grateful to God for this special gift.

We Believe

Through the Sacrament of Reconciliation, our relationship with God and the Church is healed.

Faith Words

mortal sin
A mortal sin is a serious violation of God's law. It separates us from God's grace until we ask for forgiveness in the Sacrament of Reconciliation.

venial sin
A venial sin is a less serious sin. It weakens our love for God and others and can lead to mortal sin.

absolution
Through the prayer of absolution, the priest forgives our sins in the name of God.

Respondemos

San Juan Vianney llevó el perdón de Dios a los demás

San Juan Vianney esperaba llegar a ser sacerdote para poder llevar el amor y el perdón de Cristo a los demás. Nació en Lyon, Francia, en 1786. De niño trabajó en la granja de su padre. Con la ayuda del pastor local, Juan estudió para ser sacerdote. Le costaba mucho aprender. Fue a la escuela sólo un año, pero siguió tratando de aprender. Se ordenó sacerdote a los veintinueve años.

Y fue recién como sacerdote que sus dones y talentos salieron a la luz. Trabajó en un pueblito de sólo unos doscientos habitantes. A la gente le encantaba escucharlo predicar, y pronto Juan se hizo conocido en toda Europa.

Las multitudes empezaron a formar fila desde muy temprano para celebrar el Sacramento de la Reconciliación con él. Las personas decían que Juan Vianney sabía cosas que ellas ni siquiera le habían dicho. Con unas pocas palabras sencillas, él les daba consuelo y las acercaba a Dios.

Recordamos a San Juan Vianney por su vida como sacerdote y por la forma en que llevó el perdón de Dios a los demás. La Iglesia celebra su día el 4 de agosto.

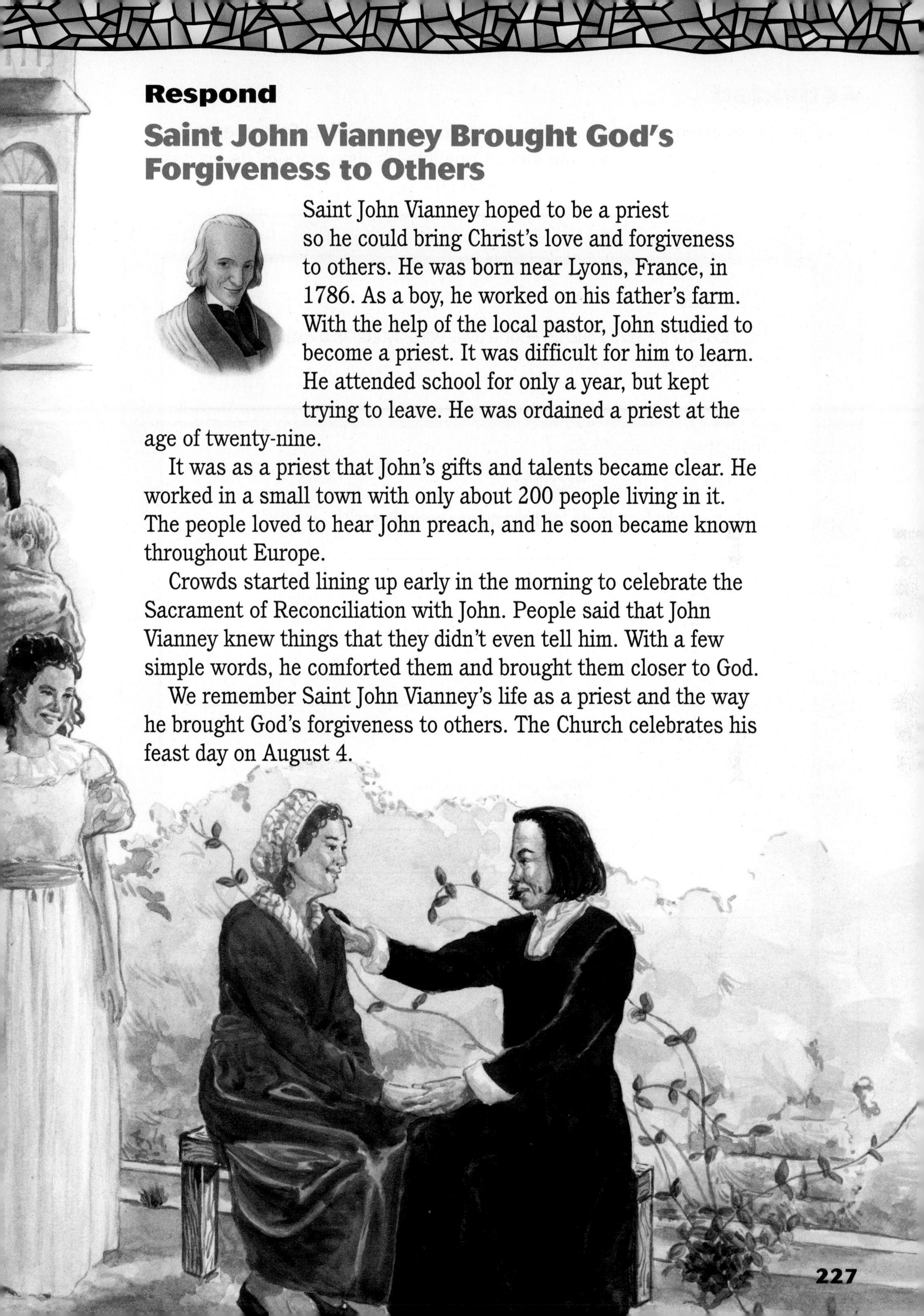

Respond

Saint John Vianney Brought God's Forgiveness to Others

Saint John Vianney hoped to be a priest so he could bring Christ's love and forgiveness to others. He was born near Lyons, France, in 1786. As a boy, he worked on his father's farm. With the help of the local pastor, John studied to become a priest. It was difficult for him to learn. He attended school for only a year, but kept trying to leave. He was ordained a priest at the age of twenty-nine.

It was as a priest that John's gifts and talents became clear. He worked in a small town with only about 200 people living in it. The people loved to hear John preach, and he soon became known throughout Europe.

Crowds started lining up early in the morning to celebrate the Sacrament of Reconciliation with John. People said that John Vianney knew things that they didn't even tell him. With a few simple words, he comforted them and brought them closer to God.

We remember Saint John Vianney's life as a priest and the way he brought God's forgiveness to others. The Church celebrates his feast day on August 4.

Actividad

Imagina que estás enseñando a alguien los pasos para recibir el Sacramento de la Reconciliación. Observa la siguiente tabla. Completa las instrucciones de los pasos para recibir el Sacramento de la Reconciliación.

1. Preparación

   Escribe una pregunta que se podría usar para ayudarte a examinar tu conciencia.

   ____

2. Bienvenida del sacerdote
3. Lectura de la Sagrada Escritura

   Piensa en una lectura de la Biblia que se podría usar.

   ____

4. Confesión

   Da un ejemplo de un acto de caridad o de una oración que el sacerdote podría dar como penitencia.

   ____

5. Oración de arrepentimiento

   Escribe tu propia oración de arrepentimiento.

   ____

   ____

   ____

6. Absolución
7. Oración de alabanza y despedida

   Escribe tu propia oración de acción de gracias. Dale gracias a Dios por el don de la Reconciliación.

   ____

   ____

Activity

Imagine that you are teaching someone the steps for receiving the Sacrament of Reconciliation. Look at the chart below. Complete the directions for the steps of the Sacrament of Reconciliation.

1. Preparation

   Write one question that could be used to help you examine our conscience.

   ____

2. Priest's Welcome
3. Reading from Scripture

   Think of a reading from the Bible that could be used.

   ____

4. Confession

   Give an example of a kind act or a prayer that the priest might give as penance.

   ____

5. Prayer of Sorrow

   Write your own prayer of sorrow.

   ____

   ____

   ____

6. Absolution
7. Prayer of Praise and Dismissal

   Write your own prayer of thanksgiving. Thank God for the gift of Reconciliation.

   ____

   ____

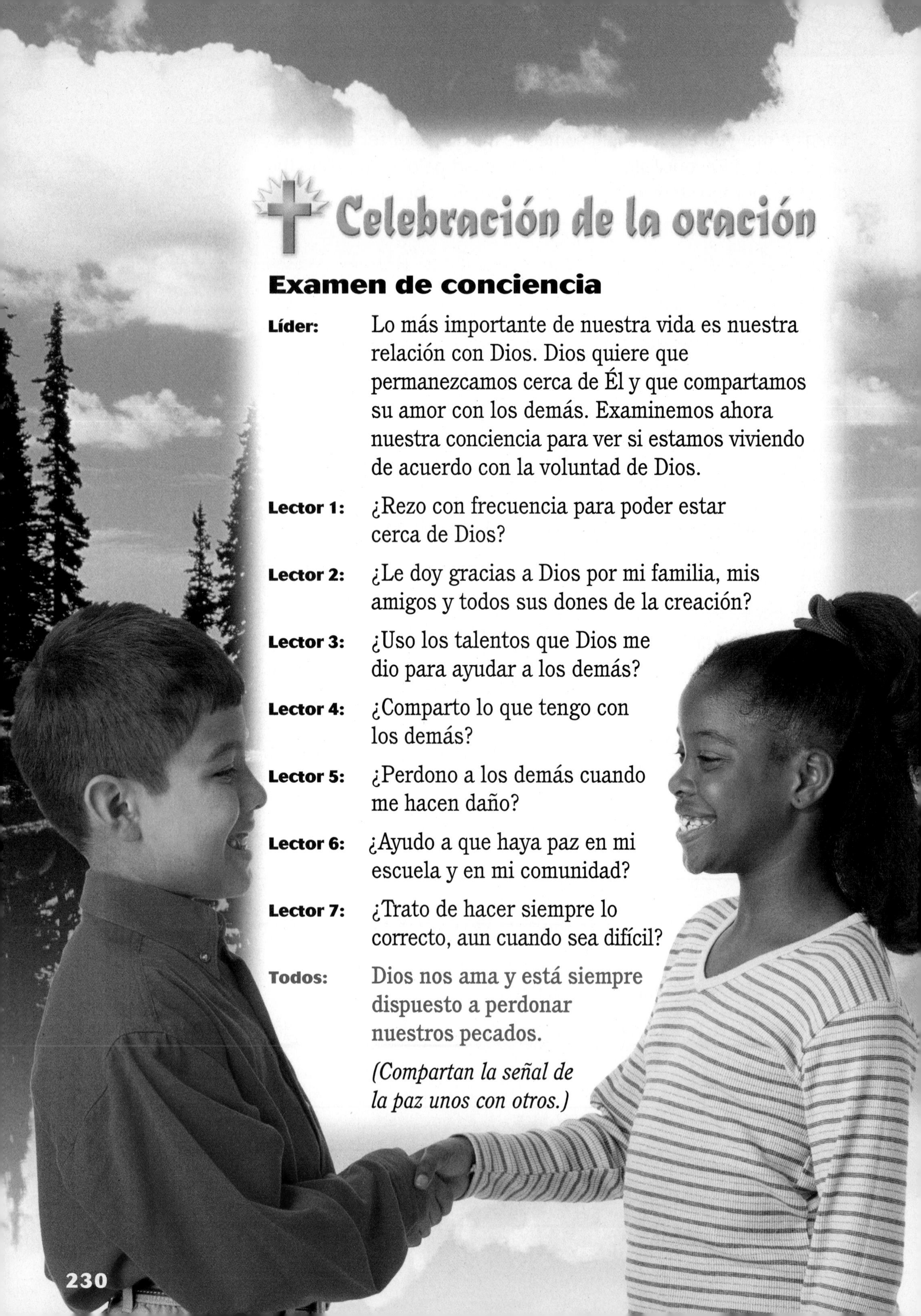

Celebración de la oración

Examen de conciencia

Líder: Lo más importante de nuestra vida es nuestra relación con Dios. Dios quiere que permanezcamos cerca de Él y que compartamos su amor con los demás. Examinemos ahora nuestra conciencia para ver si estamos viviendo de acuerdo con la voluntad de Dios.

Lector 1: ¿Rezo con frecuencia para poder estar cerca de Dios?

Lector 2: ¿Le doy gracias a Dios por mi familia, mis amigos y todos sus dones de la creación?

Lector 3: ¿Uso los talentos que Dios me dio para ayudar a los demás?

Lector 4: ¿Comparto lo que tengo con los demás?

Lector 5: ¿Perdono a los demás cuando me hacen daño?

Lector 6: ¿Ayudo a que haya paz en mi escuela y en mi comunidad?

Lector 7: ¿Trato de hacer siempre lo correcto, aun cuando sea difícil?

Todos: Dios nos ama y está siempre dispuesto a perdonar nuestros pecados.

(Compartan la señal de la paz unos con otros.)

Prayer Celebration

An Examination of Conscience

Leader: Our relationship with God is the most important thing in our lives. God wants us to remain close to him and to share his love with others. Let us now examine our conscience to see if we are living according to God's will.

Reader 1: Do I pray often so I can be close to God?

Reader 2: Do I thank God for my family and friends and all his gifts of creation?

Reader 3: Do I use the talents God gave me to help others?

Reader 4: Do I share what I have with others?

Reader 5: Do I forgive others when they hurt me?

Reader 6: Do I help bring peace to my school and my community?

Reader 7: Do I always try to do the right thing, even when it is difficult?

All: God loves us and is always ready to forgive our sins.

(Share a sign of peace with each other.)

La fe en acción

Unción de los Enfermos y ministerio para los enfermos y los confinados
Durante muchos años, los católicos recibieron el Sacramento de la Unción de los Enfermos sólo cuando estaban muy ancianos o tan enfermos que pudieran morir pronto. Hoy podemos experimentar el fortalecimiento de este sacramento si necesitamos curación. Podemos recibir oraciones para la curación, la unción del cuerpo con el óleo de los enfermos y la imposición de manos. Todos podemos participar en el ministerio de la curación mediante la oración por los enfermos y sus familias. Cuando alguien siente temor o está desalentado, podemos animarlo con oraciones para pedir fortaleza y paz.

Actividad Piensa en una vez en que hayas estado enfermo. Coloca un ✔ al lado de las cosas que las personas hicieron por ti en ese momento. ¿Cuáles de ellas puedes hacer tú por alguien que esté enfermo? Comparte tus respuestas con un compañero.

___ Rezó por mí	___ Me visitó	___ Me trajo la tarea
___ Me tomó la mano	___ Me levantó el ánimo	___ Me hizo mi comida preferida
___ Envió tarjetas para que me mejorara	___ Me ayudó a no preocuparme	___ Otra cosa (describe)

Actividad Identifica a cuatro personas de tu parroquia o de tu familia que necesiten curación. Sugiere una manera en que tú y tus amigos podrían dar consuelo a cada persona.

	Nombre	Cómo podemos ayudar
1.	____________	______________________
2.	____________	______________________
3.	____________	______________________
4.	____________	______________________

Faith in Action

Anointing of the Sick and Ministry to the Infirmed For many years, Catholics received the Sacrament of the Anointing of the Sick only when they were very old or so ill that they might soon die. Today, we can experience the strengthening of this sacrament any time we need healing. The sacrament can include prayers for healing, anointing of our bodies with the oil of the sick, and the laying on of hands. We can all share in the ministry of healing by praying for the sick and for their families. When people are afraid or discouraged, we can encourage them with prayers for strength and peace.

In Everyday Life

Activity Think about a time when you were sick. Place a ✔ next to the things that people did for you during for this time. Which of these can you do for someone else who is sick? Share your answers with a partner.

___ Prayed for me	___ Visited me	___ Brought me homework
___ Held my hand	___ Cheered me up	___ Made my favorite meal
___ Sent get well cards	___ Helped me stop worrying	___ Other (describe)

In Your Parish

Activity Identify four people in your parish or family who need healing. Suggest one way that you and your friends could offer comfort to each person.

	Name	How we can help
1.	______________	______________________________
2.	______________	______________________________
3.	______________	______________________________
4.	______________	______________________________

15 Los mandamientos y el perdón

Señor, ten misericordia de nosotros.
Porque hemos pecado contra tí.

Acto Penitencial de la Misa

Compartimos

A veces las personas pueden desilusionarnos o hacernos daño. Dios nos llama a que las perdonemos para que sigamos creciendo en el amor de Dios.

Actividad

Encierra en un círculo el conjunto de ilustraciones que muestra el perdón.

15 The Commandments and Forgiveness

For we have sinned against you.

Penitential Act of the Mass

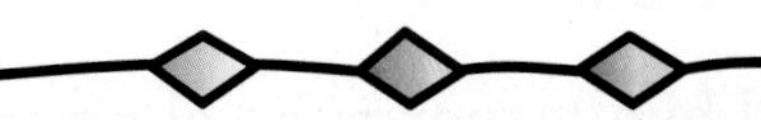

Share

Sometimes people may disappoint or hurt us. God calls us to forgive them so that we can continue to grow in God's love.

Activity

Circle the set of pictures that shows forgiveness.

Escuchamos y creemos

La Escritura El padre indulgente

Jesús enseñaba a menudo con relatos. Un día contó esta historia para explicar el gran amor y el perdón de Dios.

Un hombre tenía dos hijos. El hijo menor pidió el dinero que el padre le dejaría en su testamento para así poder irse de la casa. Se fue a vivir muy lejos y no llevó una vida buena ni sana. Pronto se quedó sin dinero y siempre estaba hambriento. "¡Si estuviera trabajando para mi padre, viviría mejor!", pensó el hijo. "Iré a casa, le pediré perdón a mi padre y le diré lo muy arrepentido que estoy", así que emprendió el camino de regreso.

Cuando todavía estaba lejos, el padre lo vio venir. El hombre corrió hacia su hijo y lo abrazó. El hijo exclamó: "Padre, he pecado contra Dios y contra ti. Ya no merezco ser llamado hijo tuyo". Pero el padre no estaba enojado. Les dijo a los sirvientes que le dieran ropa y sandalias bonitas y que prepararan una comida especial. Al ver todo esto, el hermano mayor se enojó.

"Padre, siempre he hecho lo que me has pedido y, sin embargo, nunca hiciste una celebración para mí. Y mi hermano, que despilfarró tu dinero, ¿recibe una fiesta hermosa como ésta?", se quejó el hijo mayor.

El padre contestó: "Tú estás siempre conmigo. Todo lo que tengo es tuyo. Pero tenemos que celebrar porque tu hermano estaba muerto para nosotros y ha vuelto a la vida. Estaba perdido y ha sido encontrado".

Basado en Lucas 15:11–32

Hear & Believe

Scripture The Forgiving Father

Jesus often taught with stories. One day he told this story to explain God's great love and forgiveness.

A man had two sons. The younger son asked for the money his father would leave him in his will so that he could leave home. He then moved far away and did not live a good or healthy life. Soon he had no money and was always hungry. "I would be living better if I were working for my father!" the son thought. "I will go home, ask my father for forgiveness, and tell him how sorry I am." So he started to walk home.

While the son was still a long way off, his father saw him coming. The father ran to his son and hugged him. The son said, "Father, I have sinned against God and you. I do not deserve to be called your son." But his father was not angry. He told his servants to give him beautiful clothes and sandals and prepare a special meal. Seeing all of this, the older brother became angry.

"Father, I have always done what you asked, and yet you never had a celebration for me. But my brother, who wasted your money, gets a wonderful feast like this?" the older son complained.

The father said, "You are with me always. All that I have is yours. But we have to celebrate because your brother was dead to us and has come back to life. He was lost and has now been found."

Based on Luke 15:11–32

Nuestra conciencia

Dios nos llama a que elijamos siempre lo bueno. Somos responsables por las elecciones que hacemos. Nuestra **conciencia** nos ayuda a saber qué es bueno. Está guiada por lo que enseña la Iglesia sobre las leyes de Dios, especialmente los Diez Mandamientos.

Nuestra conciencia nos dice de qué manera nuestras acciones afectarán nuestra relación con Dios y con los demás. Para tomar buenas **decisiones morales**, debemos rezar, aprender las enseñanzas de la Iglesia y obedecer a nuestra conciencia.

Aun cuando pecamos, Dios continúa hablándonos a cada uno a través de nuestra conciencia. Cuando nos arrepentimos, Dios está dispuesto a perdonarnos, especialmente en el Sacramento de la Reconciliación. Como nos recuerda el relato del padre indulgente, siempre podemos volver al amor de Dios.

Entender los mandamientos 7.°, 8.°, 9.° y 10.°

Los mandamientos, del séptimo al décimo, nos enseñan a tratar a los demás de manera amorosa y desinteresada. El séptimo nos enseña que debemos respetar la propiedad ajena y que jamás tomemos lo que no es nuestro. El octavo nos enseña a ser honestos y sinceros.

En el relato del padre indulgente de la Sagrada Escritura, el hijo menor fue muy egoísta. Los mandamientos noveno y décimo nos enseñan que no debemos ser egoístas, ni envidiosos ni celosos. Por el contrario, tenemos que estarle agradecidos a Dios por todos los dones que nos ha dado.

Nuestra Iglesia nos enseña

El pecado daña nuestra relación con Dios, los demás y nosotros mismos. Dios nos ayuda a evitar el pecado hablándole a nuestra conciencia. Nuestra conciencia es nuestro ser interior guiado por Dios y nos indica además que curemos nuestra relación con Dios y entre nosotros.

Creemos

Nuestra conciencia nos ayuda a amar y a perdonar a los demás. Está guiada por lo que enseña la Iglesia sobre las leyes de Dios, especialmente los Diez Mandamientos.

Palabras de fe

conciencia
Nuestra conciencia es nuestra habilidad de reconocer lo que es bueno y lo que es malo. Dios nos habla a través de nuestra conciencia y nos ayuda a tomar decisiones responsables.

decisiones morales
Las decisiones morales son las elecciones entre lo bueno y lo malo.

Our Conscience

God calls us always to choose what is good. We are responsible for the choices we make. Our **conscience** helps us to know what is good. It is guided by what the Church teaches about God's laws, especially the Ten Commandments.

Our conscience tells us how our actions will affect our relationship with God and others. To make good **moral decisions**, we must pray, learn the teachings of the Church, and follow our conscience.

Even when we sin, God continues to speak to each of us through our conscience. When we are sorry, God is ready to forgive us, especially in the Sacrament of Reconciliation. As the story of the forgiving father reminds us, we can always come back to God's love.

Understanding the 7th, 8th, 9th, and 10th Commandments

The seventh through tenth commandments teach us to treat others in loving and unselfish ways. The seventh commandment teaches us that we must respect the property of others and that we should never take what doesn't belong to us. The eighth commandment teaches us to be honest and truthful.

In the Scripture story of the forgiving father, the younger son was very selfish. The ninth and tenth commandments teach us not to be selfish, envious, or jealous. Instead we should be thankful to God for all the gifts he has given us.

Our Church Teaches

Sin hurts our relationship with God and others as well as ourselves. God helps us avoid sin by speaking to our conscience. Our conscience is our inner self, guided by God. Our conscience also directs us to heal our relationships with God and with each other.

We Believe

Our conscience helps us to love and forgive others. It is guided by what the Church teaches about God's laws, especially the Ten Commandments.

Faith Words

conscience

Our conscience is our ability to know what is right and what is wrong. God speaks to us in our conscience and helps us make responsible decisions.

moral decisions

Moral decisions are choices between what is good and what is wrong.

Respondemos

Tres pasos para tomar una buena decisión moral

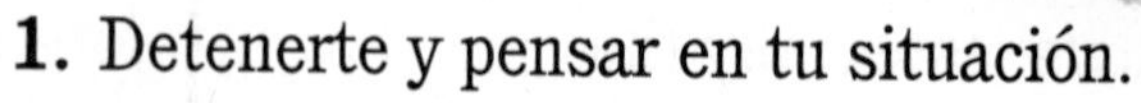

1. Detenerte y pensar en tu situación.

   Pregunta: **¿Qué quiero hacer o decir? ¿Está bien o está mal?**

2. Considerar lo que has aprendido sobre Jesús y sobre la Iglesia.

   Pregunta: **¿Cómo afectará mi elección a los demás? ¿Mis palabras o mis acciones ayudarán o dañarán a alguien?**

3. Pensar qué es mejor para ti.

   Pregunta: **¿Me están presionando mis amigos para que haga esto? ¿Tengo miedo de hacer lo correcto?**

Actividades

1. Lee el relato. Luego responde a las preguntas usando los tres pasos anteriores como guía.

   Rick le dijo a su amigo Jack que iría a su fiesta de bolos. Después recibió una invitación de Joey para ir a su fiesta en el cine. Es el mismo día que la fiesta de Jack.

   La verdad es que Rick quiere ver la película nueva de la que todos hablan en la escuela. Está pensando en ir al cine en vez de a la fiesta de Jack. Joey dijo que Rick debía decirle a Jack que no se sentía bien y que tendría que perderse su fiesta de bolos.

a. ¿Estaría bien o estaría mal que Rick faltara a la fiesta de Jack?

____

____

b. ¿Qué le han enseñado a Rick?

____

____

c. ¿Debe Rick escuchar a Joey? ¿Por qué?

____

____

____

Respond

Three Steps to Making a Good Moral Decision

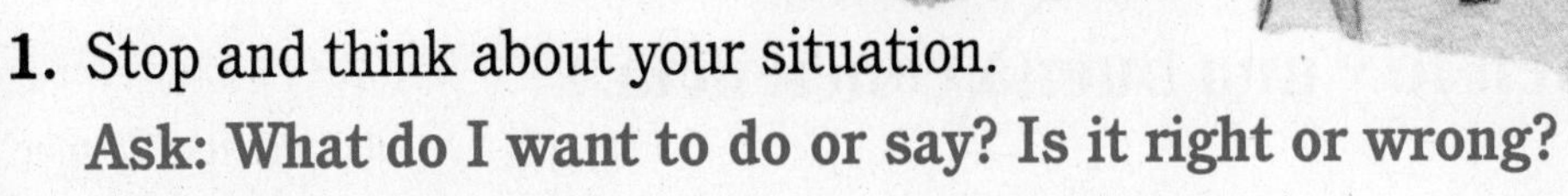

1. Stop and think about your situation.

   Ask: What do I want to do or say? Is it right or wrong?

2. Consider what you have learned about Jesus and the Church.

   Ask: How will my choice affect others? Will my words or actions help or hurt someone?

3. Think what is best for you.

   Ask: Am I being pressured by my friends to do this? Am I afraid to do the right thing?

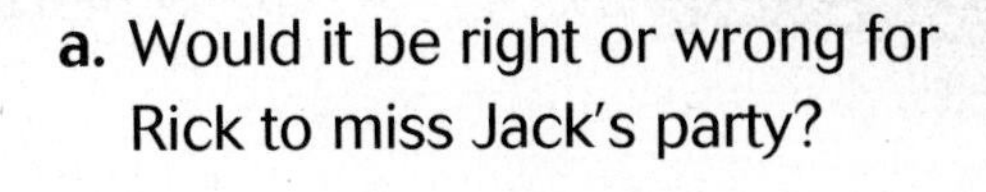

Activities

1. Read the story. Then answer the questions, using the three steps above as a guide.

   Rick told his friend Jack he would go to his bowling party. Later, he received an invitation from Joey to attend his party at the movie theater. It is the same day as Jack's party.

   Rick really wants to see the new movie that everyone is talking about at school. Rick is thinking about skipping Jack's party and going to the movies instead. Joey said that Rick should tell Jack he was not feeling well and that he will have to miss his bowling party.

a. Would it be right or wrong for Rick to miss Jack's party?

____

____

b. What has Rick been taught?

____

____

c. Should Rick listen to Joey? Why or why not?

____

____

____

2. Como hizo el padre indulgente del relato, Dios nos amará siempre. Quiere que reparemos nuestras relaciones con los demás. Piensa cómo te guiaría tu conciencia en las siguientes situaciones. Escribe o dibuja un final para cada caso.

Ten fe y una buena conciencia.

Basado en 1.ª Timoteo 1:19

Tu amigo empieza a usar tu juego de video sin pedir permiso. Tu conciencia te dice que...

___

___

___

Tuviste una discusión con tus padres porque no te dieron permiso para salir con tus amigos. Tu conciencia te dice que...

___

___

___

2. As the forgiving father did in the story, God will always love us. He wants us to mend our relationships with others. Think about how your conscience would guide you in the following situations. Write or draw an ending to each story.

Have faith and a good conscience.

Based on 1 Timothy 1:19

Your friend starts using your video game without asking permission. Your conscience tells you to…

___

___

___

You have an argument with your parents when they don't give you permission to go out with your friends. Your conscience tells you to…

___

___

___

Celebración de la oración

Oración por el perdón

Líder: En la Misa y en otros momentos especiales, le pedimos a Dios que perdone nuestros pecados. Rezamos por su misericordia y su amor. Hagamos una pausa y pensemos sobre las cosas que nos apena haber hecho. Pensemos también en lo bueno que no hemos hecho.

Líder: Señor, ten misericordia de nosotros.

Todos: Porque hemos pecado contra ti.

Líder: Muéstranos, Señor, tu misericordia.

Todos: Y danos tu salvación.

Todos: Que Dios nos bendiga, nos proteja y nos lleve a la vida eterna. Amén.

Líder: Démonos fraternalmente la señal de la paz.

Basado en el Acto Penitencial de la Misa y en la Liturgia de las Horas

Prayer Celebration

A Prayer for Forgiveness

Leader: At Mass and other special times, we ask God to forgive our sins. We pray for his mercy.
Let us pause and reflect on the things we are not happy we did. Also, think about the good things we failed to do.

Leader: Lord, we have sinned against you:
Lord, have mercy.

All: Lord, have mercy.

Leader: Show us, O Lord, your mercy.

All: And grant us your salvation.

All: May God bless us, protect us, and bring us to everlasting life. Amen.

Leader: Let us now offer each other a sign of peace.

Based on the Penitential Act of the Mass and the *Liturgy of the Hours*

La fe en acción

El Consejo Pastoral Parroquial Puesto que tu pastor es una sola persona, puede dirigir y servir mejor a la parroquia con la ayuda de otros. Usando sus ojos para ver y sus oídos para escuchar, los miembros del Consejo Pastoral Parroquial aconsejan al pastor y lo ayudan a entender y a satisfacer las necesidades de todas las personas de la parroquia. Juntos escuchan al Espíritu Santo. El consejo ayuda al pastor a establecer los objetivos de la parroquia que ayudarán a todos a saber lo humanitaria y amorosa que puede ser una familia parroquial. A veces resumen estos objetivos en una declaración de misión.

En la vida diaria

Actividad ¿Qué debe hacer o decir el muchacho? En los siguientes renglones, escribe la leyenda que mejor describa la escena.

____

____

____

____

____

En tu parroquia

Actividad Realiza una encuesta en tu grupo para averiguar qué creen los niños de tu edad que pueden hacer para satisfacer algunas de las necesidades que ven en la familia parroquial. Luego podrías anotar tus ideas y entregárselas al Consejo Pastoral Parroquial.

A los miembros del Consejo Pastoral Parroquial de ____________________ ,

____

____

Faith in Action

The Parish Pastoral Council Since your pastor is only one person, he can best lead and serve the parish with the help of others. Using their eyes to see and their ears to listen, members of the Parish Pastoral Council advise the pastor and help him understand and meet the needs of all the people in the parish. Together, they listen to the Holy Spirit. The council help the pastor set goals for the parish that will help everyone to know how caring and loving a parish family can be. Sometimes they summarize these goals in a mission statement.

In Everyday Life

Activity What should the boy do or say? On the lines below, write a caption that best describes the scene.

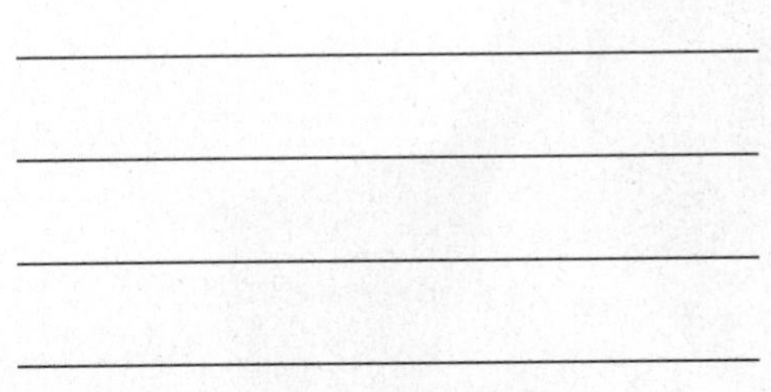

____

____

____

____

____

In Your Parish

Activity Conduct a survey in your group to find out what children your age think they can do to help meet some of the needs they see and hear in the parish family. You may want to then put your ideas in writing to the Parish Pastoral Council.

To the members of ______________________ Parish Pastoral Council,

____

____

16 Los mandamientos y rezar por el perdón

Perdona de corazón a tus hermanos y hermanas.

Basado en Mateo 18:35

Compartimos

Lorraine y Ángela han peleado. Ángela estuvo contándole a su amigo Dominick cosas de Lorraine que no son ciertas. Le pidió disculpas a Lorraine y le prometió no volver a hacerlo. Aunque estaba molesta, Lorraine perdonó a Ángela. Un rato después, Frank, el hermano de Ángela, le dijo que había roto su CD preferido y le pidió disculpas. Ángela se enojó con Frank y le gritó. Le dijo que no podía perdonarlo.

Actividad

¿Se equivocó Ángela? Escribe un final diferente que muestre a Ángela siguiendo el ejemplo de perdón de Jesús.

____

____

____

____

16 The Commandments and Praying for Forgiveness

Forgive your brothers and sisters from your heart.

Based on Matthew 18:35

Share

Lorraine and Angela had a fight. Angela was telling untrue stories about Lorraine to their friend Dominick. She told Lorraine that she was sorry and promised not to do it again. Although Lorraine was upset, she forgave Angela. A little while later, Angela's brother, Frank, told her that he broke her favorite CD and was very sorry. Angela got angry and yelled at Frank. She said she couldn't forgive him.

Activity

Was Angela wrong? Write a different ending that shows Angela following Jesus' example of forgiveness.

____

____

____

____

Escuchamos y creemos

La Escritura El siervo que no perdonó

Pedro le preguntó a Jesús: "Señor, si mi amigo peca contra mí, ¿cuántas veces debo perdonarlo? ¿Siete veces?".

"No siete, sino setenta y siete veces", dijo Jesús. "El reino de Dios es como un rey que le había prestado a un sirviente una gran cantidad de dinero. Cuando el rey reclamó su dinero, el sirviente rogó que le diera más tiempo. El rey se compadeció de su sirviente, lo perdonó y le dijo que ya no le debía nada".

"Más tarde, el sirviente vio a un hombre que le debía un poco de dinero. El sirviente exigió que le pagara. El otro hombre suplicó que le diera más tiempo, pero el sirviente lo hizo llevar preso. Cuando el rey supo esto, se enojó. '¡Siervo miserable! Yo te perdoné una deuda grande. ¡Tú debiste perdonar una pequeña! Vas a ir a prisión', dijo el rey". Entonces Jesús dijo: "Hijos míos, su Padre celestial quiere que perdonen a todos de corazón".

Basado en Mateo 18:21–35

Hear & Believe

Scripture The Unforgiving Servant

Peter asked Jesus, "Lord, if my friend sins against me, how often must I forgive him? Seven times?"

"Not seven times, but seventy-seven times," Jesus said. "God's kingdom is like a king who lent his servant a large sum of money. When the king asked for his money back, the servant begged for more time to pay. Feeling sorry for his servant, the king forgave him and said that he didn't owe him anything."

"Later, the servant saw a man who owed him a little money. The servant demanded to be paid. The other man pleaded for more time, but the servant had him put in prison. When the king heard this, he was angry. 'You wicked servant! I forgave you that large debt. You should have forgiven the small one! You are going to jail,' the king said." Then Jesus said, "My children, your heavenly Father wants you to forgive everyone from your heart."

Based on Matthew 18:21–35

La oración y el perdón

Jesús instruye a Pedro sobre el perdón contándole una **parábola**. En el relato, el rey representa a Dios, que está dispuesto a perdonar deudas tan grandes que nunca se habrían podido pagar. En vez de aprender la lección sobre el perdón, el sirviente condena a prisión al otro hombre que le debe una pequeña cantidad de dinero.

Al enseñarnos el Padre Nuestro, Jesús llama la atención sobre esta lección del perdón con las palabras: "perdona nuestras ofensas, como también nosotros perdonamos a los que nos ofenden". La oración nos recuerda que, así como Dios está dispuesto a perdonarnos, nosotros estamos llamados a perdonar incluso los errores más grandes.

Nuestra Iglesia nos enseña

Los mandamientos, del séptimo al décimo, nos dicen que evitemos ser egoístas. Cuando no tenemos voluntad de perdonar, eso es una señal de nuestro egoísmo. Es el mismo egoísmo que lleva a la gente a querer lo que no es suyo. Es el mismo egoísmo que lleva a la gente a decir mentiras para eludir sus responsabilidades para con los demás. Jesús nos enseña a ser tan generosos como Dios, nuestro Padre. Tenemos que compartir los dones maravillosos que Dios nos ha dado, incluso su **paz** y su perdón.

Creemos

Aprendemos acerca del perdón de Dios al escuchar las enseñanzas de Jesús.

Palabras de fe

parábola
Una parábola es un relato que tiene una lección moral o religiosa. Las parábolas usan hechos u objetos cotidianos para explicar verdades importantes.

paz
La paz sigue al perdón. Es el sentimiento de tranquilidad y bondad por estar unido a Dios y a los demás.

Prayer and Forgiveness

Jesus instructs Peter about forgiveness by telling a **parable** story. In the story, the king represents God who is ready to forgive debts that were so great that they could never be repaid. Instead of learning the lesson about forgiveness, the servant condemns to prison another man who owes him a small amount of money.

In teaching us the Lord's Prayer, Jesus calls attention to this lesson on forgiveness with the words, "Forgive us our trespasses as we forgive those who trespass against us." The prayer reminds us that, just as God is ready to forgive us, we are called to forgive even the greatest wrongs.

Our Church Teaches

The seventh through tenth commandments tell us to avoid being selfish. When we are unwilling to forgive, it is a sign of our selfishness. This is the same selfishness that leads people to want what is not theirs. It is the same selfishness that leads people to tell lies to avoid their responsibilities to others. Jesus teaches us to be as generous as God our Father. We are to share all the wonderful gifts God has given us, including his **peace** and forgiveness.

We Believe

We learn about God's forgiveness by listening to Jesus' teachings.

Faith Words

parable
A parable is a story that teaches a moral or religious lesson. Parables use everyday events and objects to explain important truths.

peace
Peace follows forgiveness. It is the calm, good feeling of being together with others and with God.

Respondemos

Vivir los mandamientos, del séptimo al décimo

Los mandamientos, del séptimo al décimo, nos piden que demos el debido respeto y cuidado a los derechos de los demás. Todo el mundo tiene derecho a las cosas que necesita para vivir. No debemos envidiar las cosas que pertenecen a los demás. Tenemos que respetar a nuestra familia y a la familia de los demás. Si no lo cumplimos, debemos hacer lo que podamos para compensar nuestras acciones y pedir perdón.

Actividades

1. En la siguiente tabla aparecen los mandamientos séptimo, octavo, noveno y décimo. En el espacio que hay al lado de cada uno, escribe una o dos frases sobre lo que te parece que significa y cómo puedes obedecerlo.

Los Diez Mandamientos	Lo que este mandamiento significa para mí y cómo puedo obedecerlo
VII No robes.	
VIII No atestigües en falso contra tu prójimo.	
IX No codicies la mujer de tu prójimo.	
X No codicies nada de lo que le pertenece a tu prójimo.	

2. Busca en la Biblia el siguiente pasaje de la Sagrada Escritura. Luego escribe con tus propias palabras qué nos está diciendo Dios acerca del perdón.

Lucas 15:8–10

____

____

____

____

VE A la página 10 para repasar cómo se busca un pasaje de la Sagrada Escritura.

Respond

Living the Seventh Through Tenth Commandments

The seventh through tenth commandments require us to give proper respect and care for the rights of others. Everyone has the right to the things he or she needs to live. We should not be envious of things that belong to others. We should respect our families and the families of others. If we fail, we must do what we can to make up for our actions and ask for forgiveness.

Activities

1. The chart below lists the seventh, eighth, ninth, and tenth commandments. In the space next to each commandment, write a sentence or two about what you think it means and how you can obey it.

The Ten Commandments	What this commandment means to me and how I can obey it
VII You shall not steal.	
VIII You shall not bear false witness against your neighbor.	
IX You shall not covet your neighbor's wife.	
X You shall not covet anything that belongs to your neighbor.	

2. Look up the following Scripture passage in the Bible. Then, in your own words, write what God is telling us about forgiveness.

Luke 15:8–10

____

____

____

____

page 11 to review how to look up a Scripture passage.

3. Aprende a decir con señas las siguientes frases del Padre Nuestro. Repasa lo que aprendiste en los Capítulos 4, 8 y 12.

Danos **hoy**

nuestro pan **de cada día;** **perdona** **nuestras**

ofensas, **como** **también nosotros** **perdonamos**

a los que **nos ofenden;**

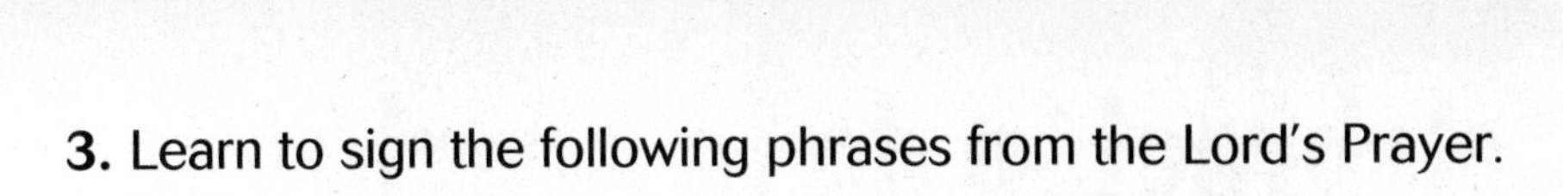

3. Learn to sign the following phrases from the Lord's Prayer. Review what you learned in Chapters 4, 8, and 12.

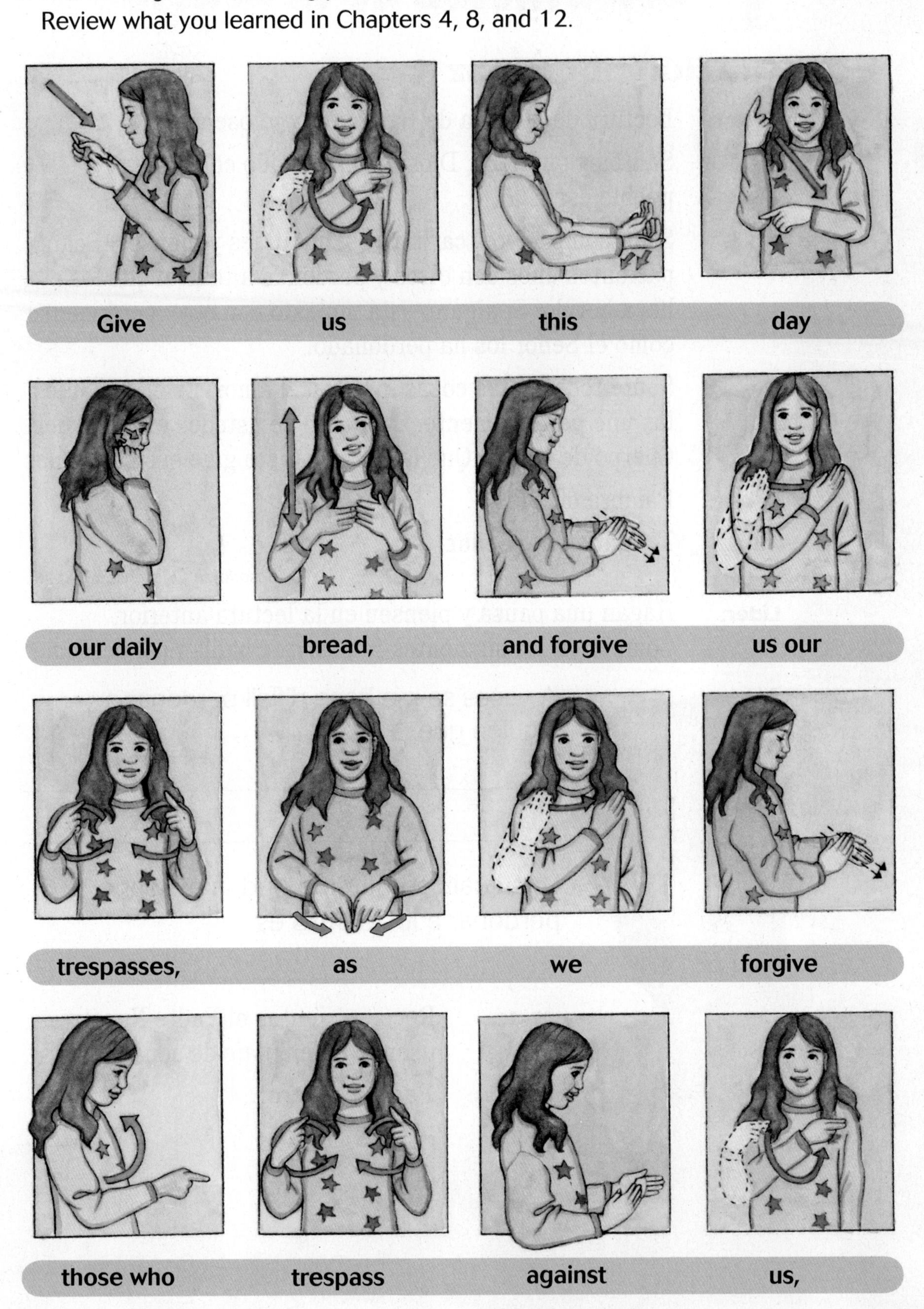

Celebración de la oración

Oración por la paz

Lector: Lectura de la carta de Pablo a los colosenses.

Santos y queridos, Dios los ha elegido como su pueblo especial.

Sean compasivos, caritativos, humildes y mansos. Sean pacientes unos con otros y perdonen a todo el que los haya herido. Si alguno está molesto con otro, perdónense como el Señor los ha perdonado.

Sobre todas estas cosas, pongan el amor. Es el lazo que las une perfectamente. Cada uno de ustedes es parte del Cuerpo de Cristo. Que la paz de Cristo guíe sus corazones.

Lector: Palabra de Dios.

All: Te alabamos, Señor.

Basado en Colosenses 3:12–16

Líder: Hagan una pausa y piensen en la lectura anterior. Completen las siguientes frases, que hablan del perdón.

A veces se me hace difícil perdonar a alguien que

____

____.

Una cualidad que me podría ayudar a perdonar a los demás es

____

Líder: Recemos juntos el Padre Nuestro usando el lenguaje de señas.

Todos: Padre nuestro…

Prayer Celebration

A Prayer for Peace

Reader: A reading from the letter of Paul to the Colossians.

Holy and beloved, God has chosen you as his special people. Be compassionate, kind, humble, and gentle. Be patient with one another and forgive anyone who has hurt you. If one person is upset with another, forgive as the Lord has forgiven you.

Over all these things, put on love. It ties everything together perfectly. Each one of you is part of the Body of Christ. Let the peace of Christ guide your hearts.

Reader: The word of the Lord.

All: Thanks be to God.

Based on Colossians 3:12–16

Leader: Pause and think about the above reading. Complete the following sentences that speak of forgiveness.

It is sometimes hard for me to forgive someone when

____

______________________________________.

A quality that I could use to help me forgive others is

____

Leader: Together, let us pray the Lord's Prayer by using sign language.

All: Our Father . . .

La fe en acción

El ministerio de lector Los lectores proclaman la Palabra de Dios en la Misa, por lo general en la Primera Lectura y en la Segunda Lectura durante la Liturgia de la Palabra. Si el Salmo no es cantado, también pueden leerlo y guiar a la gente en la respuesta. Un sacerdote o un diácono lee el Evangelio. Para hacer su tarea lo mejor posible, los lectores se preparan leyendo devotamente la Sagrada Escritura que proclamarán. Se aseguran de que pueden pronunciar correctamente todos los nombres difíciles de personas o de lugares.

Actividad Completen los espacios en blanco y, por turno, hagan cada anuncio de manera expresiva.

1. Damas y caballeros, ¡den, por favor, la bienvenida a ____________________!
2. ¡Todos juntos, deseémosle a ____________________ el mejor cumpleaños!
3. ¡Por favor, juntémonos hoy a la salida de la escuela para apoyar al mejor equipo de fútbol ____________________!

Actividad Mira de nuevo la lectura de la Sagrada Escritura de la página 258. Subraya las palabras que no entiendas. Encierra en un círculo las palabras que no estés seguro de cómo pronunciarlas. Luego escribe una frase que resuma la lectura. Comparte tus resultados con un compañero.

Resumen: ____

____

____

____

____

The Ministry of Lector Lectors proclaim the Word of God at Mass, usually the First Reading and Second Reading during the Liturgy of the Word. If the Psalm is not sung, they might also read the Psalm and lead the people in the response. A priest or deacon reads the Gospel. To do the best job possible, lectors prepare by prayerfully reading the Scriptures they will proclaim. And they make sure they can pronounce correctly any difficult names of people or places.

Activity Fill in the blanks and take turns making each announcement with expression.

1. Ladies and gentlemen, please welcome ____________________!
2. Let's all join in wishing ____________________ the best birthday ever!
3. Please join us after school today to support the best soccer team in

   ____________________!

In Your Parish

Activity Look back at the Scripture reading on page 259. Underline the words you do not understand the meaning of. Circle the words you are not sure how to pronounce. Then write one sentence to summarize the reading. Share your results with a partner.

Summary: ____

____

____

____

____

Justicia social

UNIDAD 5

Jesús enseñó que el camino a la santidad es servir a los demás. Hoy la Iglesia se dedica a servir a los pobres y a las personas de bajos recursos de todo el mundo.

Ustedes deben hacer como he hecho yo.

Basado en Juan 13:15

Probablemente la Última Cena tuvo lugar en la planta alta de una casa como ésta. La pintura, tomada de un manuscrito del siglo XII, muestra a Jesús lavando los pies de un discípulo durante la cena.

Social Justice

UNIT 5

Jesus taught that the way to holiness is to serve others. Today the Church is dedicated to serving the poor and disadvantaged throughout the world.

As I have done, so you must do.
Based on John 13:15

The Last Supper probably took place upstairs in a house such as this. The painting from a twelfth century manuscript shows Jesus washing the feet of a disciple at the supper.

UNIDAD 5 Canto

Canción del Cuerpo de Cristo

Texto: David Haas, trad. por Donna Peña y Ronald F. Krisman
Música: NO KE ANO' AHI AHI, Irregular, tradicional hawaiana, arr. por David Haas

UNIT 5 Song

Song of the Body of Christ

Text: David Haas
Tune: NO KE ANO' AHI AHI, Irregular, Hawaiian traditional, arr. by David Haas

17 Nuestra vocación para servir al mundo

Que brille su luz ante todos.

Basado en Mateo 5:16

Compartimos

Dios llama a todos los católicos a hacer la obra de la Iglesia. Nosotros continuamos la misión de Cristo en el mundo sirviendo a los necesitados. Nuestra luz es Cristo, que vive en nosotros. Es una luz que brilla cuando compartimos el amor de Dios con los demás.

Actividad

Lee los titulares sobre cómo la gente hace la obra de Cristo. Luego escribe tus propios titulares sobre una persona o un grupo que conozcas, que sirve a los demás.

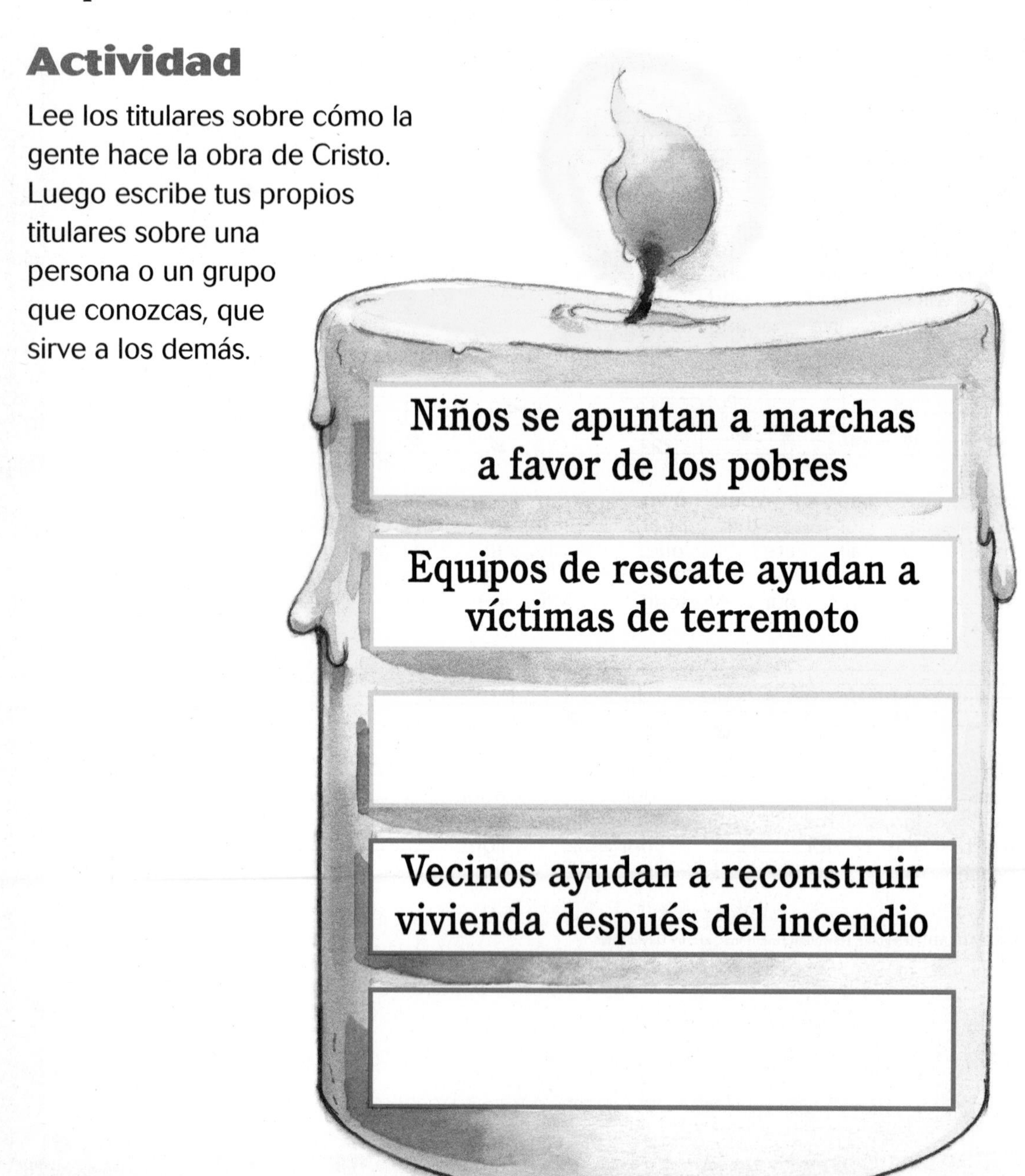

17 Our Vocation to the World

Let your light shine before all.

Based on Matthew 5:16

Share

God calls all Catholics to do the work of the Church. We continue Christ's mission in the world by serving those who are in need. Our light is Christ living in us. It shines as we share God's love with others.

Activity

Read the headlines about ways people do Christ's work. Then write your own headlines about a person or group you know who serves others.

Children Sign Up for Walk-a-Thon to Help Poor

Rescue Teams Sent to Help Earthquake Victims

Neighbors Help Rebuild House After Fire

Escuchamos y creemos

La Escritura La luz del mundo

En los tiempos de Jesús no había luz eléctrica, así que las noches eran muy oscuras. En las casas, la única luz era una lámpara de aceite. Se la colocaba en un lugar alto para que todos pudieran ver. Jesús les dijo a sus seguidores que ellos tenían que ser la luz del mundo. Tenían que ser un ejemplo para ayudar a que todos vieran la bondad de Dios. Jesús se llamó a sí mismo la Luz del Mundo. Y nos llama a cada uno de nosotros para que seamos como Él.

Jesús dijo: "Ustedes son la luz del mundo. Son como una ciudad en un monte. Todos pueden verlos fácilmente. Nadie tapa su lámpara con una cesta. La pone más bien sobre un candelero para que todos vean. Como esa lámpara, ustedes deben brillar para los demás. La gente verá sus buenas obras y dará gloria a su Padre celestial".

Basado en Mateo 5:14–16

Hear & Believe

Scripture The Light of the World

In Jesus' time there were no electric lights, so nights were very dark. An oil lamp was the only light in a house. It was placed on a stand so that everyone would be able to see. Jesus told his followers that they were to be the light of the world. They were to be an example to help all see the goodness of God. Jesus called himself the Light of the World. He calls each of us to be like him.

Jesus said, "You are the light of the world. You are like a city on a mountain. Everyone can easily see you. People do not put their lamp under a basket. Instead they put it on a stand for everyone to see. Like that lamp, your light must shine for others. People will see your good deeds and glorify your heavenly Father."

Based on Matthew 5:14–16

Servir a los demás

Como cristianos, estamos llamados a usar nuestros talentos especiales para servir a nuestra comunidad y al mundo. El tipo de trabajo que hacemos para servir a Dios y a los demás se llama **vocación**. Algunas personas realizan la misión de Cristo como miembros de una comunidad religiosa. Los hombres que son llamados a servir a Dios como sacerdotes, diáconos u obispos celebran el Sacramento del **Orden Sagrado**. Todos los bautizados tienen una vocación de servir a Dios y a los demás.

Todas las vocaciones son importantes. Aunque cada uno de nosotros tenga talentos diferentes, participamos en la obra de Cristo.

la página 394 para leer más acerca de las vocaciones.

Sacerdote, profeta y rey

Por medio del Bautismo y la Confirmación, nos unimos a todos los cristianos para traer paz y justicia al mundo. Igual que Jesús, estamos ungidos como sacerdotes, profetas y reyes. Cuando las personas nos piden que recemos por ellas o si hacemos un acto de caridad por alguien, estamos cumpliendo nuestra función de sacerdotes. Como profetas difundimos a los demás el mensaje de bondad y amor de Dios. Dirigir y servir a los demás con justicia y misericordia nos ayuda a vivir nuestra función de reyes.

Nuestra Iglesia nos enseña

En el Orden Sagrado, se elige a los hombres para el ministerio especial del sacerdocio. Dios quiere que cada uno de nosotros sirva a los demás. A través de nuestra vocación, ayudamos a la gente a comprender su reino. Dios nos juzgará según cuánto amemos a nuestro prójimo, especialmente a los pobres o a los que sufren.

Para ayudarnos en nuestra vocación, rezamos en unión con la **Comunión de los Santos**. Pedimos a los seguidores de Jesús, incluso a los que ya han muerto, que nos ayuden a vivir el mensaje de paz y amor de Dios.

Creemos

Compartimos con los bautizados la función de Cristo como sacerdote, profeta y rey. Por medio de nuestras vocaciones, realizamos la misión de Cristo en el mundo.

Palabras de fe

vocación
La vocación es el trabajo que hacemos como miembros de la Iglesia. Se nos llama a usar nuestros talentos para realizar la misión de Cristo en el mundo.

Comunión de los Santos
Todas las personas, vivas y muertas, que creen en Jesucristo forman la Comunión de los Santos.

Serving Others

As Christians, we are called to use our special talents to serve those in our community and the world. The type of work we do to serve God and others is called a **vocation**. Some people carry on Christ's mission as members of a religious community. Men who are called to serve God as priests, deacons, or bishops celebrate the Sacrament of **Holy Orders**. Every person who is baptized has a vocation to serve God and other people.

All vocations are important. Each of us has different talents, but we share in the work of Christ.

page 395 to read more about vocations.

Priest, Prophet, and King

Through Baptism and Confirmation, we join all Christians in bringing peace and justice to the world. Like Jesus we are anointed as priest, prophet, and king. When people ask us to pray for them or if we do a kind act for someone, we are fulfilling our role as priest. As a prophet we spread God's message of goodness and love to others. Leading and serving others with justice and mercy helps us to live out our role as king.

Our Church Teaches

In Holy Orders, men are chosen for the special ministry of the priesthood. God wants each of us to serve others. Through our vocations, we help people to understand his kingdom. God will judge us on how well we love our neighbor, especially those who are poor or suffering.

To help us in our vocation, we pray in union with the **Communion of Saints**. We ask the followers of Jesus, including those who have died, to help us to live God's message of peace and love.

We Believe

We share Christ's role as priest, prophet, and king with those who are baptized. Through our vocations we carry on Christ's mission in the world.

Faith Words

vocation

A vocation is the work we do as members of the Church. We are called to use our talents to carry on Christ's mission in the world.

Communion of Saints

All people living and dead who believe in Jesus Christ make up the Communion of Saints.

Respondemos

San Luis IX hizo brillar su luz

El rey Luis IX de Francia es una luz para que sigamos. Durante toda su vida, Luis alabó a Dios cumpliendo su función bautismal como sacerdote. También sirvió a Dios como esposo de Margarita y padre de once hijos. En 1235 Luis siguió su vocación de gobernar Francia.

Participó en la función de Cristo como profeta cuando difundió al pueblo de Francia el mensaje de paz y justicia de Dios. Se hizo conocido por el trato justo y honesto que dio a las personas bajo su reinado.

El Rey Luis IX participó de la función de Cristo como rey cuando sirvió a todo el pueblo de Francia, especialmente a los necesitados. Les tendió la mano a los pobres y fundó hospitales para los enfermos. También trabajó para brindar una buena educación a su pueblo.

Admiramos al Rey Luis IX porque gobernó con justicia y ayudó a llevar la paz de Dios al pueblo de Francia. El día de San Luis IX, Rey de Francia, se celebra el 25 de agosto.

Seguir a los demás

Para comprender cuál puede ser nuestra vocación, podemos pedir ayuda a los adultos. Podemos colaborar con aquéllos que están haciendo la obra de Dios. Esto nos ayudará a conocer las muchas maneras en que podemos servir a Dios y a los demás.

Respond

Saint Louis IX Let His Light Shine

King Louis IX of France is a light for us to follow. Throughout his life, Louis praised God, fulfilling his baptismal role as priest. He also served God as the husband of Margaret and the father of eleven children. In 1235, Louis followed his vocation to be the ruler of France.

He shared in Christ's role as prophet when he spread God's message of peace and justice to the people of France. He was well-known for his fairness and honest treatment of the people under his rule.

King Louis IX shared in Christ's role as king when he served all the people of France, especially those in need. He reached out to the poor and established hospitals for the sick. He also worked to provide a good education for his people.

We admire King Louis IX because he ruled with justice and helped bring God's peace to the people of France. We celebrate the feast day of Saint Louis IX, King of France, on August 25.

Following Others

We can talk to adults for help in understanding what our vocation may be. We can join adults who are doing God's work. This will help us learn about the many ways we can serve God and others.

Actividades

1. Observa las fotografías. Comenta de qué manera cada persona está siendo una luz para los demás.

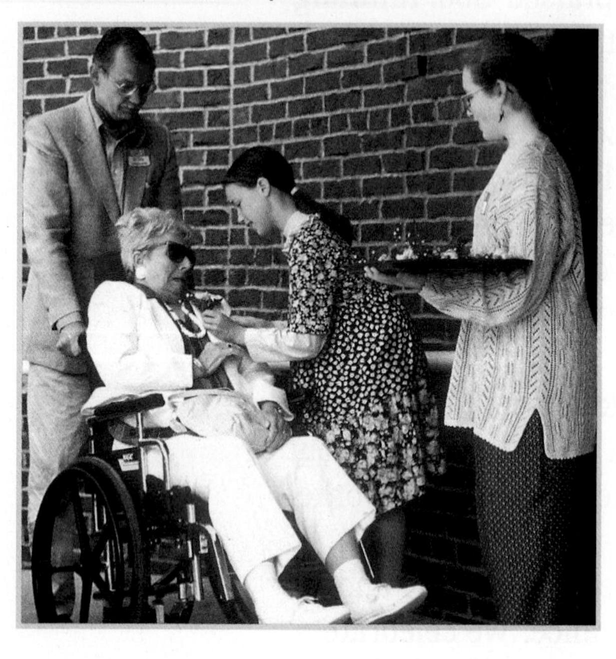

2. Escribe cómo te gustaría servir a los demás cuando seas mayor.

____

____

____

____

____

____

____

____

3. Reordena las seis palabras y escribe una frase que diga qué deberían hacer todos los cristianos.

demás **amor** **a** **servir** **los** **con**

____

Activities

1. Look at the pictures. Discuss how each person is being a light to others.

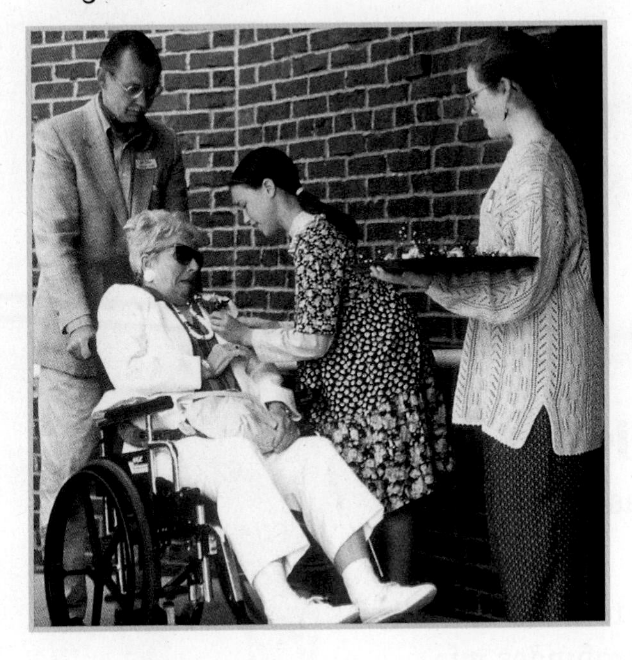

2. Write about how you might like to serve others when you are older.

____

____

____

____

____

____

____

____

3. Rearrange the four words to write a sentence that tells what all Christians should do.

others **love** **with** **serve**

____

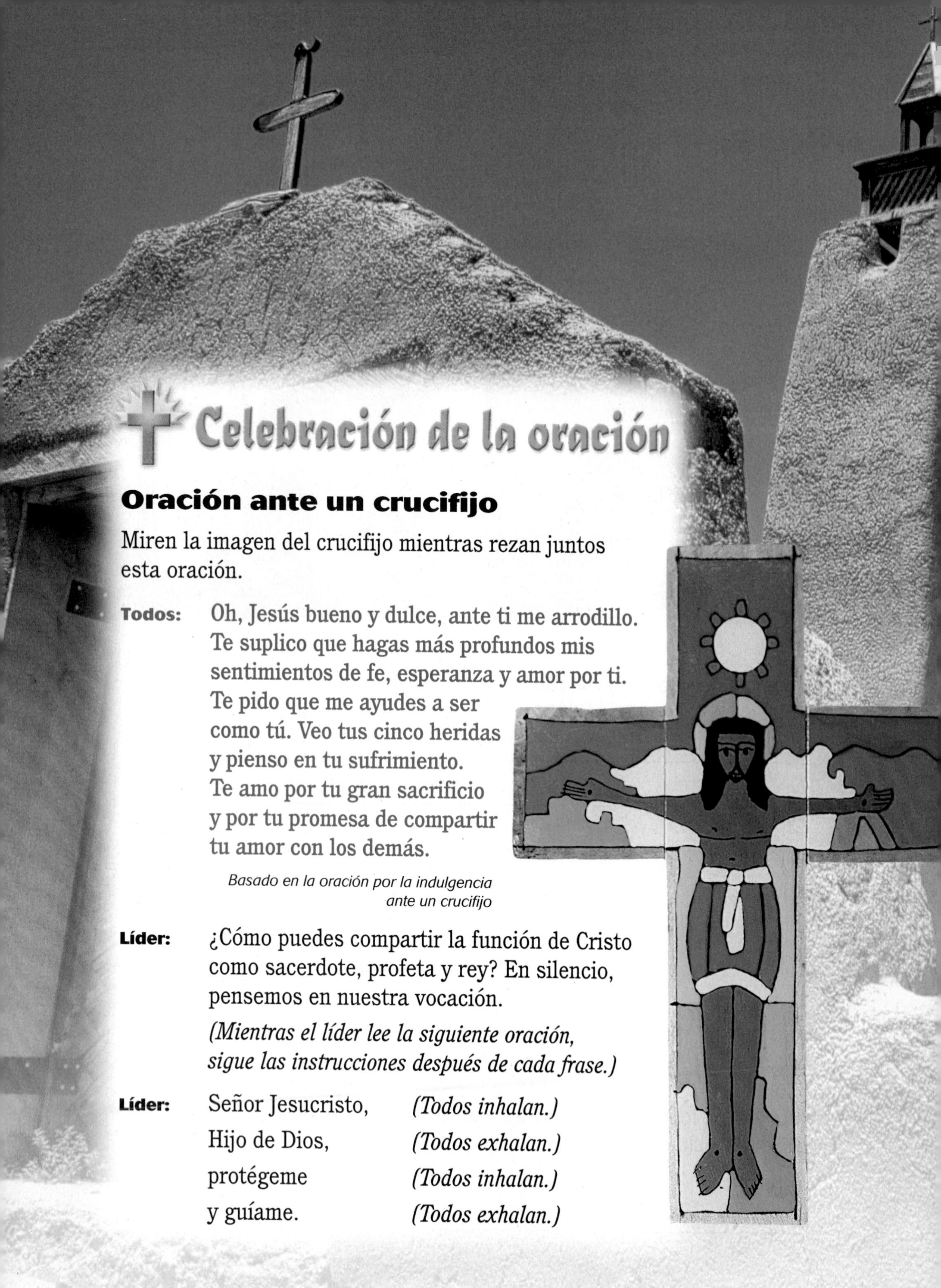

Celebración de la oración

Oración ante un crucifijo

Miren la imagen del crucifijo mientras rezan juntos esta oración.

Todos: Oh, Jesús bueno y dulce, ante ti me arrodillo. Te suplico que hagas más profundos mis sentimientos de fe, esperanza y amor por ti. Te pido que me ayudes a ser como tú. Veo tus cinco heridas y pienso en tu sufrimiento. Te amo por tu gran sacrificio y por tu promesa de compartir tu amor con los demás.

Basado en la oración por la indulgencia ante un crucifijo

Líder: ¿Cómo puedes compartir la función de Cristo como sacerdote, profeta y rey? En silencio, pensemos en nuestra vocación.

(Mientras el líder lee la siguiente oración, sigue las instrucciones después de cada frase.)

Líder:

Señor Jesucristo,	*(Todos inhalan.)*
Hijo de Dios,	*(Todos exhalan.)*
protégeme	*(Todos inhalan.)*
y guíame.	*(Todos exhalan.)*

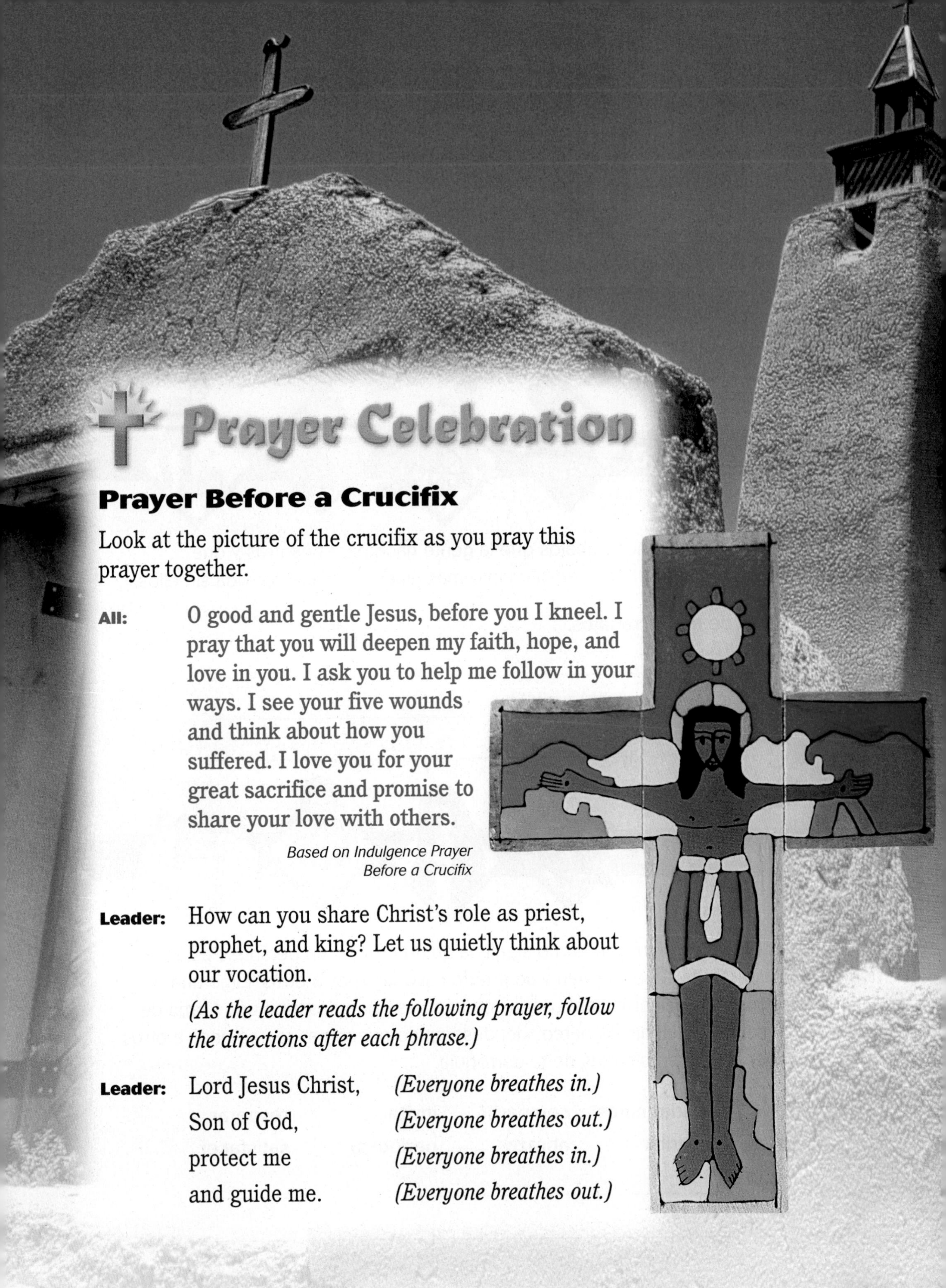

Prayer Celebration

Prayer Before a Crucifix

Look at the picture of the crucifix as you pray this prayer together.

All: O good and gentle Jesus, before you I kneel. I pray that you will deepen my faith, hope, and love in you. I ask you to help me follow in your ways. I see your five wounds and think about how you suffered. I love you for your great sacrifice and promise to share your love with others.

Based on Indulgence Prayer Before a Crucifix

Leader: How can you share Christ's role as priest, prophet, and king? Let us quietly think about our vocation.

(As the leader reads the following prayer, follow the directions after each phrase.)

Leader: Lord Jesus Christ, *(Everyone breathes in.)*
Son of God, *(Everyone breathes out.)*
protect me *(Everyone breathes in.)*
and guide me. *(Everyone breathes out.)*

La fe en acción

Ministerios para los desempleados En muchas parroquias hay personas que han perdido su empleo y no pueden encontrar otro. Como las familias, las comunidades parroquiales apoyan y animan a sus miembros en momentos difíciles. Los desempleados tienen distintas necesidades que la parroquia puede ayudar a satisfacer. Una parroquia puede ayudar con alimentos y dinero mientras una familia trata de reponerse. Podemos reunir a las personas para conversar sobre maneras en que el desempleo afecta su vida y para que puedan ayudarse mutuamente a encontrar empleo. Y podemos ayudar a que sepan que llegarán tiempos mejores.

En la vida diaria

Actividad Piensa en algunos trabajos que la gente hace para nosotros y que tendemos a darlos por sentado. Piensa cuánto más difícil sería nuestra vida sin ellos.

Anota aquí tres de estos trabajos.

1. ______________________________
2. ______________________________
3. ______________________________

En tu parroquia

Actividad La frase *en el mismo barco* significa que un grupo de personas están en una situación parecida. Se entienden y se pueden ayudar unas a otras. Elige una o más de las siguientes palabras para usarlas en una frase que describa una forma de que quienes están "en el mismo barco" del desempleo puedan ayudarse unos a otros. Luego reza por los desempleados de tu parroquia.

rezar **cuidar niños** **compartir** **invitar** **respetar**
talento **escribir** **abrazo** **periódico** **satisfacer**

____

____

Faith in Action

Ministries to the Unemployed In many parishes, there are people who have lost their jobs and are unable to find work. Like families, parish communities support and encourage their members in difficult times. The unemployed have many different needs that the parish can help meet. A parish can help provide food and money as a family tries to get back on its feet. We can bring people together to talk about the many ways unemployment affects their lives. We can bring people together who can help one another find jobs. And we can help them know that brighter days lie ahead.

In Everyday Life

Activity Think of some jobs people do for us that we tend to take for granted. Think how much harder our life would be without them.

List three of these jobs here.

1. ______________________________

2. ______________________________

3. ______________________________

In Your Parish

Activity The phrase *in the same boat* means that a group of people are in a similar situation. They understand one another and can help one another. Choose one or more of the words below to use in a sentence that describes one way people who are "in the same boat" of unemployment can help one another. Then pray for the unemployed of your parish.

pray	**babysit**	**share**	**invite**	**respect**
talent	**write**	**hug**	**newspaper**	**meet**

____

____

18 La Eucaristía

Por sus méritos y oraciones concédenos en todo tu protección.

Plegaria Eucarística I

Compartimos

Las personas que amamos nos ayudan a aprender acerca de Dios y del mundo que nos rodea. Aunque no estén con nosotros, cuando hacemos ciertas cosas, pensamos en ellas. Lo que ellas nos enseñan es una parte de nosotros.

Actividad

Representación

Escojan quiénes interpretarán los siguientes papeles y representen el relato.

Narrador: La familia Salerno está reunida en el parque de manera especial. Estaban todos, menos el abuelo. Falleció hace unos meses.

David: Extraño al abuelo. Ojalá estuviera aquí para ayudarnos a pescar un pez.

James: Él siempre sabía cuándo era el momento justo de recoger el sedal.

Narrador: Los dos muchachos se paran en el borde del lago y lanzan sus sedales. De repente, David nota algo distinto en el sedal de James.

David: ¡Recógelo!

Narrador: James enrolla su sedal y se sorprende de ver que un gran pez cuelga del anzuelo.

James: ¡Así lo hacía siempre el abuelo! Es como si estuviera aquí con nosotros.

18 The Eucharist

We ask that through their merits and prayers, in all things we may be defended by your protecting help.

Eucharistic Prayer I

Share

The people we love help us learn about God and the world around us. Even when they are not with us, we think of them when we do certain things. What they teach is a part of us.

Activity

Role-Play

Choose who will play the following roles and act out the story.

Narrator: The Salerno family gathered in the park for a special reunion. Everyone was there except Grandpa. He had died a few months earlier.

David: "I miss Grandpa. I sure wish he was here to help us catch a fish."

James: "He always knew just when to pull in the line."

Narrator: The two boys stood by the edge of the lake and cast their lines. Suddenly David noticed something different about James's line.

David: "Reel it in!"

Narrator: James pulled in his line and was surprised to see a large fish dangling from the hook.

James: "That's just like Grandpa always did it! It feels like he is here with us."

Escuchamos y creemos

El culto Reunidos como uno en Cristo

Los domingos, la familia de Dios se reúne en la Misa para celebrar la Eucaristía. La Eucaristía nos une a Dios y a la Iglesia. La Iglesia incluye a todos los vivos de la tierra y a todos los que han muerto como seguidores de Cristo. Al igual que María y todos los santos, estamos unidos en Cristo. Durante la celebración de la Eucaristía, la **asamblea** honra a los santos rezando la siguiente oración.

> Reunidos en comunión con toda la Iglesia,
> veneramos la memoria
> ante todo, de la gloriosa siempre Virgen María,
> Madre de Jesucristo, nuestro Dios y Señor;
> la de su esposo, San José;
> la de los santos apóstoles y mártires
> Pedro y Pablo, Andrés,
> y la de todos los santos;
> por sus méritos y oraciones
> concédenos en todo tu protección.
>
> *Plegaria Eucarística I*

La Eucaristía

La Eucaristía es el centro de la vida católica y el recuerdo del Banquete de Cristo. Expresamos nuestra fe en Jesús, que murió en la cruz por nuestros pecados, y celebramos con alegría su Resurrección. Por medio de su Hijo, Jesús, Dios nos muestra su reino de justicia, misericordia y amor.

La Eucaristía nos une a todos los miembros de la Iglesia.

Misa papal, Parque Central, Nueva York, 1995

Hear & Believe

Worship Gathered as One in Christ

On Sunday, God's family gathers at Mass to celebrate the Eucharist. The Eucharist unites us with God and the Church. The Church includes all those living on earth and all those who have died as followers of Christ. Like Mary and all the saints, we are together in Christ. During the celebration of the Eucharist, the **assembly** honors the saints by praying the following prayer.

> In communion with those whose memory we venerate,
> especially the glorious ever-Virgin Mary,
> Mother of our God and Lord, Jesus Christ,
> † and blessed Joseph, her Spouse,
> your blessed Apostles and Martyrs, . . .
> and all your Saints;
> we ask that through their merits and prayers,
> in all things we may be defended
> by your protecting help.
>
> *Eucharistic Prayer I*

The Eucharist

The Eucharist is the center of Catholic life and the memorial of Christ's Passover. We express our faith in Jesus, who died on the cross for our sins, and joyfully celebrate his Resurrection. Through his Son, Jesus, God shows us his kingdom of justice, mercy, and love.

The Eucharist unites us to all members of the Church.

Papal Mass, Central Park, New York, 1995

La función del sacerdote

En el nombre de Cristo, el sacerdote celebra la Eucaristía con la asamblea en la Misa. Dirige a la asamblea en la celebración del sacrificio de nuestra salvación: la vida, la muerte y la Resurrección de Jesucristo. El sacerdote da el mensaje de amor de Jesús cada vez que proclama el **Evangelio** y predica la **homilía**.

En la Misa, el sacerdote dirige a la asamblea en la oración. Le pide al Espíritu Santo que haga presente a Cristo para nosotros. A través del Espíritu Santo, los dones del pan y el vino se convierten en el Cuerpo y la Sangre de Cristo.

El sacerdote preside también los otros sacramentos con la comunidad católica. Guía a los miembros de una parroquia en su viaje de fe. Unidos al sacerdote a través de la Eucaristía, todos juntos ayudamos a llevar al mundo el amor y la misericordia de Dios.

Nuestra Iglesia nos enseña

El sacerdote tiene la importante función de dirigir a la Iglesia en la liturgia. En la Misa celebramos la Eucaristía con la Comunión de los Santos. Cristo reúne a todos los cristianos, a los vivos y a los que han muerto. Cada vez que celebramos la Eucaristía, nos fortalecemos en nuestra fe. En la Eucaristía estamos unidos con Dios y entre nosotros.

Creemos

La Eucaristía es primordial para nuestra fe católica. Recordamos cómo Jesús nos liberó del pecado con su muerte y su Resurrección.

Palabras de fe

asamblea

Se llama asamblea a los católicos reunidos para celebrar la Eucaristía y otros sacramentos.

Evangelio

El Evangelio es una lectura del Nuevo Testamento sobre la vida y las enseñanzas de Jesucristo.

The Role of the Priest

In the name of Christ, the priest celebrates the Eucharist with the assembly at Mass. He leads the assembly in the celebration of the sacrifice of our salvation—the life, death, and Resurrection of Jesus Christ. The priest brings Jesus' message of love each time he proclaims the **Gospel** and preaches the **homily**.

At Mass the priest leads the assembly in prayer. He asks the Holy Spirit to make Christ present for us. Through the Holy Spirit, the gifts of bread and wine are changed into the Body and Blood of Christ.

The priest also presides over the other sacraments with the Catholic community. He guides members of a parish in their journey of faith. United with the priest through the Eucharist, together we help bring God's love and mercy to the world.

We Believe

The Eucharist is central to our Catholic faith. We remember how Jesus freed us from sin by his death and Resurrection.

Faith Words

assembly
Catholics gathered to celebrate the Eucharist and other sacraments are called the assembly.

Gospel
The Gospel is a reading from the New Testament about the life and teachings of Jesus Christ.

Our Church Teaches

The priest has the important role of leading the Church in the liturgy. At Mass we celebrate the Eucharist with the Communion of Saints. Christ brings all Christians together—those who are living and those who have died. Each time we celebrate the Eucharist, we grow stronger in our faith. In the Eucharist we are united with God and with one another.

Respondemos

Cuando recibimos la Eucaristía, nos damos cuenta de que somos un Cuerpo de Cristo.

Actividades

1. Traza una casilla alrededor de las palabras o frases que se refieren a la celebración de la Eucaristía. En las casillas en blanco, escribe tus propias palabras o frases que describan la Eucaristía. Usa el siguiente vocabulario como ayuda.

guerra   nos lleva a la paz   un don especial   separa a las personas

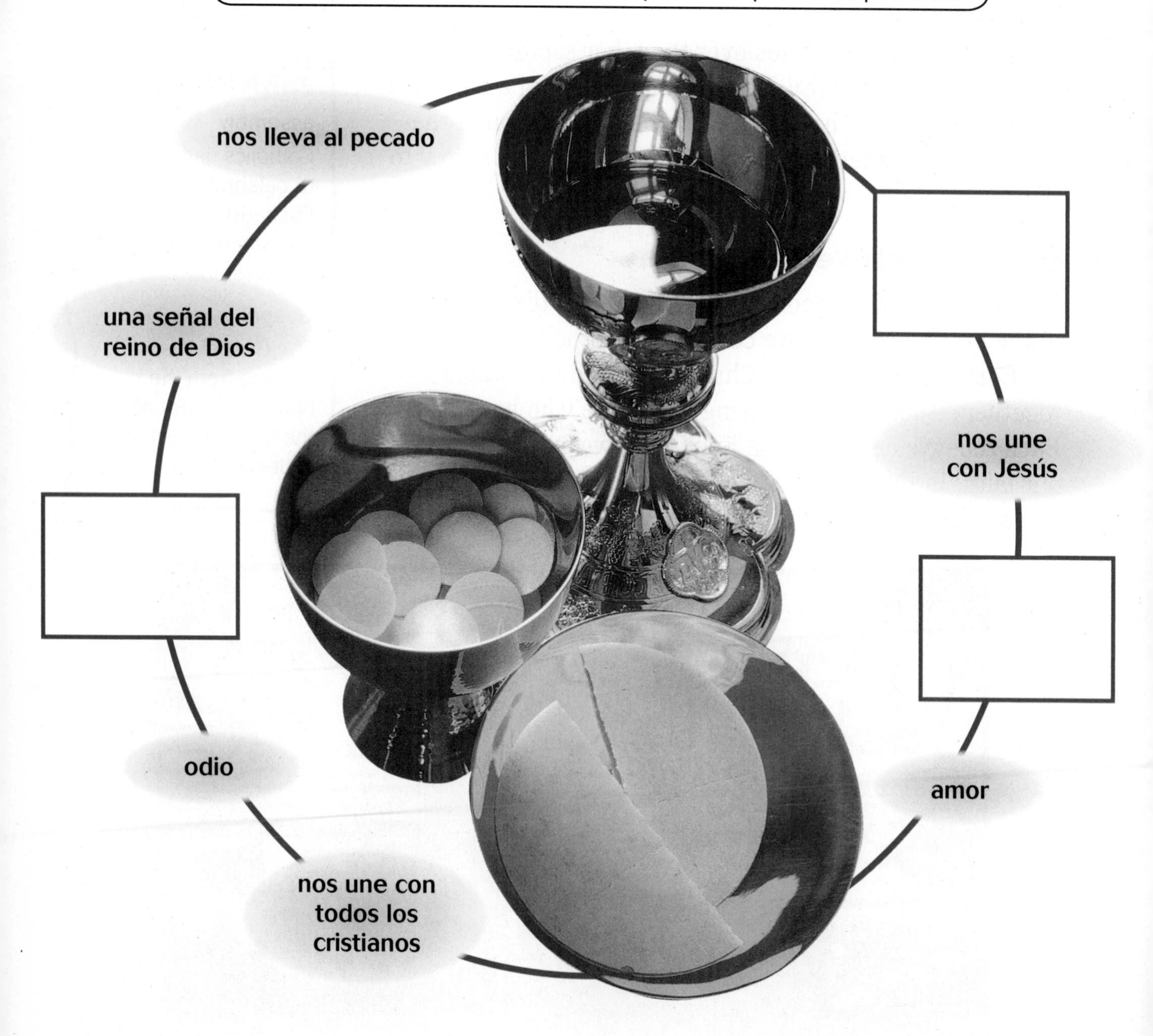

Respond

When we receive the Eucharist, we realize that we are one Body of Christ.

Activities

1. Draw a box around the words or phrases that refer to the celebration of the Eucharist. In the blank boxes, write your own words or phrases that describe the Eucharist. Use the word bank below to help you.

war   leads us to peace   a special gift   separates people

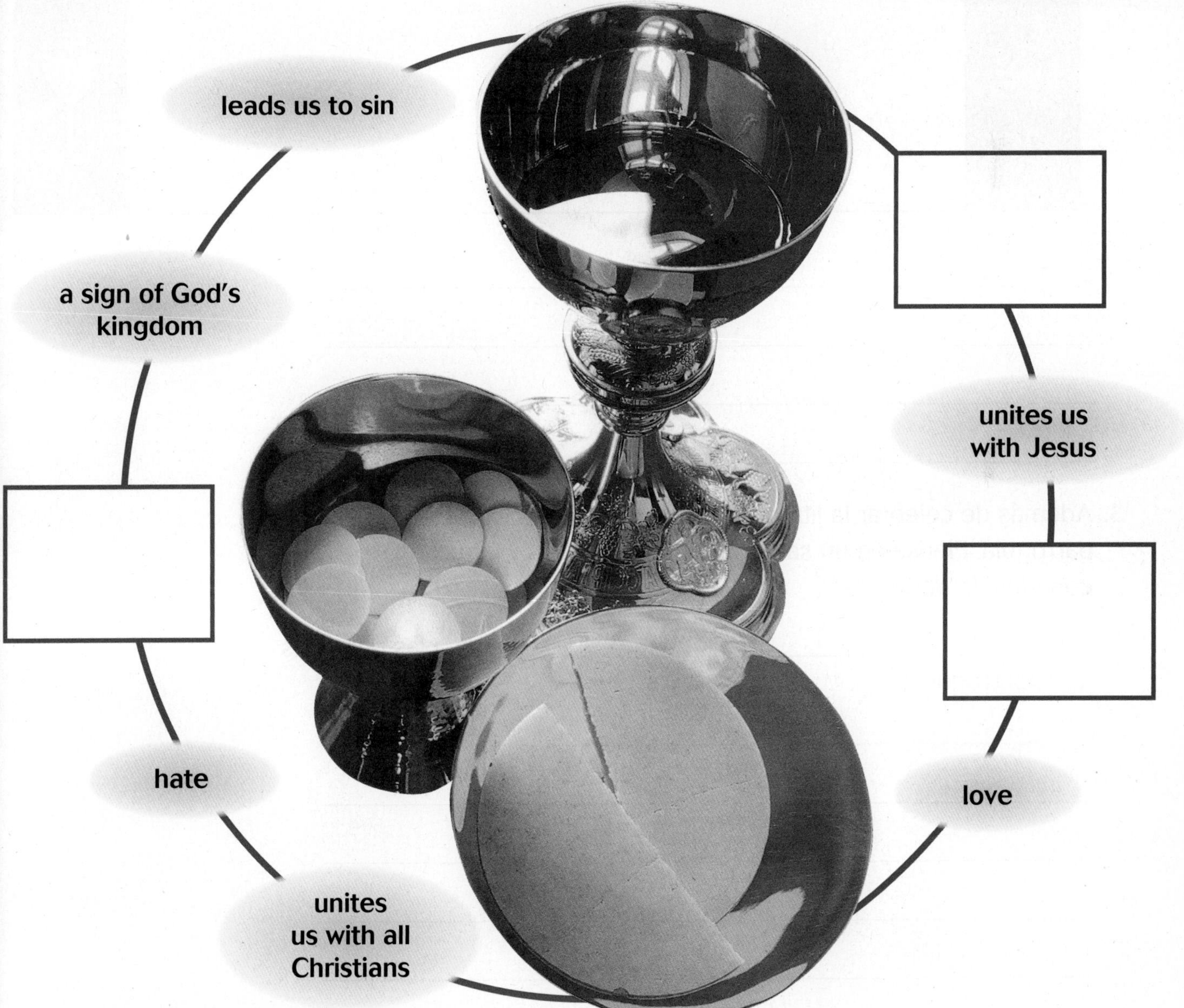

leads us to sin

a sign of God's kingdom

hate

unites us with all Christians

love

unites us with Jesus

2. El sacerdote tiene una vocación especial para dirigir a la comunidad católica en la oración. Dibuja a un sacerdote que celebra un sacramento. Debajo de tu dibujo, escribe cómo dirige el sacerdote a los miembros de la comunidad católica en ese sacramento.

VEA las páginas 370 a 376 para repasar los siete sacramentos.

____

____

____

____

3. Además de celebrar la liturgia, el sacerdote administra la parroquia. Piensa en un sacerdote que conozcas y luego completa la frase.

El padre ____________________________ ayuda a las personas de la parroquia al

____

____

____

____

____

2. The priest has a special vocation to lead the Catholic community in prayer. Draw a picture of a priest celebrating a sacrament. Below your picture, write how the priest leads members of the Catholic community in that sacrament.

GO TO pages 371–377 to review the seven sacraments.

____

____

____

____

3. In addition to celebrating the liturgy, the priest ministers within the parish. Think about a priest you know and then complete the sentence.

Father ______________________________ helps people in the parish by

____

____

____

____

____

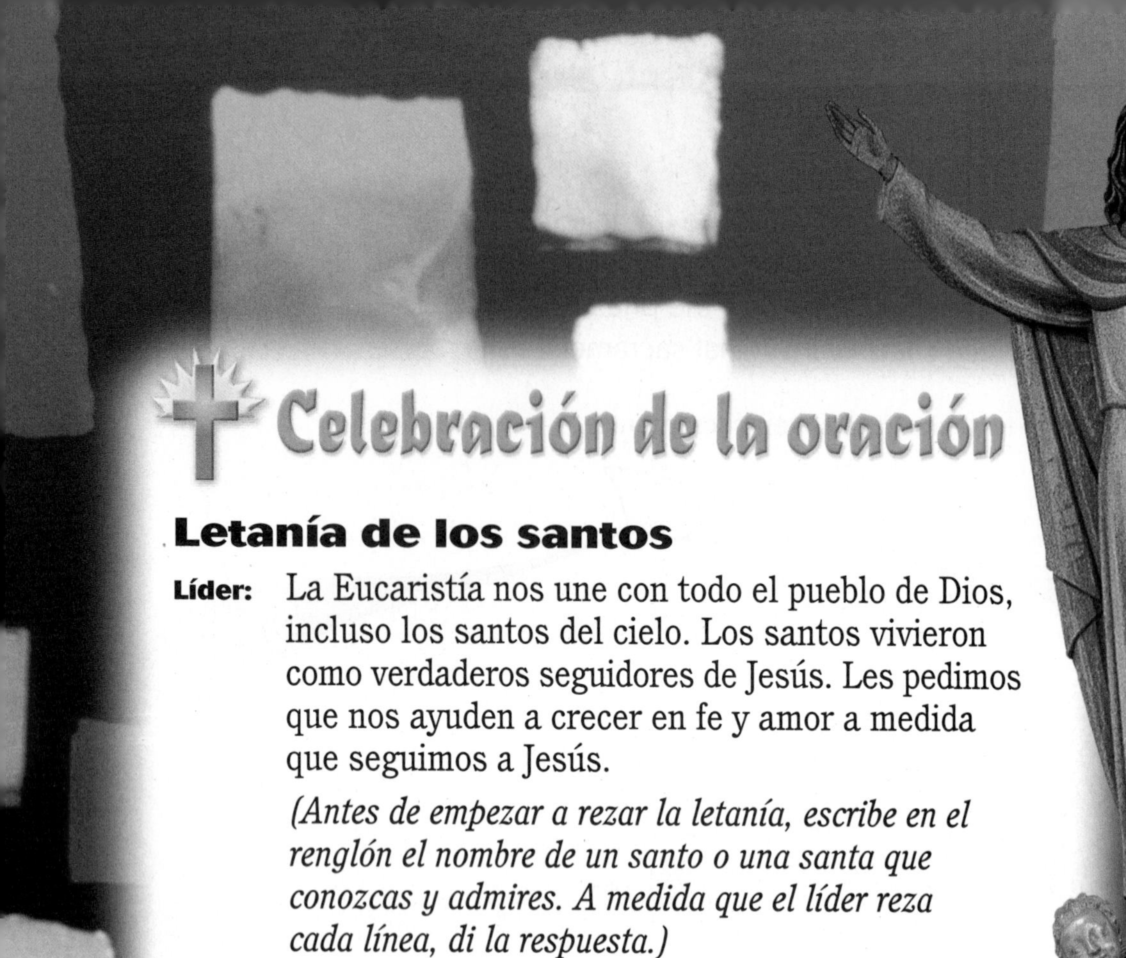

Celebración de la oración

Letanía de los santos

Líder: La Eucaristía nos une con todo el pueblo de Dios, incluso los santos del cielo. Los santos vivieron como verdaderos seguidores de Jesús. Les pedimos que nos ayuden a crecer en fe y amor a medida que seguimos a Jesús.

(Antes de empezar a rezar la letanía, escribe en el renglón el nombre de un santo o una santa que conozcas y admires. A medida que el líder reza cada línea, di la respuesta.)

Líder:	**Todos**:
Señor, ten piedad.	Señor, ten piedad.
Cristo, ten piedad.	Cristo, ten piedad.
Señor, ten piedad.	Señor, ten piedad.
Santa María, Madre de Dios,	ruega por nosotros.
San José,	ruega por nosotros.
Santa Mónica,	ruega por nosotros.
San Agustín,	ruega por nosotros.
San Francisco,	ruega por nosotros.
Santa Clara,	ruega por nosotros.
San Juan Vianney,	ruega por nosotros.
Santa Teresa,	ruega por nosotros.
______________________,	ruega por nosotros.
Todos los santos y las santas,	rueguen por nosotros.
Señor, sé compasivo,	Señor, salva a tu pueblo.
De todos los pecados,	Señor, salva a tu pueblo.
Con tu muerte y tu Resurrección a la nueva vida,	Señor, salva a tu pueblo.
Señor Jesús, escucha nuestra oración.	Señor Jesús, escucha nuestra oración.

Basado en la Letanía de los Santos del *Ritual para el Bautismo*

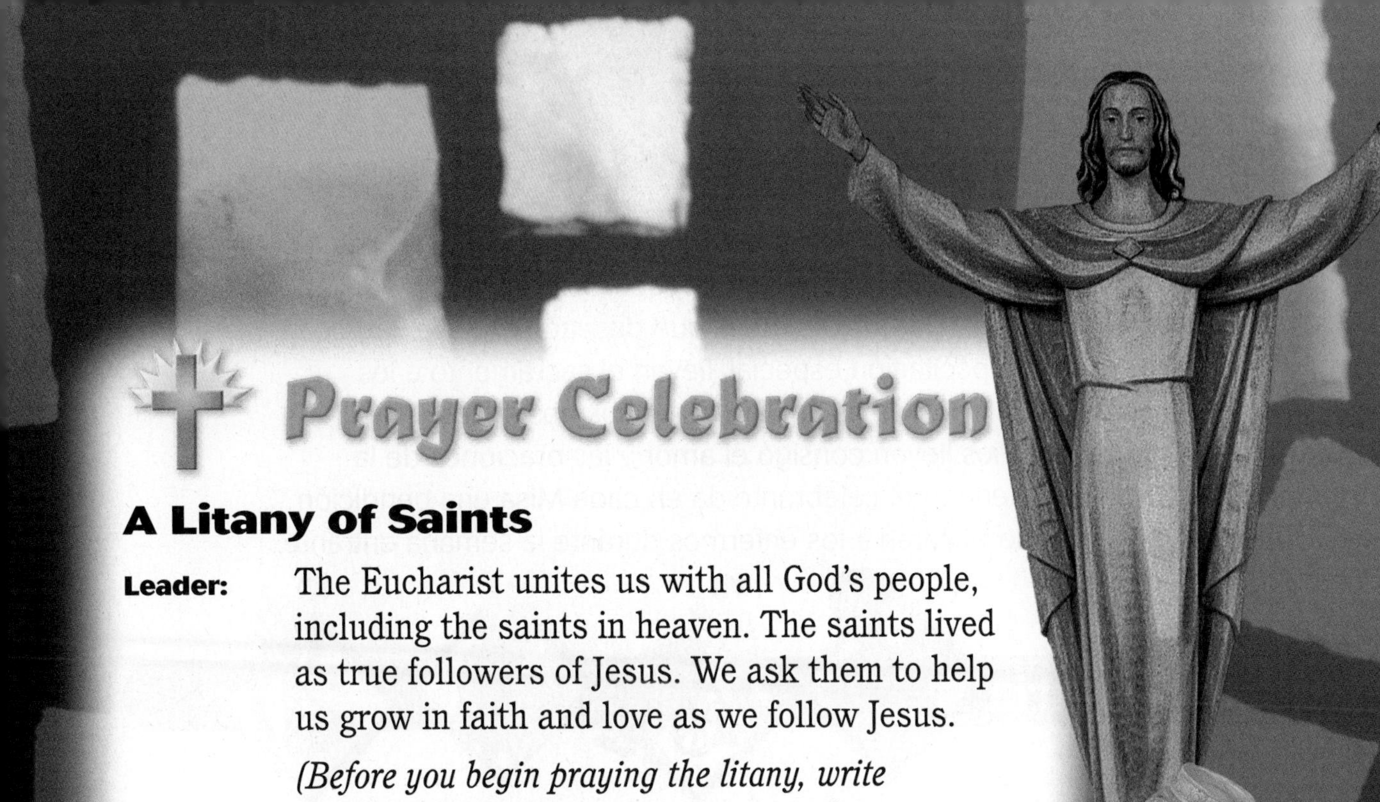

Prayer Celebration

A Litany of Saints

Leader: The Eucharist unites us with all God's people, including the saints in heaven. The saints lived as true followers of Jesus. We ask them to help us grow in faith and love as we follow Jesus.

(Before you begin praying the litany, write on the line below the name of a saint that you know and admire. As the leader prays each line, pray the response.)

Leader:	**All:**
Lord, have mercy.	Lord, have mercy.
Christ, have mercy.	Christ, have mercy.
Lord, have mercy.	Lord, have mercy.
Holy Mary, Mother of God,	pray for us.
Saint Joseph,	pray for us.
Saint Monica,	pray for us.
Saint Augustine,	pray for us.
Saint Francis,	pray for us.
Saint Clare,	pray for us.
Saint John Vianney,	pray for us.
Saint Teresa,	pray for us.
____________________,	pray for us.
All holy men and women,	pray for us.
Lord, be merciful,	Lord, save your people.
From every sin,	Lord, save your people.
By your death and rising to new life,	Lord, save your people.
Lord Jesus, hear our prayer.	Lord Jesus, hear our prayer.

Based on the Litany of Saints from the *Rite of Baptism*

La fe en acción

Ministros extraordinarios de la Sagrada Comunión Los ministros extraordinarios de la Sagrada Comunión ayudan al sacerdote de la parroquia a satisfacer las necesidades de todas las personas que desean recibir la Sagrada Comunión. Luego de una capacitación especial, llevan el sacramento a los enfermos en su casa, en los hogares de ancianos y en los hospitales. Para enfatizar que estos voluntarios lleven consigo el amor y las oraciones de la comunidad parroquial, a menudo el celebrante da en cada Misa una bendición especial a las personas que visitarán a los enfermos durante la semana entrante.

En la vida diaria

Actividad En el siguiente renglón, escribe el nombre de alguien de quien te sientas especialmente cerca. Luego haz dos dibujos que ayuden a los demás a comprender por qué sientes eso por la persona que nombraste.

En tu parroquia

Actividad Crea una tarjeta que un ministro extraordinario de la Sagrada Comunión pueda dar a alguien a quien le llevarán la Eucaristía esta semana.

Faith in Action

Extraordinary Ministers of Holy Communion Extraordinary Ministers of Holy Communion help the parish priest meet the needs of all the people who wish to receive Holy Communion. After special training, they bring the sacrament to people who are sick at home, in nursing homes, and hospitals. To emphasize that these volunteers bring with them the love and prayers of the parish community, the celebrant at each parish Mass often gives a special blessing to the people who will visit the sick during the coming week.

In Everyday Life

Activity On the line below, write the name of someone you feel especially close to. Then draw two images that would help others understand why you feel this way about the person you named.

In Your Parish

Activity Create a greeting card that an Extraordinary Minister of Holy Communion could give to someone that they will bring the Eucharist to this week.

19 El Nuevo Mandamiento y las obras de misericordia

Este es mi mandamiento: que se amen unos a otros como yo los he amado.

Juan 15:12

Compartimos

Jesús conocía las necesidades de los demás. Él nos pide que sigamos su ejemplo y que ayudemos a difundir el amor de Dios al mundo. Podemos amar a los demás de manera sencilla todos los días.

Actividad

En los corazones en blanco, muestra con palabras o dibujos cómo compartes el amor de Dios con los demás.

19 The New Commandment and the Works of Mercy

This is my commandment:
love one another as I love you.

John 15:12

Share

Jesus knew the needs of others. He asks us to follow his example and help spread God's love to the world. We can love others in simple ways every day.

Activity

In the blank hearts, use words or pictures to show how you share God's love with others.

Escuchamos y creemos

La Escritura Ver a Cristo en los demás

En el Capítulo 11 aprendimos que en la Última Cena Jesús dio a sus discípulos un Nuevo Mandamiento de amarse unos a otros. Cuando cumplimos esta ley del amor, vemos a Cristo en los demás y los tratamos con caridad y misericordia. ¿Cómo vemos a Cristo en los demás? Lee lo que dice Jesús.

"Cuando el Hijo del Hombre venga en su gloria rodeado de todos sus ángeles, se sentará en un trono de gloria. Todos se reunirán ante Él, y Él los separará, como un pastor separa las ovejas de los chivos.

"Colocará a las ovejas a su derecha y a los chivos a su izquierda. Entonces dirá a los que están a su derecha: 'Vengan, a ustedes mi Padre los bendijo y heredarán el Reino de Dios. Los bendijo porque cuando necesité comida y bebida, ustedes me alimentaron. Cuando necesité un amigo, ustedes me recibieron. Cuando necesité algo que ponerme, ustedes me dieron ropa. Cuando estuve enfermo y necesité atención, ustedes me cuidaron. Cuando necesité un amigo en la cárcel, ustedes me visitaron'.

"Entonces los benditos preguntarán: '¿Cuándo te dimos comida y bebida? ¿Cuándo te recibimos? ¿Cuándo te dimos ropa? No recordamos haberte visto enfermo ni haberte visitado en la cárcel. ¿Cuándo hicimos estas cosas?'

"El Hijo de Dios responderá: 'Cada vez que ayudaron a un necesitado, me ayudaron a mí'".

Basado en Mateo 25:31–41

Llamados a servir

Jesús combinó los Diez Mandamientos y las Bienaventuranzas en una sola ley del amor conocida como el Nuevo Mandamiento. Podemos cumplir esta ley del amor haciendo a diario actos de caridad. Si tratamos a los demás como Dios quiere, podemos amar como ama Cristo.

la página 392 para leer más sobre el Nuevo Mandamiento.

Scripture Seeing Christ in Others

In Chapter 11 we learned that at the Last Supper, Jesus gave his disciples a New Commandment to love one another. When we follow this law of love, we see Christ in others and treat them with kindness and mercy. How do we see Christ in others? Read what Jesus says.

"When the Son of Man returns in glory with angels all around him, he will sit on a glorious throne. Everyone will gather before him, and he will separate them, like a shepherd separates his sheep from goats.

"He will place the sheep on his right and the goats on his left. Then he will say to those on his right, 'Come, you are blessed by my Father and shall inherit the Kingdom of God. You are blessed because when I needed food and drink, you nourished me. When I needed a friend, you welcomed me. When I needed something to wear, you gave me clothes. When I was sick and needed attention, you cared for me. When I needed a friend in prison, you visited me.'

"Then the blessed will ask, 'When did we give you food and drink? When did we welcome you? When did we give you clothes? We don't remember seeing you sick or visiting you in prison. When did we do these things?'

"The Son of God will reply, 'Whenever you helped someone in need, you helped me.'"

Based on Matthew 25:31–41

Called to Serve

Jesus combined the Ten Commandments and the Beatitudes into one law of love known as the New Commandment. We can follow this law of love by doing daily acts of kindness. By treating others as God would want, we can love as Christ loves.

GO TO page 393 to read more about the New Commandment.

Las Obras de Misericordia Corporales

Los actos de amor tomados de Mateo 25:31–41 que describimos en este capítulo se llaman **Obras de Misericordia Corporales**. Las Obras de Misericordia Corporales nos dicen cómo responder a las necesidades físicas básicas de todas las personas. Jesús nos pide que amemos a los demás como Él nos ama.

Las siete Obras de Misericordia Corporales
Dar de comer al hambriento.
Dar de beber al sediento.
Vestir al desnudo.
Redimir al cautivo.
Dar posada al peregrino.
Visitar y cuidar a los enfermos.
Enterrar a los muertos.

Las Obras de Misericordia Espirituales

Jesús quiere también que escuchemos y respondamos a las personas cuando expresan sus pensamientos y sus emociones. Nos pide que les tendamos una mano con amor a los que están solos, desanimados o tienen dificultades en la vida. Jesús quiere que recemos por sus necesidades. Para animar y apoyar a los demás de esa manera, nos guiamos por las **Obras de Misericordia Espirituales**.

Las siete Obras de Misericordia Espirituales
Corregir al que yerra.
Enseñar al que no sabe.
Dar buen consejo al que lo necesita.
Consolar al triste.
Sufrir con paciencia los defectos de los demás.
Perdonar las injurias.
Rogar a Dios por vivos y difuntos.

Creemos

Jesús combinó los Diez Mandamientos y las Bienaventuranzas en una sola ley del amor. Jesús dijo que si amamos a los demás como Él nos ama, tendremos felicidad eterna con Dios.

Palabras de fe

Obras de Misericordia Corporales

Las Obras de Misericordia Corporales son las acciones bondadosas con las que respondemos a las necesidades físicas básicas de la gente.

Obras de Misericordia Espirituales

Las Obras de Misericordia Espirituales son las acciones bondadosas con las que respondemos a las necesidades espirituales básicas de la gente.

Nuestra Iglesia nos enseña

Jesús dijo que debemos amar a los demás como Él nos ama. Jesús mostró a los demás el amor de Dios preocupándose por sus necesidades básicas. Las Obras de Misericordia Corporales son maneras en que podemos ocuparnos de las necesidades físicas de los demás. Las Obras de Misericordia Espirituales nos muestran formas de animar, guiar y dar apoyo emocional a los demás.

The Corporal Works of Mercy

The loving acts described in this chapter from Matthew 25:31–41 are called the **Corporal Works of Mercy**. The Corporal Works of Mercy tell us how to respond to the basic physical needs of all people. Jesus asks us to love others as he loves us.

The Corporal Works of Mercy
Feed the hungry.
Give drink to the thirsty.
Give clothing to the poor.
Visit those in prison.
Shelter the homeless.
Visit the sick.
Bury the dead.

We Believe

Jesus combined the Ten Commandments and the Beatitudes into one law of love. Jesus said that if we love others as he loves us, we will have eternal happiness with God.

The Spiritual Works of Mercy

Jesus also wants us to listen and respond to people as they express their thoughts and emotions. He asks us to reach out lovingly to people who are lonely, discouraged, or struggling in life. Jesus wants us to pray for their needs. To encourage and support others in these ways, we use the **Spiritual Works of Mercy** as our guide.

Spiritual Works of Mercy
Help others do what is right.
Teach the ignorant.
Give advice to the doubtful.
Comfort those who suffer.
Be patient with others.
Forgive injuries.
Pray for the living and the dead.

Faith Words

Corporal Works of Mercy
The Corporal Works of Mercy are the loving actions by which we respond to the basic physical needs of people.

Spiritual Works of Mercy
The Spiritual Works of Mercy are the loving actions by which we respond to the basic spiritual needs of people.

Our Church Teaches

Jesus said that we should love others as he loves us. Jesus showed God's love to others by taking care of their basic needs. The Corporal Works of Mercy are ways we can care for the physical needs of others. The Spiritual Works of Mercy show us ways to encourage, guide, and give emotional support to others.

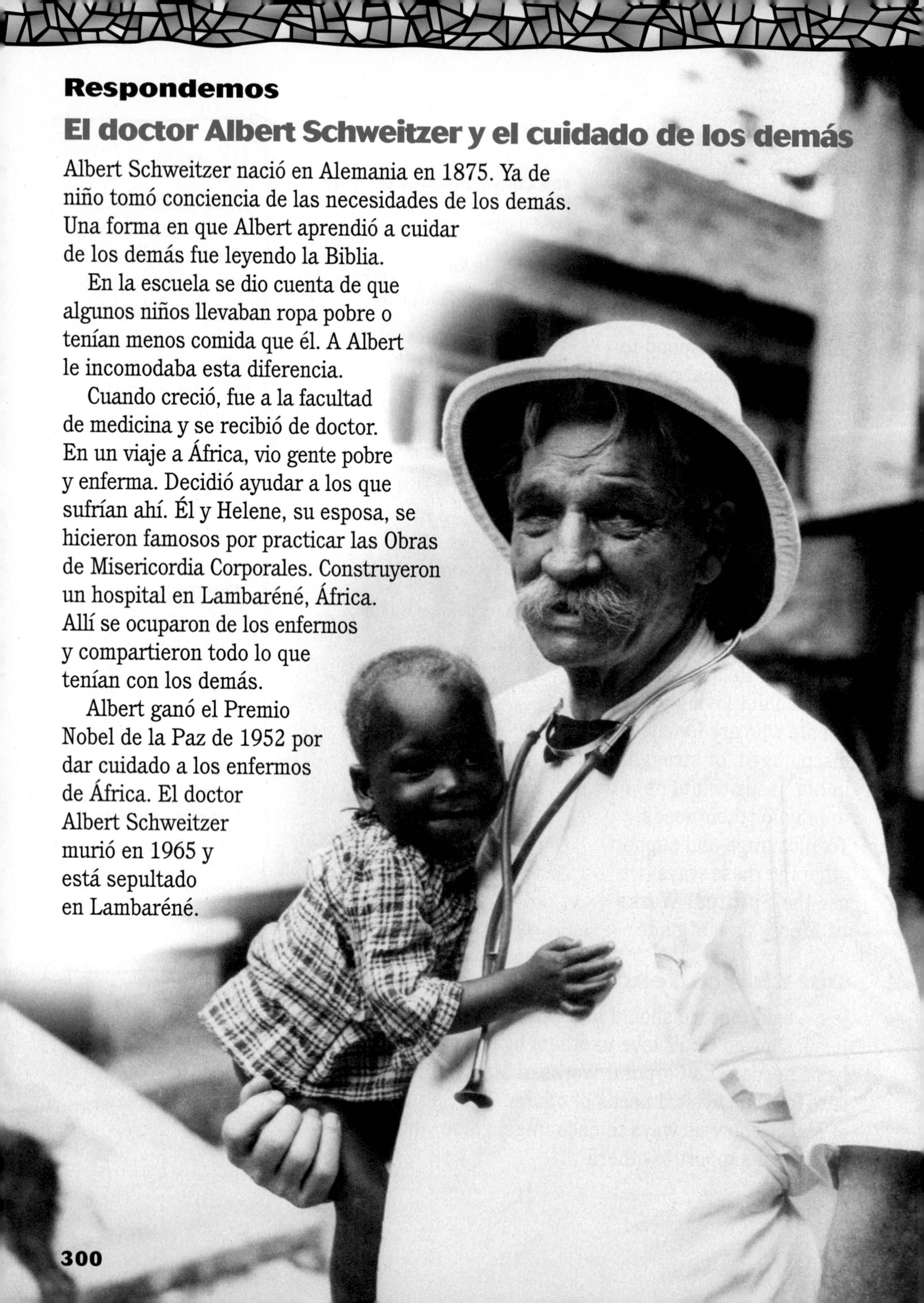

Respondemos

El doctor Albert Schweitzer y el cuidado de los demás

Albert Schweitzer nació en Alemania en 1875. Ya de niño tomó conciencia de las necesidades de los demás. Una forma en que Albert aprendió a cuidar de los demás fue leyendo la Biblia.

En la escuela se dio cuenta de que algunos niños llevaban ropa pobre o tenían menos comida que él. A Albert le incomodaba esta diferencia.

Cuando creció, fue a la facultad de medicina y se recibió de doctor. En un viaje a África, vio gente pobre y enferma. Decidió ayudar a los que sufrían ahí. Él y Helene, su esposa, se hicieron famosos por practicar las Obras de Misericordia Corporales. Construyeron un hospital en Lambaréné, África. Allí se ocuparon de los enfermos y compartieron todo lo que tenían con los demás.

Albert ganó el Premio Nobel de la Paz de 1952 por dar cuidado a los enfermos de África. El doctor Albert Schweitzer murió en 1965 y está sepultado en Lambaréné.

Respond

Dr. Albert Schweitzer and Caring for Others

Albert Schweitzer was born in Germany in 1875. He was aware of the needs of others even as a child. One way Albert learned about caring for others was by reading the Bible.

At school he noticed that some of the children were poorly dressed or had less food than he did. Albert was uncomfortable with this difference.

When he got older, he enrolled in medical school and became a doctor. On a trip to Africa, Alfred saw people who were poor and sick. He decided to help those who were suffering there. He and his wife, Helene became famous for practicing the corporal works of mercy. They built a hospital at Lambarene in Africa. There they took care of the sick, and shared all they had with others.

Albert won the 1952 Nobel Peace Prize for the care he gave to the sick people in Africa. Dr. Albert Schweitzer died in 1965 and is buried at Lambarene.

Actividad

Empieza a jugar desde la **Salida**. Arroja un dado y avanza el número de espacios que corresponda siguiendo la dirección de las flechas. Si caes en una fotografía, di qué obra de misericordia muestra. Si caes en el nombre de una obra de misericordia, da un ejemplo de alguien que la realice. Puede ser alguien de tu escuela, de tu familia, de tu comunidad o del mundo.

Activity

Begin at **Start** on the game board. Roll one dice and move the correct number of spaces following the direction of the arrows. If you land on a picture, tell which work of mercy is being shown. If you land on the name of a work of mercy, give an example of someone doing this work of mercy. It can be someone at school, in your family, in your community, or in the world.

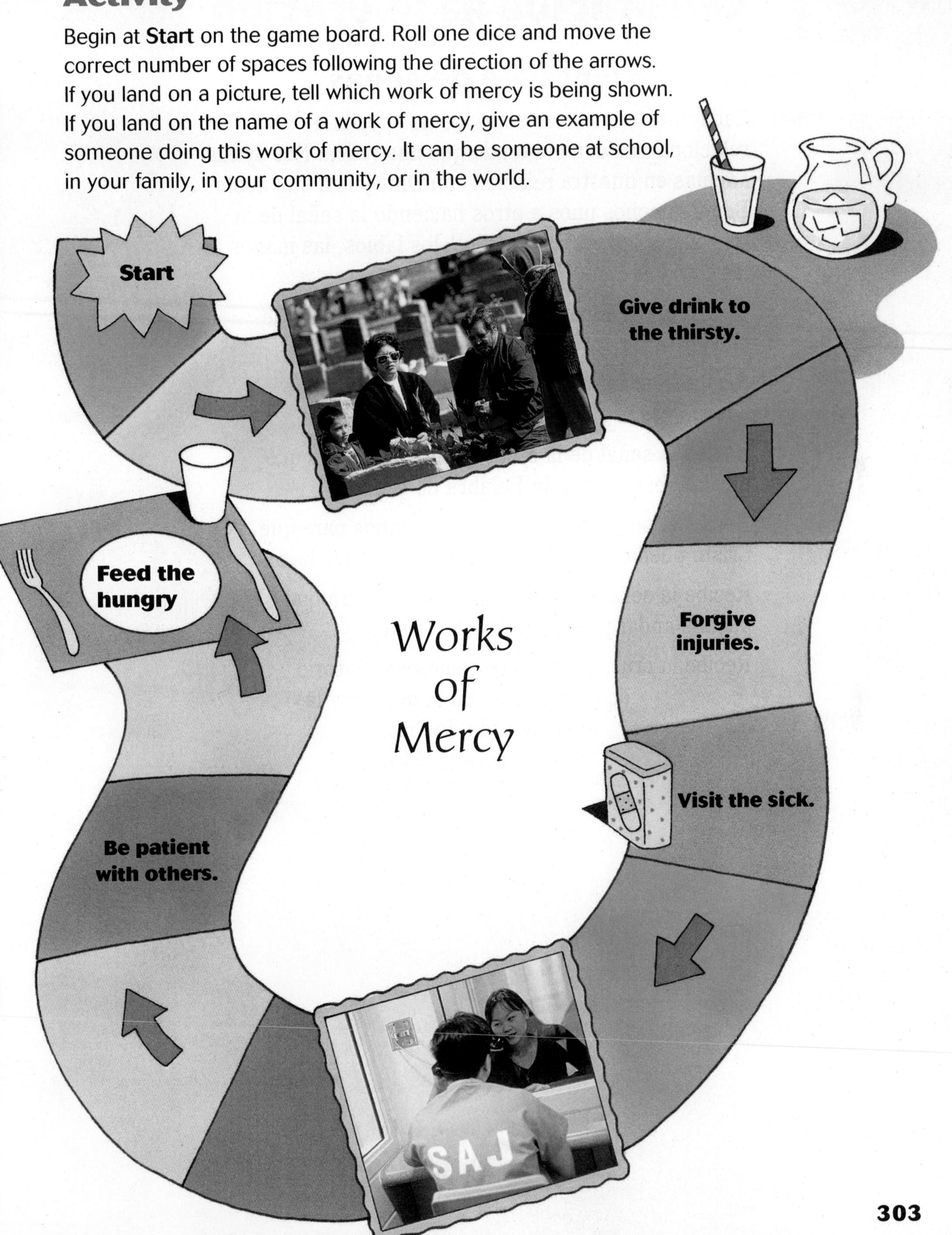

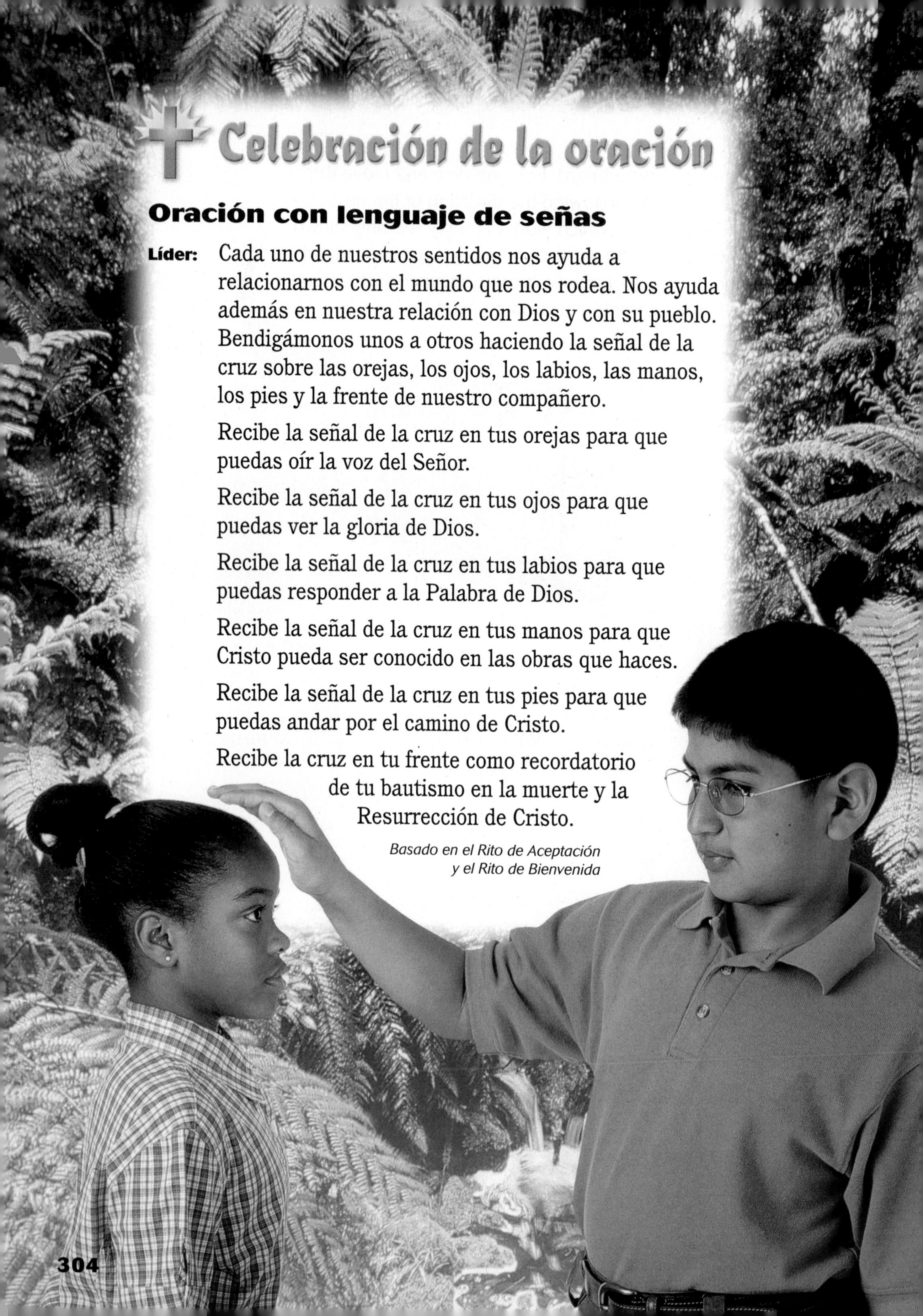

Celebración de la oración

Oración con lenguaje de señas

Líder: Cada uno de nuestros sentidos nos ayuda a relacionarnos con el mundo que nos rodea. Nos ayuda además en nuestra relación con Dios y con su pueblo. Bendigámonos unos a otros haciendo la señal de la cruz sobre las orejas, los ojos, los labios, las manos, los pies y la frente de nuestro compañero.

Recibe la señal de la cruz en tus orejas para que puedas oír la voz del Señor.

Recibe la señal de la cruz en tus ojos para que puedas ver la gloria de Dios.

Recibe la señal de la cruz en tus labios para que puedas responder a la Palabra de Dios.

Recibe la señal de la cruz en tus manos para que Cristo pueda ser conocido en las obras que haces.

Recibe la señal de la cruz en tus pies para que puedas andar por el camino de Cristo.

Recibe la cruz en tu frente como recordatorio de tu bautismo en la muerte y la Resurrección de Cristo.

Basado en el Rito de Aceptación y el Rito de Bienvenida

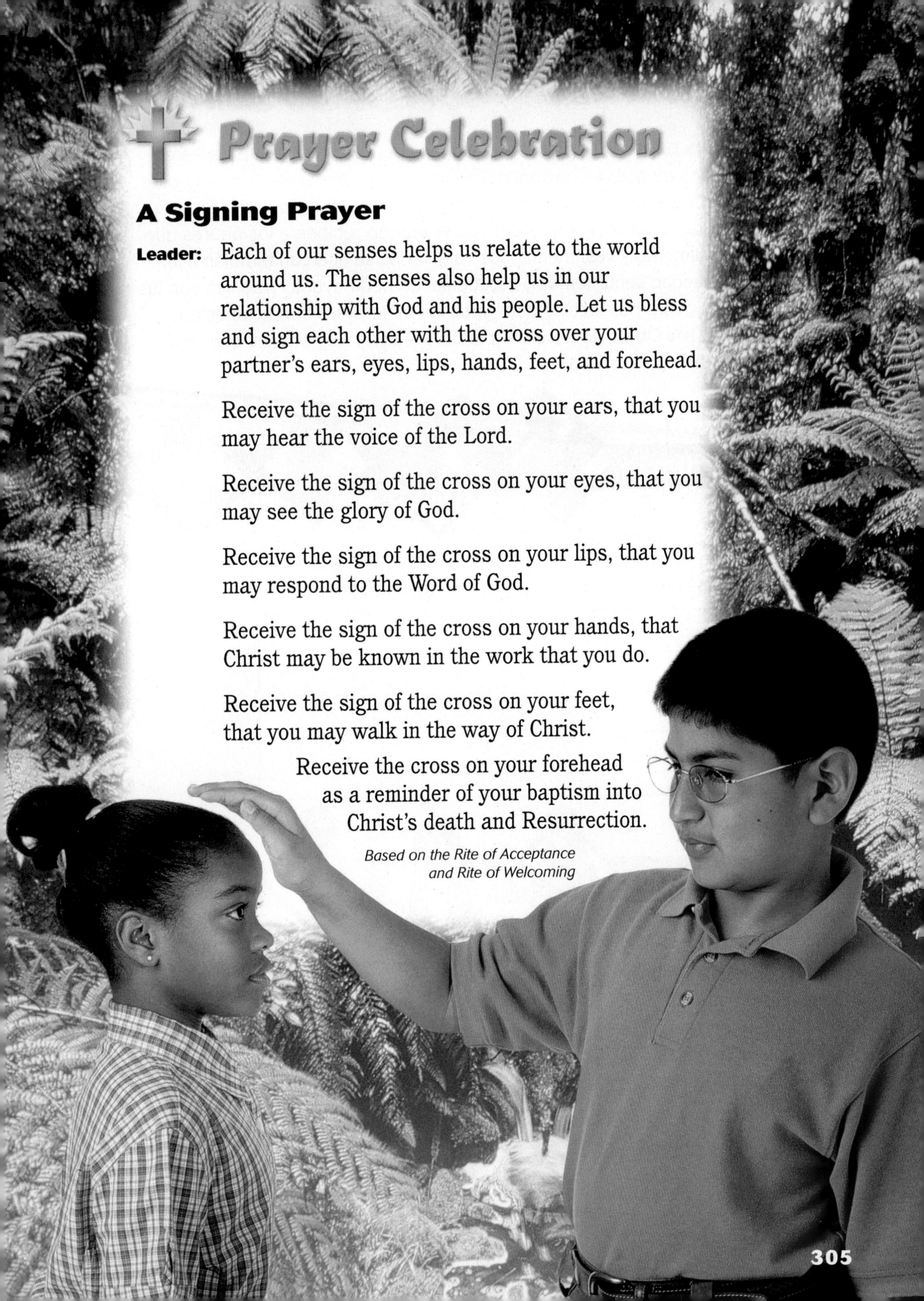

Prayer Celebration

A Signing Prayer

Leader: Each of our senses helps us relate to the world around us. The senses also help us in our relationship with God and his people. Let us bless and sign each other with the cross over your partner's ears, eyes, lips, hands, feet, and forehead.

Receive the sign of the cross on your ears, that you may hear the voice of the Lord.

Receive the sign of the cross on your eyes, that you may see the glory of God.

Receive the sign of the cross on your lips, that you may respond to the Word of God.

Receive the sign of the cross on your hands, that Christ may be known in the work that you do.

Receive the sign of the cross on your feet, that you may walk in the way of Christ.

Receive the cross on your forehead
as a reminder of your baptism into
Christ's death and Resurrection.

Based on the Rite of Acceptance and Rite of Welcoming

La fe en acción

Ministerios para los pobres Mientras que algunos pobres viven en las calles de las grandes ciudades de nuestra nación, otros viven en el apartamento o en la casa junto a la nuestra. Otros apenas sobreviven en sus granjas. Muchas organizaciones de voluntarios de los Estados Unidos y de todo el mundo reciben a los pobres que buscan albergue, alimento y vestimenta. Los voluntarios se acercan también a los necesitados que puedan sentir temor o vergüenza de pedir ayuda. Trabajan con las comunidades y los gobiernos locales para tratar de mejorar las condiciones que causan la pobreza. Las Obras de Misericordia Corporales y Espirituales que Jesús enseñó son las que inspiran su trabajo.

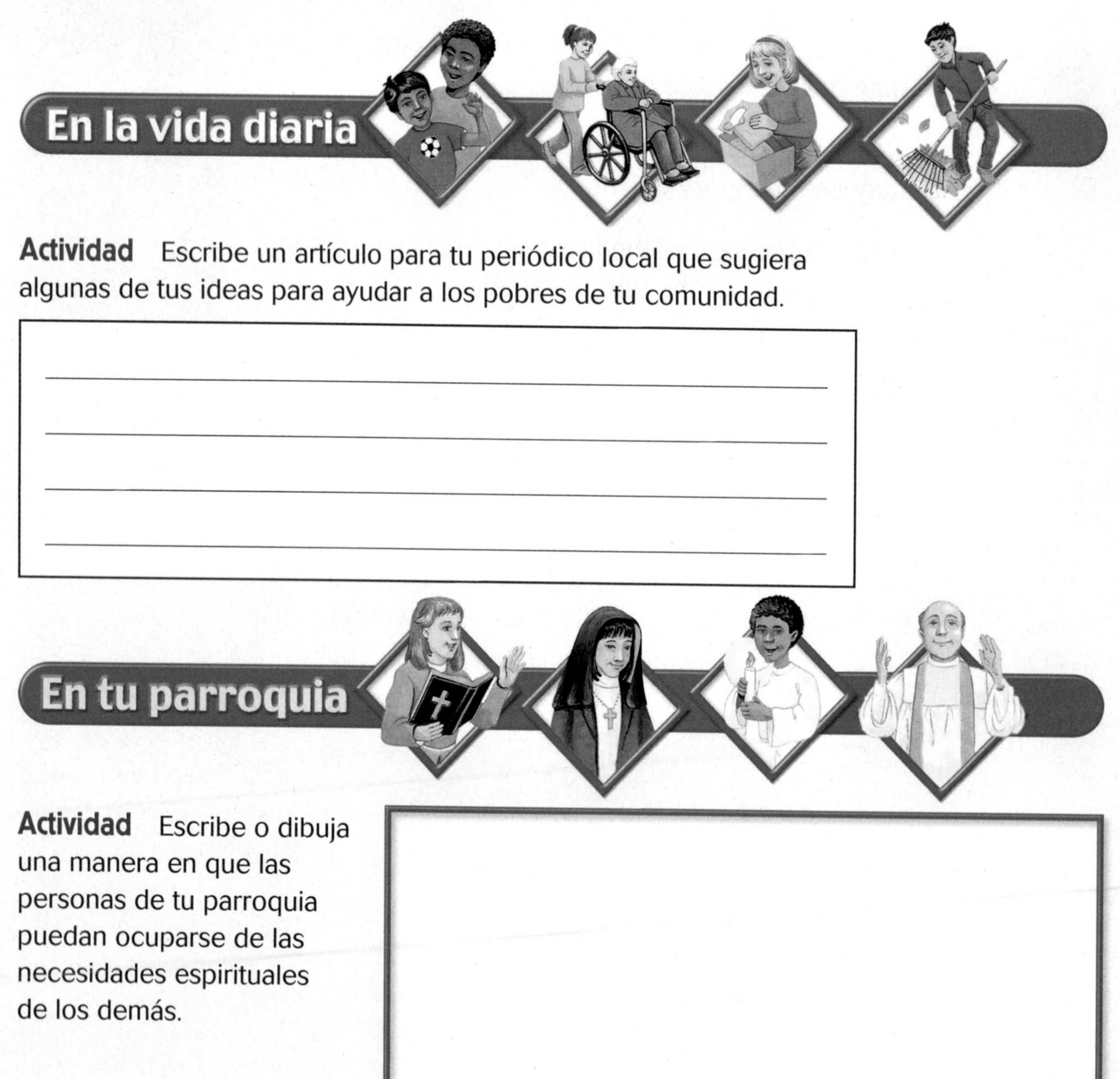

En la vida diaria

Actividad Escribe un artículo para tu periódico local que sugiera algunas de tus ideas para ayudar a los pobres de tu comunidad.

En tu parroquia

Actividad Escribe o dibuja una manera en que las personas de tu parroquia puedan ocuparse de las necesidades espirituales de los demás.

Faith in Action

Ministries to the Poor While some poor people live on the streets of our nation's biggest cities, some live in the house or apartment right next to our own. Others are barely surviving on their farms. Many volunteer organizations in the United States and throughout the world welcome poor people seeking shelter, food, and clothing. Volunteers also reach out to find people in need who may be too afraid or embarrassed to ask for help. And they work with local communities and governments to try to improve the conditions that cause poverty. The Corporal and Spiritual Works of Mercy taught by Jesus inspire their work.

In Everyday Life

Activity Write an article for your local newspaper suggesting some of your ideas on ways to help the poor in your community.

In Your Parish

Activity Write or draw one way people in your parish can take care of the spiritual needs of others.

20 Los mandamientos y llevar el mensaje de Dios al mundo

Vayan y hagan discípulos de todos los pueblos.

Basado en Mateo 28:19

Compartimos

Por medio de la oración podemos crecer como cristianos. Podemos rezar por la ayuda de Dios mientras tratamos de llevar al mundo la paz y la justicia de Dios.

Actividad

Completa la siguiente oración. Puedes usar las palabras de la lista o tus propias ideas.

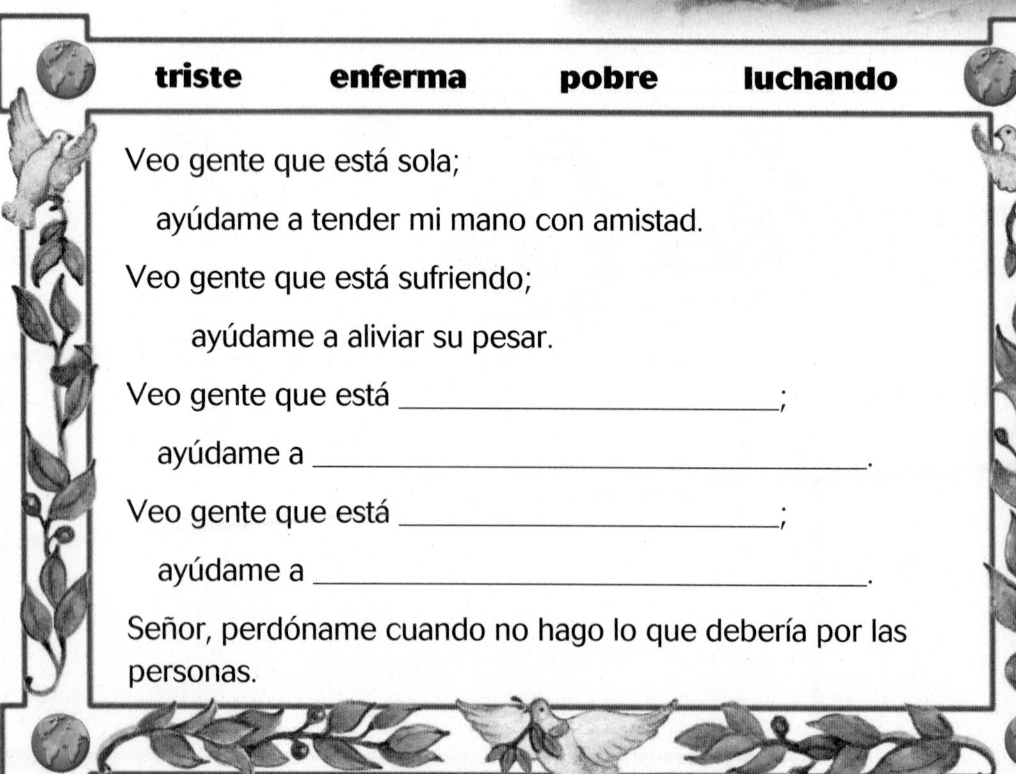

triste **enferma** **pobre** **luchando**

Veo gente que está sola;

ayúdame a tender mi mano con amistad.

Veo gente que está sufriendo;

ayúdame a aliviar su pesar.

Veo gente que está ____________________;

ayúdame a ______________________________.

Veo gente que está ____________________;

ayúdame a ______________________________.

Señor, perdóname cuando no hago lo que debería por las personas.

20 The Commandments and Bringing God's Message to the World

Go and make disciples of all nations.

Based on Matthew 28:19

Share

Through prayer we can grow as Christians. We can pray for God's help as we try to bring God's peace and justice to the world.

Activity

Complete the prayer below. You may use the words that are listed or your own ideas.

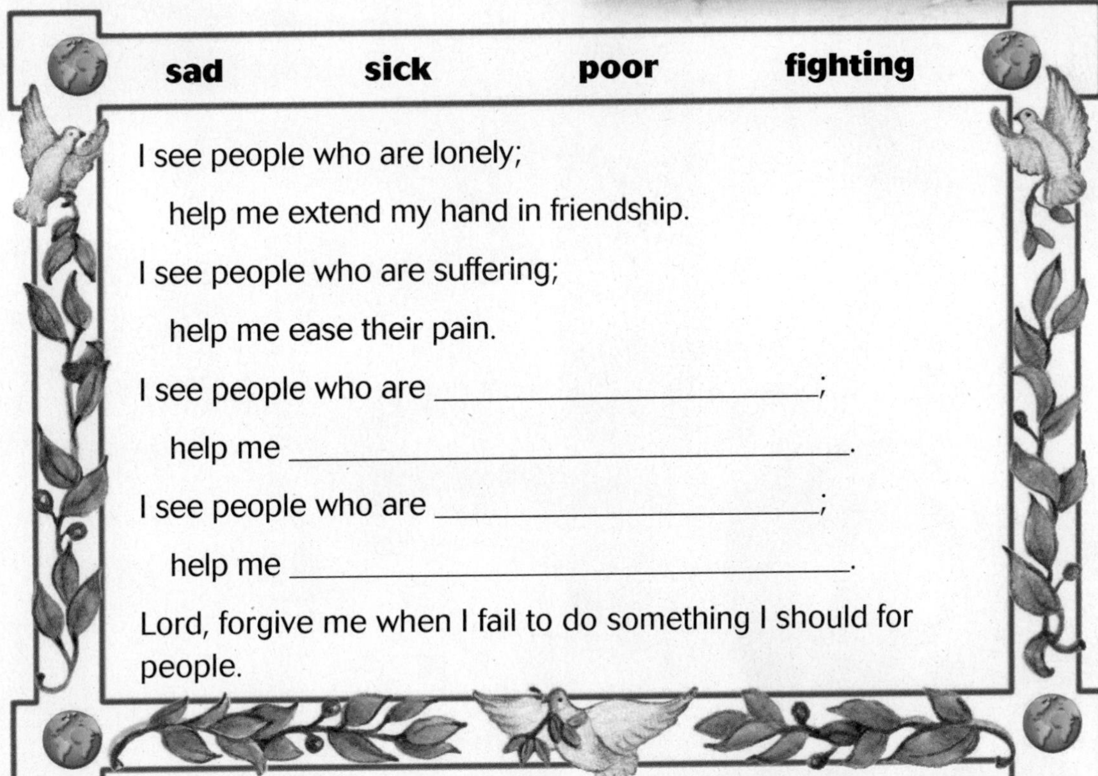

sad **sick** **poor** **fighting**

I see people who are lonely;
  help me extend my hand in friendship.

I see people who are suffering;
  help me ease their pain.

I see people who are ______________________;
  help me ______________________________.

I see people who are ______________________;
  help me ______________________________.

Lord, forgive me when I fail to do something I should for people.

Escuchamos y creemos

La Escritura El encargo a los discípulos

Después de su Resurrección, Jesús se reunió con los discípulos en Galilea. Les dijo lo que Dios quería que hicieran: "Vayan y viajen por todos los pueblos. Enséñenle a la gente lo que les he encomendado. Bauticen a todos en el nombre del Padre, del Hijo y del Espíritu Santo. Enséñenles también a ser discípulos míos. Y recuerden, yo estaré con ustedes siempre".

Basado en Mateo 28:16–20

Hear & Believe

Scripture The Commissioning of the Disciples

After Jesus' Resurrection, he came to the disciples in Galilee. He told them what God wanted them to do, saying: "Go and travel to all nations. Teach the people there what I have commanded. Baptize them in the name of the Father, the Son, and the Holy Spirit. You also will show them how to become disciples of mine. And remember, I will always be with you."

Based on Matthew 28:16–20

El poder de la oración

Dios está siempre con nosotros, especialmente cuando rezamos. Con su amor nos toca el corazón y nos fortalece para que vivamos su ley del amor.

Como católicos, tenemos la responsabilidad de mostrarnos mutuamente la bondad de Dios. La oración nos ayuda a sentir el poder del amor de Dios y compartirlo luego con los demás. Por medio de la oración, escuchamos el llamado de Dios a hacer lo que es bueno. Podemos pedirle a Dios que nos ayude a mejorar.

La oración nos sirve para trabajar contra el pecado y la maldad del mundo. Podemos rezar una oración de **petición** para pedirle perdón a Dios cuando no hacemos su voluntad. También podemos pedirle ayuda a Dios para llevar su amor al mundo.

Cuando necesitamos la ayuda de Dios para vivir como Él pide, podemos rezar: "Querido Dios, ayúdame a amar a los demás como tú me amas".

la página 396 para leer más acerca de la oración.
Ve a la página 18 para rezar el Rosario.

Creemos

Por medio de la oración, nos fortalecemos en la fe. Dios nos ayuda a llevar al mundo su amor, su paz y su justicia.

Palabras de fe

petición
Una petición es una oración por la cual pedimos el perdón y la ayuda de Dios.

Nuestra Iglesia nos enseña

Como cristianos, estamos llamados a llevar al mundo el amor, la paz y la justicia de Dios. Levantamos el corazón en oración y pedimos la ayuda de Dios para aliviar el sufrimiento de los demás. Dios, que está con nosotros siempre, escucha nuestras oraciones de petición. Por medio de la oración, cumpliendo los Diez Mandamientos y viviendo la ley del amor, ayudamos a llevar al mundo el amor, la paz y la justicia de Dios.

The Power of Prayer

God is always with us, especially when we pray. He touches our hearts with his love and strengthens us to live his law of love.

As Catholics, we have a responsibility to show God's goodness to one another. Prayer helps us feel the power of God's love and then share it with others. Through prayer, we listen to God's call to do what is good. We can ask God to help us do better.

Prayer helps us work against the sin and evil in the world. We can pray a prayer of **petition** to ask for God's forgiveness when we fail to do his will. We can also ask for God's help in bringing his love to the world.

When we need God's help to live as he asks, we can pray, "Dear God, help me to love others as you love me."

page 397 to read more about prayer.
Go to page 19 to pray the Rosary.

We Believe

Through prayer we grow stronger in faith. God helps us bring his love, peace, and justice to the world.

Faith Words

petition

A petition is a prayer in which we ask for God's forgiveness and help.

Our Church Teaches

As Christians, we are called to bring God's love, peace, and justice to the world. We lift our hearts in prayer, asking for God's help to ease the suffering of others. Our prayers of petition are heard by God, who is always with us. Through prayer, following the Ten Commandments, and living the law of love, we help to bring God's love, peace, and justice to the world.

Respondemos

Necesitamos la ayuda de Dios para cumplir los mandamientos y vivir la ley del amor.

Actividades

1. En los siguientes renglones, escribe dos oraciones de petición, una por el cuarto y otra por el quinto mandamiento. Luego escoge otro mandamiento y escribe otra oración de petición. Ya hicimos los mandamientos uno y dos por ti. Para ayudarte mira la tabla de los Diez Mandamientos de la página 390.

Querido Dios, ayúdame a que seas lo primero en mi vida.
Querido Dios, ayúdame a decir tu nombre siempre con respeto.
Querido Dios, ______________________ ______________________ ______________________
Querido Dios, ______________________ ______________________ ______________________
Querido Dios, ______________________ ______________________ ______________________

Respond

We need God's help to follow the commandments and live the law of love.

Activities

1. On the lines below, write a prayer of petition for both the fourth and fifth commandments. Then select and write a prayer of petition for another commandment. Commandments one and two have been done for you. Refer to the Ten Commandments chart on page 391 for help.

Dear God, help me to keep you first in my life.
Dear God, help me to always use your name respectfully.
Dear God, ______________________________   ______________________________   ______________________________
Dear God, ______________________________   ______________________________   ______________________________
Dear God, ______________________________   ______________________________   ______________________________

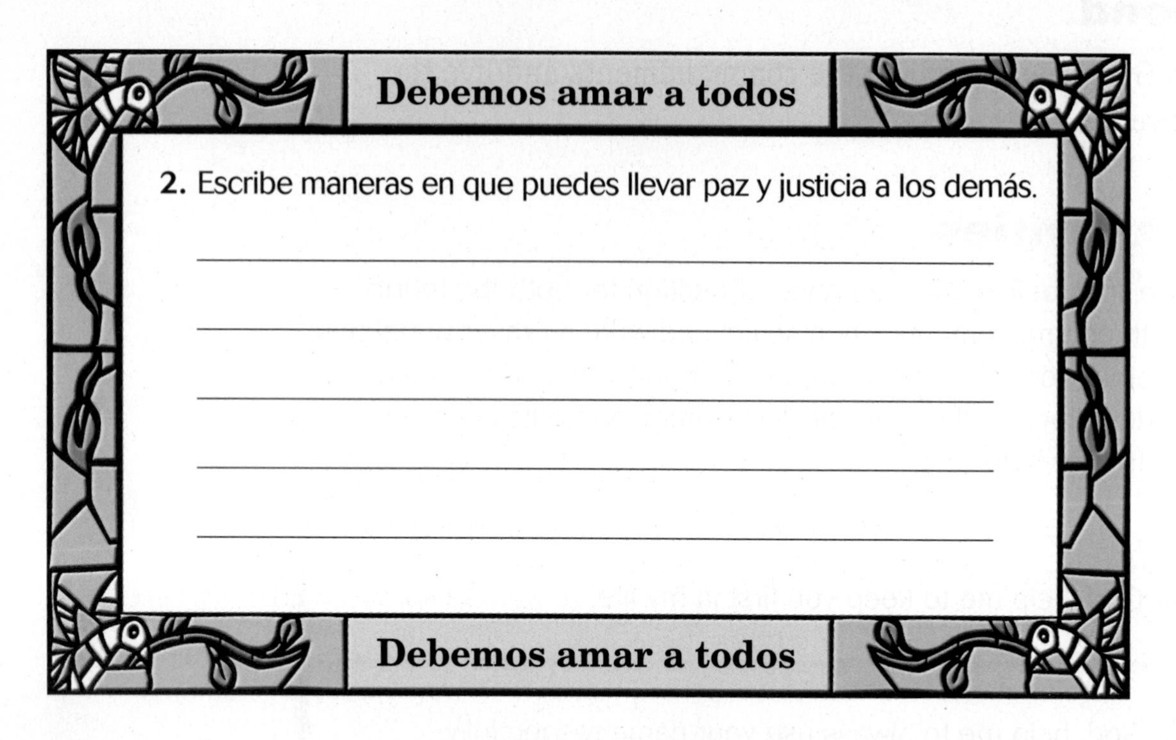

Debemos amar a todos

2. Escribe maneras en que puedes llevar paz y justicia a los demás.

Debemos amar a todos

3. Aprende a decir con señas las siguientes frases del Padre Nuestro. Repasa lo que aprendiste en los Capítulos 4, 8, 12 y 16. ¡Ahora ya sabes rezar todo el Padre Nuestro con lenguaje de señas!

no nos dejes caer en la tentación,

y líbranos del mal. Amén.

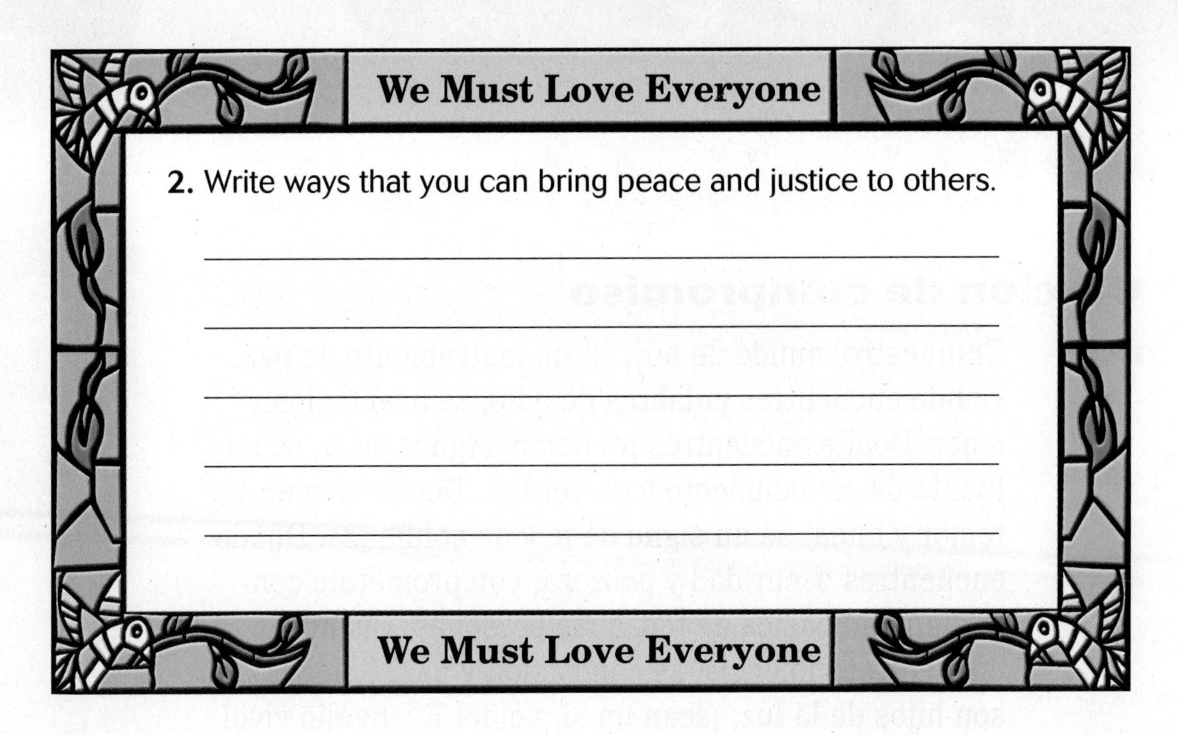

3. Learn to sign the following phrases from the Lord's Prayer. Review what you learned in Chapters 4, 8, 12, and 16. You can now sign all of the Lord's Prayer!

and lead us

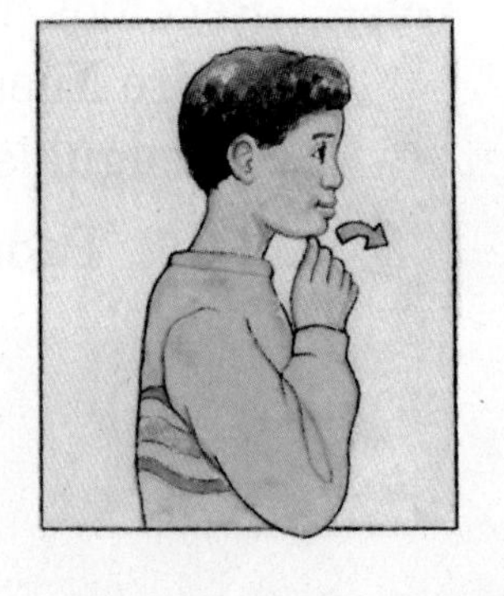
not

into temptation,

but deliver

us

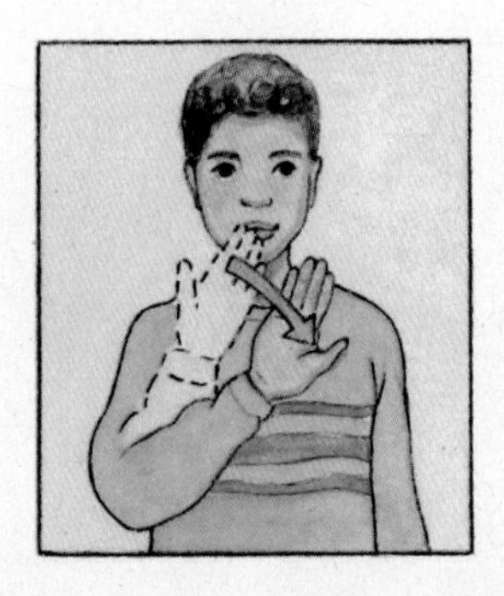
from evil.

Amen.

Celebración de la oración

Oración de compromiso

Líder: En nuestro mundo de hoy, sé un instrumento de paz. Donde encuentres palabras de odio, sé aceptación y amor. Donde encuentres prejuicio e ignorancia, sé una fuente de conocimiento y de verdad. Donde encuentres temor y duda, sé un signo de fe y de confianza. Donde encuentres oscuridad y pobreza, comprométete con la dignidad básica de todas las personas. Cuando encuentres violencia, sé compasión y paz. Ustedes son hijos de la luz; ¡sean un signo del Evangelio vivo!

Todos: Amén.

Basado en la Oración de San Francisco adaptada por el Centro capuchino de ministerios para la juventud y la familia, Garrison, NY

Líder: Recemos juntos el Padre Nuestro usando el lenguaje de señas.

Todos: Padre nuestro…

Prayer Celebration

A Commitment Prayer

Leader: In our world today, be an instrument of peace. Where you find hateful words, be acceptance and love. Where you find prejudice and ignorance, be a source of knowledge and truth. Where you find fear and doubt, be a sign of faith and confidence. Where you find darkness and poverty, be committed to the basic dignity of every person. Where you find violence, be compassion and peace. You are children of the light; be a sign of the living Gospel!

All: Amen.

Based on the Prayer of Saint Francis, adapted by the Capuchin Youth and Family Ministries Center, Garrison, NY

Leader: Together, let us pray the Lord's Prayer, using sign language.

All: Our Father . . .

La fe en acción

La Sociedad del Altar y el Rosario Algunos dicen que la oración es como el aire que respiramos. No siempre la vemos o la oímos, pero es tan importante que, sin ella, no podríamos vivir. Nuestras oraciones, así como las acciones que llevamos a cabo como consecuencia de ellas, pueden cambiar mucho las cosas. La Sociedad del Altar y del Rosario, que sirve en muchas parroquias, se inició hace más de cien años como un grupo devoto principalmente para rezar juntos cada semana todos los misterios del Rosario. Hoy en día, su ministerio incluye a menudo tareas como el cuidado de los manteles del altar, las vestiduras y las velas, y la confección de vestiduras bautismales.

En la vida diaria

Actividad Entrevista a un amigo o una amiga para averiguar cuál le parece que sea uno de los aspectos más importantes que necesita cambiar el mundo en el que vivimos. Pregúntale por qué cosa quiere que la gente rece para mejorar la situación. Toma nota de tu entrevista aquí.

Algo que necesita cambiar: ____________________________________

____

Cómo puede ayudar la oración: __________________________________

____

En tu parroquia

Actividad La oración y la acción van de la mano. Con tus propias palabras, escribe una oración que ayude a apoyar a uno o más de los ministerios sociales en los que participan activamente las personas de tu parroquia.

Mi oración por el ministerio de ________________________________

____

____

____.

The Rosary Altar Society Some people say that prayer is like the air we breathe. We don't always see or hear it, but it is so important that without it, we could not live. Our prayers, as well as the actions we take as a result of our prayers, can make a big difference. The Rosary Altar Society, serving in many parishes, started more than a hundred years ago as a group devoted primarily to praying all the mysteries of the Rosary together every week. Today, their ministry often includes such tasks as caring for altar linens, vestments, and candles and making baptismal garments.

Activity Interview a friend to find out what he or she thinks is one of the most important ways that the world we live in needs to change. Ask what your friend wants people to pray for to help the situation. Take your interview notes below.

Something that needs to change: ______________________________

____

How prayer can help: ______________________________________

____

Activity Prayer and action go hand in hand. Use your own words to write a prayer to help support one or more of the social ministries that people in your parish are actively involved in.

My prayer for the ministry of _________________________________

____

____

____.

DÍAS FESTIVOS Y TIEMPOS

FEASTS AND SEASONS

El año litúrgico

El calendario de la Iglesia se llama año litúrgico. Durante el año litúrgico, celebramos tiempos y fiestas especiales que nos ayudan a recordar momentos importantes de la vida de Jesús. También celebramos fiestas especiales que honran a la Santísima Virgen María y a los santos.

TIEMPO ORDINARIO

La **Semana Santa** empieza el domingo de Pasión y termina con los tres días más sagrados del año litúrgico. A estos tres días los llamamos "Triduo Pascual".

SEMANA SANTA

El año litúrgico empieza con el tiempo de **Adviento**. Durante cuatro semanas nos preparamos para el nacimiento de Jesús. Contamos las cuatro semanas encendiendo las velas de la corona de Adviento.

ADVIENTO

Empieza el año litúrgico.

El **Triduo Pascual** empieza al atardecer del Jueves Santo y termina al atardecer del Domingo de Pascua. Durante estos tres días, recordamos la Última Cena, la muerte de Jesús en la cruz para salvarnos del pecado y su Resurrección de entre los muertos.

Durante el tiempo de **Pascua**, celebramos la Resurrección de nuestro Señor Jesucristo. Este tiempo dura cincuenta días. Es un período de gran alegría.

PASCUA

El tiempo de **Cuaresma** empieza el Miércoles de Ceniza y dura cuarenta días. Durante la Cuaresma nos preparamos para la Pascua, que es la fiesta más importante del año litúrgico. Nos preparamos para la Pascua rezando y haciendo buenas obras.

El **Tiempo Ordinario** tiene dos partes. La primera parte es entre la Navidad y la Cuaresma. La segunda parte es entre la Pascua y el Adviento. Durante el Tiempo Ordinario, aprendemos acerca de la vida y las enseñanzas de Jesús.

CUARESMA

TIEMPO ORDINARIO

El tiempo de **Navidad** empieza con la fiesta de Navidad. El día de Navidad celebramos el nacimiento de Jesús. Agradecemos a Dios, nuestro Padre, por habernos enviado a su único Hijo para que fuera nuestro Salvador.

NAVIDAD

The Liturgical Year

The church year is called the liturgical year. During the liturgical year, we celebrate special seasons and feasts that help us remember important times in the life of Jesus. We also celebrate special feasts that honor the Blessed Virgin Mary and the saints.

ORDINARY TIME

Holy Week begins on Passion Sunday. It ends with the three holiest days of the church year. We call these three days "the Triduum."

HOLY WEEK

The church year begins with the **Advent** season. For four weeks, we prepare for the birth of Jesus. We count the four weeks by lighting the candles on the Advent wreath.

ADVENT

The **Triduum** begins on Holy Thursday evening and ends on Easter Sunday evening. During these three days, we remember the Last Supper, Jesus' death on the cross to save us from sin, and his Resurrection from the dead.

During the **Easter** season, we celebrate the Resurrection of our Lord Jesus Christ. This season lasts for fifty days. It is a time of great joy.

EASTER

The season of **Lent** begins on Ash Wednesday and lasts for forty days. During Lent, we prepare for Easter, which is the greatest feast of the church year. We get ready for Easter by praying and doing good acts.

The season of **Ordinary Time** has two parts. The first part is between Christmas and Lent. The second part is between Easter and Advent. During Ordinary Time, we learn about the life and teachings of Jesus.

LENT

ORDINARY TIME

The **Christmas** season begins with the Feast of Christmas. On Christmas Day, we celebrate the birth of Jesus. We thank God our Father for sending his only Son to be our Savior.

CHRISTMAS

El año litúrgico

La Iglesia nos guía en la celebración de los acontecimientos y las personas importantes de nuestra fe mediante los tiempos y fiestas del año litúrgico. Entre las fiestas especiales del año litúrgico están también los domingos y los días de precepto.

Domingo

El domingo es el día del Señor. El domingo celebramos la Resurrección de nuestro Señor Jesucristo. Es un día tan importante que la Iglesia nos pide que asistamos a Misa. Nos reunimos con nuestra familia y la comunidad de nuestra parroquia para dar gracias a Dios por habernos enviado a su Hijo a salvarnos.

Días de precepto

Los días de precepto son seis días especiales en que honramos a Jesús, a la Santísima Virgen María y a los santos. Como los domingos, estos días santos son tan importantes que la Iglesia nos pide que asistamos a Misa. En los Estados Unidos, la Iglesia celebra los siguientes días de precepto.

La Inmaculada Concepción de la Santísima Virgen María 8 de diciembre	Celebramos que María, la madre de Jesús, fue concebida sin pecado original.
Día de Navidad 25 de diciembre	Celebramos el nacimiento de Jesús, nuestro Salvador.
María, la Madre de Dios 1 de enero	Celebramos que María es la madre de Jesucristo, el Hijo de Dios.
Ascensión del Señor cuarenta días después del Domingo de Pascua	Celebramos el momento en que Jesús, en su cuerpo resucitado, regresó a su Padre en el cielo.
Asunción de la Santísima Virgen María 15 de agosto	Celebramos que María fue llevada en cuerpo y alma a la gloria del cielo. Ella participa plenamente en la Resurrección de Jesús.
Día de Todos los Santos 1 de noviembre	Celebramos a todas las personas que llevaron una vida santa en la tierra y que ahora viven con Dios en el cielo.

The Liturgical Year

The Church guides us in celebrating the great events and people of our faith through the seasons and feasts of the liturgical year. The special feasts of the liturgical year include Sundays and the Holy Days of Obligation.

Sunday

Sunday is the Lord's Day. On Sunday, we celebrate the Resurrection of Our Lord Jesus Christ. Sunday is so important that the Church requires us to attend Mass. We gather with our family and parish community to give thanks to God for sending his Son to save us.

Holy Days of Obligation

The holy days of obligation are six special days when we honor Jesus, the Blessed Virgin Mary, and the saints. Like Sundays, these holy days are so important that the Church requires us to attend Mass. In the United States, the Church celebrates the following holy days of obligation.

The Immaculate Conception of the Blessed Virgin Mary December 8	We celebrate that Mary, the mother of Jesus, was conceived without original sin.
The Nativity of the Lord (Christmas Day) December 25	We celebrate the birth of Jesus, our Savior.
Mary, the Holy Mother of God January 1	We celebrate that Mary is the mother of God's Son, Jesus Christ.
The Ascension of the Lord forty days after Easter Sunday	We celebrate the moment when Jesus, in his resurrected body, returned to his Father in heaven.
The Assumption of the Blessed Virgin Mary August 15	We celebrate that Mary was taken body and soul into the glory of heaven. She fully shares in the Resurrection of Jesus.
All Saints November 1	We celebrate all the people who lived holy lives on earth and who now live with God in heaven.

La Beata Teresa de Calcuta

Juntos, podemos hacer algo hermoso para Dios.

Beata Teresa de Calcuta

Personas que admiramos

La mayoría de nosotros tenemos la suerte de conocer al menos a una persona que admiramos. La palabra *admirar* significa “respetar y valorar mucho”. Esta persona puede ser valiente, amable o paciente. Miramos a esta persona y tratamos de parecernos a él o a ella.

Actividad

Imagina que le estás entregando un premio a alguien que admiras. Nombra a la persona y describe por qué la admiras.

Blessed Teresa of Calcutta

Together, we can do something beautiful for God.

Blessed Teresa of Calcutta

People We Admire

Most of us are fortunate enough to know at least one person whom we admire. The word *admire* means "to have a high regard for." This person may be courageous, kind, or patient. We look at this person and try to be more like him or her.

Activity

Imagine that you are giving an award to someone you admire. Name the person and describe why you admire him or her.

Award of Admiration

merit

____

____

____

____

____

____

Servir a los más pobres entre los pobres

Agnes Gonxha Bojaxhiu nació en Yugoslavia en 1910 y sus padres eran de Albania. Junto a muchas de sus amigas, Agnes pertenecía a un grupo católico para niñas dedicadas a María.

Aun cuando era una adolescente, Agnes supo que Dios la llamaba a servirlo de un modo especial. Con el tiempo entró a una orden irlandesa de religiosas y se ofreció para hacer trabajo misionero en la India. Agnes adoptó el nombre de Teresa como su nombre religioso y enseñó en una escuela secundaria de Calcuta. A la Hermana Teresa le encantaba su vida como religiosa y como profesora. Pero pronto la Hermana Teresa sintió que Dios la llamaba para hacer algo más.

La Hermana Teresa decidió fundar su propia orden de hermanas. Estas hermanas harían el trabajo más duro de todos: cuidar a aquéllos que eran muy pobres y que no tenían a nadie que cuidara de ellos. A la Hermana Teresa se la conoció como la Madre Teresa. Muy pronto su orden creció con miles de mujeres de la India y del mundo que deseaban servir a los más pobres entre los pobres. Las hermanas también cuidaban de los niños que no tenían familias, que estaban enfermos o que habían sido abandonados. Las hermanas amaban a todas estas personas con el mismo amor con que Jesús amó.

La Madre Teresa falleció en 1997, pero su orden, la de las Misioneras de la Caridad, continúa su importante labor alrededor del mundo. La fiesta de la Beata Teresa de Calcuta se celebra el 5 de septiembre.

Beata Teresa de Calcuta, creemos que estás con Dios en el cielo. Reza por nosotros para que veamos a Jesús entre los pobres como tú lo hiciste, y para que lo amemos y cuidemos sirviéndolos a ellos. Amén.

Serving the Poorest of the Poor

Agnes Gonxha Bojaxhiu (boi yah JEE oo) was born in Yugoslavia in 1910 to parents who were from Albania. Along with many of her friends, Agnes belonged to a Catholic group for young girls that was dedicated to Mary.

While she was still a teenager, Agnes knew that God was calling her to serve him in a special way. She eventually joined an Irish order of religious sisters and volunteered to do mission work in India. Agnes took the name Teresa as her religious name and taught high school in Calcutta. Sister Teresa loved her life as a sister and as a teacher. But soon Sister Teresa felt that God was calling her to do more.

Sister Teresa decided to start an order of sisters of her own. These sisters would do the hardest work of all—they would care for those who were very poor and had no one to care for them. Sister Teresa became known as Mother Teresa. Soon her order grew to several thousand women from India and around the world who wanted to serve the poorest of the poor. The sisters also cared for children who had no families, were very ill, or had been neglected. The sisters loved all these people with the same love as Jesus.

In 1997, Mother Teresa died, but her order, the Missionaries of Charity, continues her important work throughout the world. The Feast of Blessed Teresa of Calcutta is celebrated on September 5.

Blessed Teresa of Calcutta, we believe that you are with God in heaven. Pray for us that we may see Jesus in the poor as you did, and love him and care for him in serving them. Amen.

San Martín de Porres

Apártate del mal y haz el bien.

Basado en Salmo 34:15

Burlas a Diana

Ya es casi hora de que suene el timbre. Diana espera que su mamá haya venido a buscarla. No le gusta tomar el autobús escolar porque algunos de los niños que viajan en él se burlan de ella. A veces se burlan de su mochila. Otras veces se ríen de su ropa o de la forma en que está peinada ese día. Para Diana es el peor momento del día de escuela.

Suena el timbre. El señor Patterson despide a los estudiantes de su salón. Diana es la primera en salir. Hoy su madre no la está esperando. Diana se dirige muy despacio al autobús escolar.

Actividad

Imagina que vas en el autobús de Diana. ¿Cómo actuarías con ella? ¿Qué harías o qué dirías?

____

____

____

____

____

____

____

Saint Martin de Porres

Turn from evil, and do good.

Based on Psalm 34:15

Teasing Diana

It is almost time for the bell to ring. Diana hopes her mom will be waiting outside the school for her. Diana doesn't like taking the school bus because some of the kids on the bus tease her. Sometimes they tease her about her backpack. Other times they make fun of her clothes or the way she's wearing her hair that day. It is the worst time of the school day for Diana.

The bell rings. Mr. Patterson dismisses the students from his homeroom. Diana is the first student out the door. Her mother isn't waiting for her today. Slowly Diana turns toward the school bus.

Activity

Imagine that you are riding on Diana's school bus. How will you act toward her? What will you do or say?

____

____

____

____

____

____

____

Un santo de compasión

Martín de Porres nació en Lima, Perú, en 1579. En su pueblo no lo aceptaban porque era hijo de un hombre español y una mujer negra liberada de la esclavitud. La gente se reía de él. Se burlaba de él. Lo insultaba.

En su adolescencia, Martín fue ayudante de un hombre que era farmacéutico, médico y cirujano. En seguida se dio cuenta de que, con las destrezas que aprendía, podía ayudar a los demás. Quería hacer más cosas por las personas que sufrían, así que decidió unirse a los Dominicos. Los Dominicos son una orden de sacerdotes y hermanos que trabajan con los pobres, los enfermos y los que necesitan educación. Martín les preguntó si podían tomarlo como ayudante. Pero pronto los sacerdotes y hermanos reconocieron en él a un hombre santo que tenía muchos dones para ofrecer a su orden y a los pobres de Perú. Le pidieron que fuera un hermano laico y Martín aceptó entusiasmado. Esta oportunidad era más de lo que siempre había esperado.

Martín pasó gran parte de su tiempo cuidando a enfermos y a heridos. Trabajó con los pobres y pasó muchas noches de oración y ayuno.

Debido a que él mismo había padecido la crueldad de los demás, podía darse cuenta cuando alguien estaba triste. Martín pasó su vida ocupándose con compasión y amor de los que sufrían.

El día de San Martín de Porres se celebra el 3 de noviembre.

San Martín de Porres, podemos aprender de ti lo que significa ser dulces y generosos con todas las personas. Ruega con nosotros por los que sufren en este día. Amén.

A Saint of Compassion

Martin de Porres was born in Lima, Peru in 1579. Martin was not accepted in his town because he was a child of a man from Spain and a black woman freed from slavery. People made fun of him. They teased him. They called him names.

When Martin was a teenager, he became an assistant to a man who was a pharmacist, doctor, and surgeon. Martin soon learned to help others with the skills he learned. He wanted to do more for people who were hurting, so he decided to join the Dominicans. The Dominicans are an order of priests and brothers who work with the poor, the sick, and those who need schooling. Martin asked if they would take him in as a helper. But the priests and brothers soon recognized that Martin was a holy man who had many gifts to offer their order and the poor of Peru. They asked Martin to be a lay brother. Martin eagerly agreed. This opportunity was more than he had ever hoped for.

Martin spent much of his time tending to the sick and injured. He worked with the poor and spent many nights praying and fasting.

Because Martin suffered from the cruelty of others, he could see when people were sad. Martin spent his life caring for those who were hurting, with compassion and love.

The Feast of Saint Martin de Porres is celebrated on November 3.

Saint Martin de Porres, we can learn from you what it means to be gentle and kind to all people. Pray with us for those who are hurting this day. Amen.

Nuestra Señora de la Medalla Milagrosa

Oh, María, sin pecado concebida, ruega por nosotros.

Basado en la oración a Nuestra Señora de la Medalla Milagrosa

Por qué los católicos usan medallas

La Medalla Milagrosa es una de las medallas más comunes que usan los católicos. Sin embargo, hay otras. La mayoría tienen imágenes de santos. ¿Por qué los católicos usan medallas? Para recordar a las personas santas, como María y los santos, que pueden ayudarnos y rezar por nosotros. Al pensar en María y en las otras personas santas, recordamos lo que significa llevar una vida buena.

Actividad

Diseña tu propia medalla religiosa. Haz un dibujo o escribe una oración en el espacio provisto. Luego escribe una frase que diga por qué elegiste esta imagen o esta oración. Comparte tu medalla y tu respuesta con un compañero.

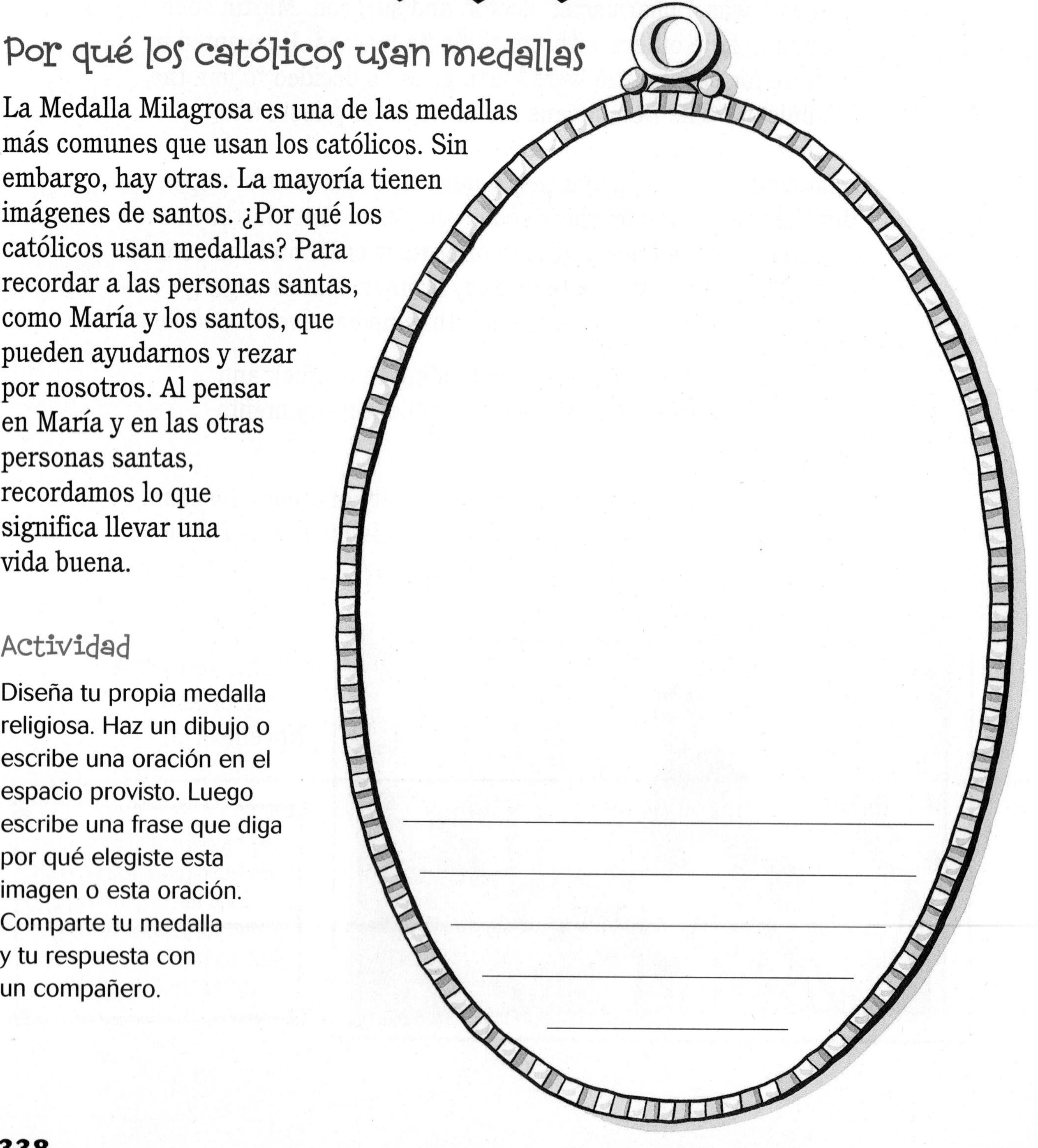

Our Lady of the Miraculous Medal

O Mary, conceived without sin, pray for us.

Based on the Prayer to Our Lady of the Miraculous Medal

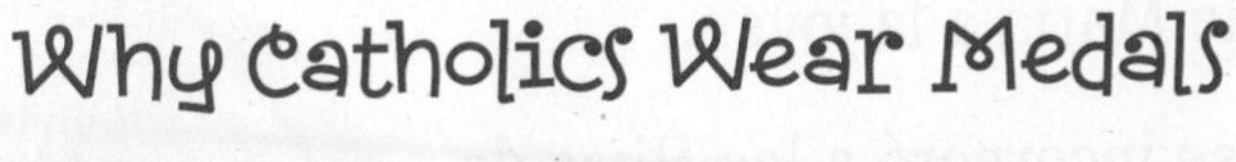

Why Catholics Wear Medals

The Miraculous Medal is one of the most common medals that Catholics wear. But there are others. Most have images of saints on them. Why do Catholics wear medals? To remind us of the holy people, such as Mary and the saints, who can help us and pray for us. When we think of Mary and other holy people, we are reminded what it means to lead good lives.

Activity

Design your own religious medal. Draw a picture or write a prayer in the space provided. Then write a sentence about why you chose this image or prayer. Share your medal and response with a partner.

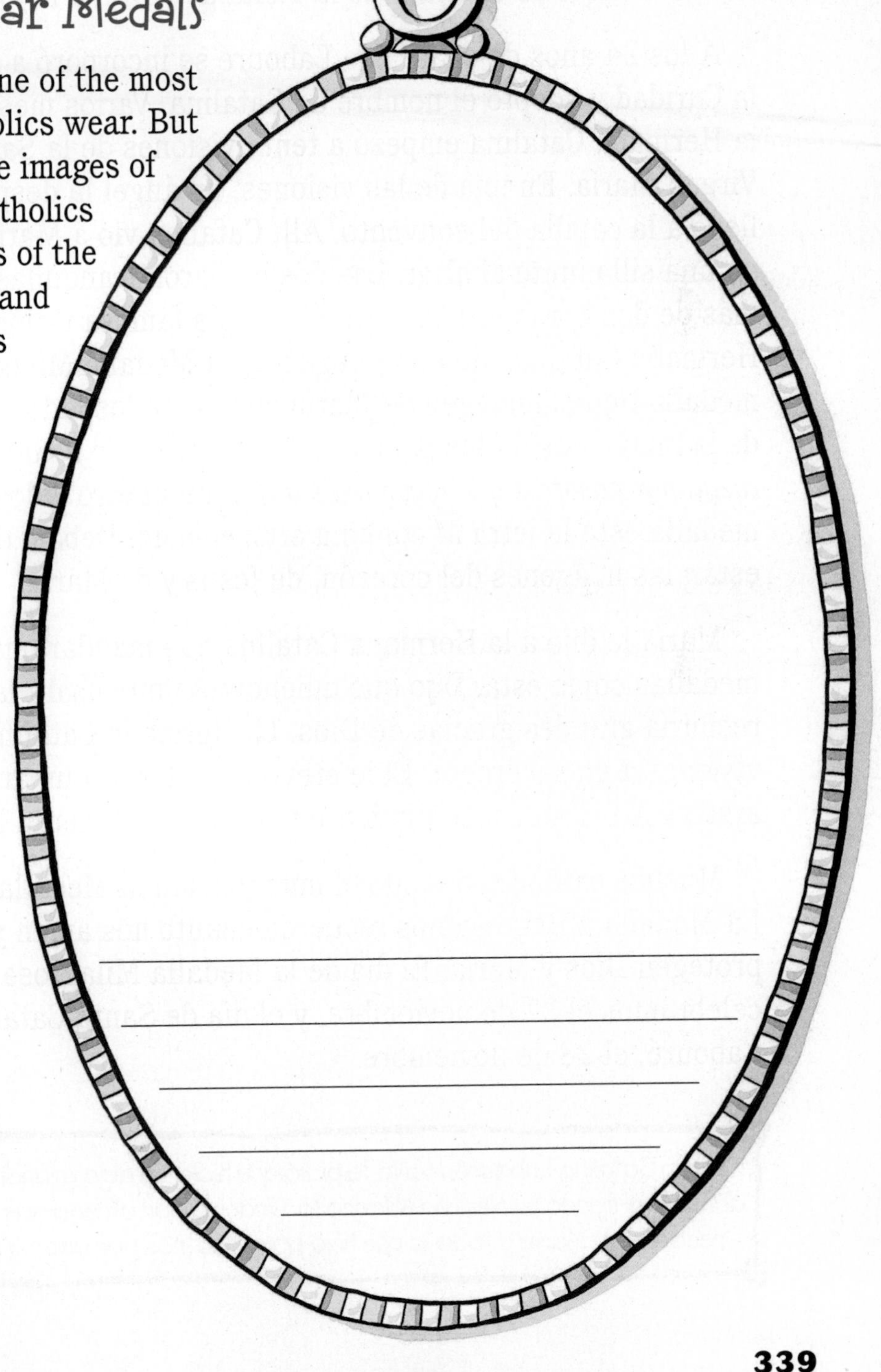

Un recordatorio del amor y la protección de María

La Santísima Virgen María es la madre de Jesús, nuestro Salvador. También es madre nuestra. A veces, Dios envía a María para darnos un mensaje. A estas visitas especiales de María las llamamos *apariciones* o visiones. En 1831, Dios envió a María a que le diera un mensaje especial a una joven monja francesa. Éste es el relato de la visita de María a la joven.

A los 24 años de edad, Zoe Labouré se incorporó a las Hijas de la Caridad y adoptó el nombre de Catalina. Varios meses después, la Hermana Catalina empezó a tener visiones de la Santísima Virgen María. En una de las visiones, un ángel la despertó y la llevó a la capilla del convento. Allí Catalina vio a María sentada en una silla junto al altar. Las dos hablaron tranquilas durante más de dos horas. En la siguiente y más famosa visión, la Hermana Catalina vio una imagen de la Medalla Milagrosa. Esta medalla tiene la imagen de María en uno de los lados. Alrededor de la imagen están las palabras: "*Oh, María, sin pecado concebida, ruega por nosotros que recurrimos a ti*". En el otro lado de la medalla está la letra *M* con una cruz encima. Debajo de la *M* están las imágenes del corazón, de Jesús y de María.

María le dijo a la Hermana Catalina que mandara hacer muchas medallas como ésta. Dijo que quienquiera que usara la medalla recibiría grandes gracias de Dios. La Hermana Catalina contó sus visiones a un sacerdote. Él le creyó y fue a ver a un arzobispo. El arzobispo dio su consentimiento para que se hicieran las medallas.

Muchos católicos de todo el mundo usan la Medalla Milagrosa. La Medalla Milagrosa nos recuerda cuánto nos aman y nos protegen Dios y María. El día de la Medalla Milagrosa lo celebramos el 27 de noviembre, y el día de Santa Catalina Labouré, el 28 de noviembre.

Santa Catalina Labouré, María te pidió que hicieras algo grandioso por ella dándole al mundo su Medalla Milagrosa. Gracias por ofrecernos una forma de recordar a María y todo lo que hizo por nosotros por amor a Jesús. Amén.

A Reminder of Mary's Love and Protection

The Blessed Virgin Mary is the mother of Jesus, our Savior. She is our mother, too. Sometimes, God sends Mary to give us a message. We call these special visits from Mary *apparitions* or visions. In 1831, God sent Mary to give a special message to a young French nun. Here is the story of Mary's visit to the young woman.

At the age of 24, Zoe Labouré joined the Daughters of Charity and took the name Catherine. Several months later, Sister Catherine began to have visions of the Blessed Virgin Mary. In one vision, an angel woke Sister Catherine and led her to the convent chapel. There she saw Mary sitting in a chair by the altar. They quietly spoke together for more than two hours. In the next and most famous vision, Sister Catherine saw an image of the Miraculous Medal. This medal has the image of Mary on one side. Around the image are the words *"O Mary, conceived without sin, pray for us who have recourse to thee."* On the other side of the medal is the letter *M* with a cross above it. Below the *M* are images of the hearts of Jesus and Mary.

Mary told Sister Catherine to have many medals like this made. She said that whoever wore the medal would receive great graces from God. Sister Catherine told a priest about her visions. The priest believed Sister Catherine and went to see the archbishop. The archbishop gave his permission to have the medals made.

Many Catholics throughout the world wear the Miraculous Medal. The Miraculous Medal reminds us of how much God and Mary love us and protect us. We celebrate the Feast of the Miraculous Medal on November 27. On November 28, we celebrate the Feast of Saint Catherine Labouré.

Saint Catherine Labouré, Mary asked you to do something great for her by giving the world her Miraculous Medal. Thank you for giving us a way to remember Mary and all that she did for us for Jesus' sake. Amen.

El Adviento

¡Miren! Ahí está el Cordero de Dios, que ha venido a quitarnos nuestros pecados.

Basado en Juan 1:29

¿Quién eres tú, Mike?

Me llamo Adam y estoy en cuarto grado. Vivo en Illinois con mi mamá y mis tres hermanas. Mi hermano, Mike, está casado y vive con su esposa y su bebé en el pueblo vecino al nuestro.

Cuando mi hermano vivía con nosotros, yo creía que lo conocía muy bien. Mike es todo para mí. Es un papá, un hermano grande y mi mejor amigo.

Cuando Mike entró en la Marina, yo siempre esperaba sus cartas. Y cuando recibía una, la leía lenta y cuidadosamente porque me mostraba otro aspecto de mi hermano del que yo no sabía nada. ¡Este Mike era muy inteligente y sabio, lleno de vida y muy divertido!

Cuando lo observo cuidar a Andrew, su hijo, veo otro aspecto más de él. Es tierno y amoroso, afectuoso y dulce. Mike es probablemente el papá más orgulloso del mundo.

Aun cuando te parece que conoces a alguien, esa persona puede sorprenderte. Sin duda Mike me sorprendía y ¡aún lo hace!

Actividad

El relato de Adam nos muestra que podemos llegar a conocer a alguien de diferentes maneras. Habla acerca de las diferentes maneras en que hayas llegado a conocer a alguien.

____

____

____

____

Advent

Look! There is the Lamb of God, who has come to take away our sins.

Based on John 1:29

Who Are You, Mike?

My name is Adam and I'm in fourth grade. I live in Illinois with my mom and my three sisters. My brother, Mike, is married and lives with his wife and their new baby in the next town.

I thought I knew my brother pretty well when he lived with us at home. Mike is everything to me. He is a dad, a big brother, and my best friend.

When Mike joined the Navy, I was always hoping for a letter from him. When I did receive a letter, I would read it slowly and carefully because it showed me another side of my brother that I didn't know anything about. This Mike was so intelligent and wise, so full of life, and very funny!

When I watch Mike care for his son, Andrew, I see yet another side of Mike. He is gentle and loving, caring and tender. Mike is probably the proudest dad in the world.

Just when you think you know someone, he or she can surprise you. Mike sure did surprise me—and he still does!

Activity

Adam's story shows us how we can come to know someone in different ways. Tell about the different ways you have come to know someone.

____

____

____

____

Las tres venidas de Jesús

El Adviento es la época en que la Iglesia nos ayuda a prepararnos para encontrar a Jesús de tres formas. Sabemos que en la Navidad recordamos y celebramos la venida de Jesús a Belén hace más de 2000 años. Esta venida de Jesús a nuestra vida marca la *historia*.

Pero Jesús sigue viniendo a nosotros todos los días. Ya no viene como un bebé nacido de María y José. La venida de Jesús a nuestra vida cada día se llama *misterio*, porque no se puede comprender del todo. A Jesús podemos encontrarlo en nuestra familia, en nuestros amigos o en las demás personas que muestran preocupación por nosotros. Lo podemos reconocer cuando vemos a los pobres, a los que sufren, a los enfermos o a los desahuciados.

Antes de regresar al cielo con su Padre, Jesús prometió volver a la tierra como nuestro Rey. A esa venida de Jesús al final de los tiempos la llamamos *majestad*. Ese día Jesús reinará sobre el reino de Dios en la tierra. El reino de Dios será un reino de paz y de justicia, de abundancia y de alegría.

El Adviento nos brinda cuatro semanas para prepararnos para recordar, celebrar y esperar ansiosos la venida de Jesús en la historia, el misterio y la majestad.

Jesús, ven a nosotros cada día. Ayúdanos a prepararnos para recibirte como nuestro Rey en la plenitud del reino de Dios. Ayúdanos a que te reconozcamos los unos en los otros. Amén.

The Three Comings of Jesus

Advent is the time the Church uses to help us prepare to meet Jesus in three ways. We know that on Christmas we remember and celebrate Jesus' coming in Bethlehem more than 2,000 years ago. We call this coming into our lives Jesus' coming in *history*.

Jesus continues to come to us each day. He no longer comes as a baby born to Mary and Joseph. Jesus' coming into our lives each day is called *mystery* because it cannot be completely understood. We can meet Jesus in our families, in our friends, or in other people who show that they care about us. We can recognize him when we see those who are poor, hurting, ill, or without hope.

Before Jesus returned to his Father in heaven, he promised to return to earth as our King. We call that coming of Jesus at the end of time *majesty*. On that day, Jesus will reign over God's kingdom on earth. God's kingdom will be a kingdom of peace and justice, abundance and joy.

Advent gives us four weeks to prepare to remember, celebrate, and look forward to Jesus' comings in history, mystery, and majesty.

Jesus, come to us each day. Help us prepare to welcome you as our King in the fullness of God's kingdom. Help us to recognize you in one another. Amen.

La Navidad

La Palabra de Dios se volvió humana e hizo su hogar entre nosotros.

Basado en Juan 1:14

La venida de Jesús

El día de Navidad y todo el tiempo de Navidad son una época de gran alegría en nuestra Iglesia. Son un momento para recordar, creer y celebrar.

Actividad

Escribe algo que recuerdes, que creas y que celebres de Jesús, en cada adorno.

Recuerdo ______

______

______

______

______

______

Creo ______

______

______

______

______

______

Celebro ______

______

______

______

______

______

Christmas

The Word of God became human and made his home among us.

Based on John 1:14

The Coming of Jesus

Christmas Day and the entire Christmas season is a time of great joy in our Church. It is a time to remember, believe, and celebrate.

Activity

In each ornament, write one thing you remember, believe, and celebrate about Jesus.

I remember ________

____

____

____

____

____

I believe ________

____

____

____

____

____

I celebrate ________

____

____

____

____

____

La Navidad: Un momento para recordar, creer y celebrar

La Navidad es un momento para recordar. Recordamos que Dios cumplió su promesa de enviar un Salvador. Recordamos que Dios nos amaba tanto que envió a su propio Hijo ¡para que fuera ese Salvador! Y recordamos que Jesús es la Luz del Mundo cuando encendemos las velas navideñas, las luces de nuestro árbol de Navidad, las luces de las ventanas y demás luminarias.

La Navidad es un momento para creer. Creemos que Jesús es el Hijo de Dios y la Segunda Persona de la Santísima Trinidad. Creemos que nació, vivió entre nosotros y murió en una cruz. Y creemos que resucitó y que comparte la nueva vida con nosotros.

La Navidad es un tiempo para celebrar todo lo que recordamos y creemos de Jesús. En la Misa, la comunidad de nuestra parroquia canta a su nacimiento, le reza ante el pesebre y escucha lo que dice la Sagrada Escritura de este niño especial. Es un pequeñito que necesita a María, su madre, y a José, su padre adoptivo, para que lo cuiden. Sin embargo, a este niño indefenso el ángel lo llama Hijo del Altísimo, los pastores alaban a Dios por su nacimiento y los Reyes Magos viajan desde Oriente para honrarlo. Por medio de la celebración eucarística, la comunidad se une en la alegría. Damos gracias y alabamos a Dios por enviarnos a Jesús, el Salvador del Mundo.

Jesús,
ayúdanos a recordar siempre tu gran amor por nosotros. Creemos que eres el enviado de Dios. Permanece con nosotros en todas nuestras celebraciones de Navidad. Amén.

Christmas: A Time to Remember, Believe, and Celebrate

Christmas is a time to remember. We remember that God kept his promise to send a Savior. We remember that God loved us so much that he sent his own Son to be that Savior! And we remember that Jesus is the Light of the World when we use Christmas candles, lights on our Christmas trees, window lights, and luminaries.

Christmas is a time to believe. We believe that Jesus is God's Son and the Second Person of the Holy Trinity. We believe that he was born, lived among us, and died on a cross. And we believe that he rose again and shares new life with us.

Christmas is a time to celebrate all that we remember and believe about Jesus. At Mass, our parish community sings of his birth, prays to him at the crèche, and hears about this special child in Scripture. Here is a tiny infant who needs Mary, his mother, and Joseph, his foster father, to care for him. Yet the angel calls this helpless child the Son of the Most High, the shepherds praise God for his birth, and the Magi travel from the East to honor him. Through the eucharistic celebration, the community unites in joy. We thank and praise God for sending us Jesus, the Savior of the World.

Jesus,
help us always to
remember your great love
for us. We believe that you
are the one sent to us by
God. Be with us in all our
Christmas celebrations.
Amen.

La Cuaresma y el recuerdo de la cruz

Se llevaron a Jesús y él, cargando una pesada cruz, fue hasta el lugar donde lo iban a crucificar.

Basado en Juan 19:16–17

Recuérdame

La familia Jenkins y la familia Arturo vivieron la una al lado de la otra durante muchos años. Cuando el señor Arturo recibió una gran promoción en su empresa, él y su familia tuvieron que mudarse lejos, a Denver, Colorado.

"Ahora este vecindario ya no será el mismo", dijo Kelly a Ramona, su mejor amiga.

Ramona no podía imaginarse sin Kelly en la casa junto a la suya. Pero Ramona trató de que Kelly se sintiera mejor. "Yo nunca te olvidaré, Kelly. ¡Seremos amigas toda la vida!"

Actividad

Anota algunas cosas que Kelly y Ramona pueden hacer para permanecer en contacto y recordarse una a otra.

Lent: Remembering the Cross

Jesus was led away, and, carrying a heavy cross, went to the place where he was to be crucified.

Based on John 19:16–17

Remember Me

The Jenkins family and the Arturo family lived next door to each other for several years. When Mr. Arturo received a big promotion at his company, he and his family had to move across the country to Denver, Colorado.

"It just won't be the same in this neighborhood now," Kelly said to her best friend, Ramona.

Ramona couldn't imagine not having Kelly right next door to her. But Ramona tried to make Kelly feel better. "I'll never forget you, Kelly. We'll be friends for life!"

Activity

List some things Kelly and Ramona can do to stay in touch and remember each other.

El Vía Crucis

Nuestra Iglesia quiere recordar siempre el gran sacrificio que hizo Jesús con su sufrimiento y muerte en una cruz. Una manera en que nuestra Iglesia recuerda el amor de Jesús por nosotros es evocar su recorrido hasta el Calvario. El Calvario es el monte donde murió Jesús. A esta devoción especial la llamamos Vía Crucis o las Estaciones de la Cruz. A veces los cristianos vamos a Tierra Santa, Israel, y de hecho caminamos por la misma senda que recorrió Jesús. Normalmente recordamos el recorrido reflexionando y rezando en cada estación.

No hay una manera específica de rezar esta devoción tradicional de la Cuaresma. A veces el sacerdote, el diácono o los ministros laicos guían al grupo de una estación a otra dentro de la iglesia parroquial o afuera, en los jardines de la parroquia. En cada estación recordamos lo que ocurrió en ese momento del recorrido de Jesús hacia el Calvario. A continuación hacemos una pausa corta y nos tomamos un tiempo para rezar en silencio y luego cantamos un himno acerca del recorrido de Jesús hasta el Calvario.

Con frecuencia se agrega una estación más a las catorce primeras. Esta decimoquinta estación nos dice brevemente que la historia de Jesús no terminó con su muerte en la cruz. La decimoquinta estación nos dice que Jesús resucitó de entre los muertos. Felices recordamos que el sacrificio de Jesús acabó en una nueva vida para Él y para todos sus seguidores.

Jesús, a través de tu sufrimiento, muerte y Resurrección, obtuviste nueva vida para nosotros. Ayúdanos a que recordemos siempre tu gran amor por todas las personas. Amén.

The Way of the Cross

Our Church wants to remember always the great sacrifice that Jesus made for us through his suffering and death on a cross. One way our Church remembers Jesus' love for us is by recalling his journey to Calvary. Calvary is the hill where Jesus died. We call this special devotion the Way of the Cross or the Stations of the Cross. Sometimes Christians visit the Holy Land, Israel, and actually walk the same path as Jesus. Usually we recall the journey by reflecting and praying at each station.

There is no one way to pray this traditional Lenten devotion. Sometimes the priest, deacon, or lay minister leads the group from station to station inside the parish church, or outside on the parish grounds. At each station, we recall what took place at that station in Jesus' journey to Calvary. Next we pause briefly and allow time for silent prayer and then sing a hymn about Jesus' journey to Calvary.

Often an extra station of the cross is added to the first fourteen. This fifteenth station tells our belief that Jesus' story didn't end with his death on a cross. The fifteenth station tells us that Jesus rose from the dead. We remember with joy that Jesus' sacrifice ended in new life for him and for all his followers.

Jesus, through your suffering, death, and Resurrection, you won new life for us. Help us always to remember your great love for all people. Amen.

Tres días de Semana Santa

José de Arimatea bajó el cuerpo de Jesús de la cruz, lo envolvió en una sábana y lo depositó en un sepulcro.

Basado en Lucas 23:53

El Triduo Pascual

Los tres días comprendidos entre el Jueves Santo y el Domingo de Pascua son el momento de celebración más importante de la Iglesia Católica. Estos tres días se llaman Triduo Pascual. La palabra triduo viene del latín y significa "tres días".

Actividad

¿Cuánto sabes acerca de estos tres días especiales? Une los datos de la siguiente lista con cada día del Triduo Pascual.

Recordamos que Jesús murió en la cruz.

el primer día

La Eucaristía no se consagra.

Jueves Santo

el tercer día

Celebramos la Vigilia Pascual.

Viernes Santo

el segundo día

Celebramos la Resurrección de Jesús.

Sábado Santo

Celebramos la Misa de la Cena del Señor.

Three Holy Days

Joseph of Arimathea took Jesus' body down from the cross, wrapped him in a burial cloth, and laid him in a tomb.

Based on Luke 23:53

The Triduum

The three days between Holy Thursday and Easter Sunday are the most important time of celebration in the Catholic Church. These three days are called the Triduum (TRIH doo uhm). This is a Latin word that means "three days."

Activity

How much do you know about these three special days? Connect the facts listed below with each day of the Triduum.

		We remember that Jesus died on the cross.
the first day		**The Eucharist is not consecrated.**
the third day	**Holy Thursday**	**We celebrate the Easter Vigil.**
the second day	**Good Friday**	
We celebrate the Mass of the Lord's Supper.	**Holy Saturday**	**We celebrate Jesus' Resurrection.**

Celebramos el Triduo Pascual

El Triduo Pascual se ha celebrado durante siglos, desde los primeros días de la Iglesia. Estos tres días celebran la Pasión, la muerte y la Resurrección de Jesús.

El primer día del Triduo Pascual empieza al atardecer del Jueves Santo. Esto es porque en la antigüedad el día empezaba con la puesta del sol, y no al amanecer ni a medianoche. Por lo tanto, el primer día empieza con la celebración de la Misa de la Cena del Señor. Recordamos y damos gracias porque Jesús se regala a sí mismo en la Eucaristía.

Lavado de pies el Jueves Santo

El segundo día, recordamos cómo murió Jesús en la cruz. El Viernes Santo nos reunimos como comunidad, pero no se consagra la Eucaristía. Es el único día del año en que los católicos recibimos la Comunión que se ha consagrado el día anterior.

Veneración de la cruz el Viernes Santo

El tercer día nos alegramos de que Jesús ha resucitado de entre los muertos y ya no está en el sepulcro. Celebramos la Vigilia Pascual al atardecer del Sábado Santo. El Domingo de Pascua recordamos que la noche anterior empezó la Pascua y continuamos nuestra celebración de alegría. Estamos felices porque nuestros pecados han sido perdonados y porque como cristianos participamos en la nueva vida que Cristo obtuvo para nosotros.

Jesús, tú diste la vida por nosotros en la cruz. Ahora estás a la derecha de Dios, Padre nuestro. Recuérdanos, guíanos y cuídanos. Amén.

Bendición del fuego y encendido del cirio el Sábado Santo

Celebrating the Triduum

The Triduum has been celebrated for centuries, since the days of the early Church. These three days celebrate Jesus' Passion, death, and Resurrection.

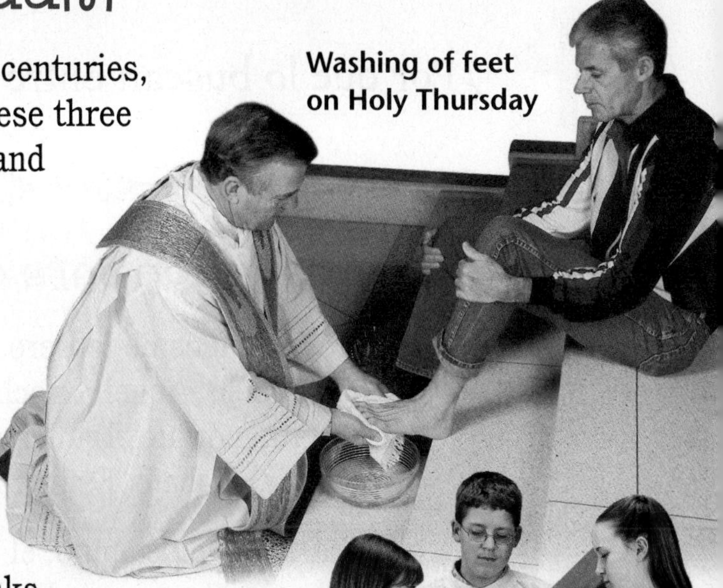

The first day of the Triduum begins on the evening of Holy Thursday. This is because in ancient times the beginning of the day was when the sun set, not dawn or midnight. So the first day begins with our celebration of the Mass of the Lord's Supper. We recall and give thanks for Jesus' gift of himself in the Eucharist.

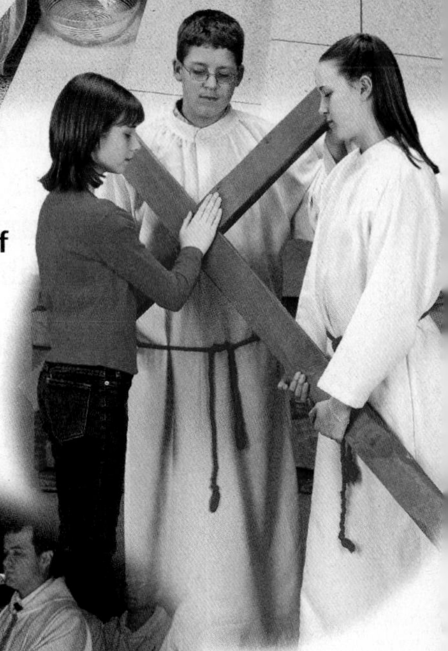

On the second day, we remember how Jesus died on the cross. We gather together as a community, but the Eucharist is not consecrated on Good Friday. This is the only day in the year when Catholics receive Communion that has been consecrated on the day before.

On the third day, we rejoice that Jesus has been raised from the dead and is no longer in the tomb. We celebrate the Easter Vigil on Holy Saturday evening. On Easter Sunday we remember that Easter began the night before and we continue our celebration of joy. We are glad that our sins have been forgiven and that as Christians we share in the new life won for us by Christ.

Washing of feet on Holy Thursday

Veneration of the cross on Good Friday

Blessing of the fire and lighting of the candle on Holy Saturday

Jesus, you gave up your life for us on the cross. Now you are at the right hand of God, our Father. Remember us, lead us, and care for us. Amen.

Pascua

¿Por qué lo buscan entre los muertos? ¡Está vivo!

Basado en Lucas 24:5–6

Una razón para celebrar

Era mediados de febrero. El tiempo se había vuelto muy frío y había hielo. Aquella noche Alicia trabajó un turno más en el hospital porque algunas de las enfermeras de relevo no pudieron llegar al trabajo. Estaba muy cansada cuando salió para su casa.

A mitad de camino, el automóvil de Alicia patinó, se salió de la carretera y quedó clavado en una cuneta. Bien abrigada, Alicia trató de mantenerse caliente. Esperaba que la ayuda llegara pronto, pero jamás una noche le había parecido tan horrible ni tan larga.

Cinco horas después, un oficial de la policía estatal vio el automóvil de Alicia en la cuneta. La ayudó a subir al patrullero, puso la calefacción al máximo y le dio un vaso con café caliente de su termo. Alicia estaba muy agradecida.

Después de que llegara un camión remolque y sacara el automóvil de la cuneta, Alicia pudo seguir su camino a casa. Cuando Ted, su esposo, la vio llegar, salió corriendo a su encuentro. La ayudó a entrar enseguida y juntos compartieron un desayuno calentito. Tenían la mejor razón de todas para celebrar: Alicia estaba a salvo después de una experiencia muy peligrosa.

Actividad

Piensa en la mejor razón que hayas tenido para celebrar. Descríbela aquí.

____

____

____

Easter

Why do you look for him among the dead? He is alive!

Based on Luke 24:5–6

A Reason to Celebrate

It was mid-February. The weather had turned very cold and icy. Alicia worked an extra shift at the hospital that night because some of the relief nurses couldn't make it into work. She was very tired when she started for home.

When Alicia was halfway home, her car slid off the road and was stuck in a ditch. All bundled up, Alicia tried to keep warm. She hoped help would come soon, but the night had never seemed so scary or long.

Five hours later, a state police officer spotted Alicia's car in the ditch. He helped Alicia into his patrol car, put the heat on high, and gave her a cup of hot coffee from his thermos. Alicia was so grateful.

After a tow truck came and towed Alicia's car out of the ditch, Alicia drove the rest of the way home. When her husband, Ted, saw her pulling into the driveway, he rushed outside to meet her. Ted hurried Alicia into the house, and together they shared a hot breakfast. They had the best reason of all to celebrate—Alicia was safe after a very dangerous time.

Activity

Think about the best reason you ever had to celebrate. Describe it here.

___

___

___

La celebración más importante de la Iglesia

Es momento de apartar nuestras tristezas. Es momento de celebraciones de felicidad y de vida nueva. ¡Ha llegado la Pascua!

Cuando entramos en nuestra iglesia parroquial el Domingo de Pascua, sabemos que ha sucedido algo maravilloso. Los colores son vivos y hermosos. Las canciones son alegres y están llenas de alabanzas. Tenemos agua nueva para bendecir y bautizar, y un fuego nuevo para recordarnos a Jesús, la Luz del Mundo. El cirio Pascual es nuevo y nos recordará el gozo de la Pascua cuando lo enciendan cada domingo. Lo encenderán también en cada bautismo que se celebre, para que lleve la vida nueva de Jesús a cada nuevo cristiano.

En la Misa del Domingo de Pascua, nos asperjan con el agua que se bendijo la noche anterior en la Vigilia Pascual. El agua bendita nos recuerda que cada uno de nosotros es una creación nueva; nuestra antigua vida ha desaparecido y somos nuevos en Cristo, nuestro Salvador. Volvemos a usar la palabra de alabanza y agradecimiento de la Iglesia: "¡Aleluya!". Rezamos y cantamos: "¡Aleluya! ¡Jesús ha resucitado! ¡Viviremos por siempre!".

Jesús Resucitado, ven a nuestro corazón este tiempo de Pascua. Tú eres la razón de que celebremos todas las bendiciones de nuestra vida, especialmente el don de la nueva vida que recibimos en el Bautismo. Amén.

The Church's Greatest Celebration

It is time to put away our sadness. It is time for celebrations of joy and new life. Easter has come!

We know that something wonderful has happened when we walk into our parish church on Easter Sunday. The colors are bright and beautiful. The songs are happy and filled with praise. We have new water for blessing and baptizing and a new fire to remind us of Jesus, the Light of the World. The Paschal candle is new and will remind us of Easter joy as it is lit each Sunday. It will also be lit at each baptism that is celebrated, bringing the new life of Jesus to each new Christian.

At Mass on Easter Sunday, we are sprinkled with the water that was blessed the night before at the Easter Vigil. The blest water reminds us that we are each a new creation—our old lives have passed away and we are new in Christ, our Savior. We use again the Church's word of praise and thanks—*Alleluia*! We pray and sing, "Alleluia! Jesus is risen! We will live forever!"

Risen Jesus,
come into our hearts this Easter season. You are the reason we celebrate all the blessings in our lives, especially the gift of new life we received at Baptism.
Amen.

La Asunción de la Santísima Virgen María

"Yo soy la servidora del Señor. Haré lo que Dios me pide que haga."

Basado en Lucas 1:26–38

María, la Madre de Dios

María es importante porque es la Madre de Dios. Es un buen ejemplo para nosotros, porque ella eligió obedecer a Dios. Los católicos han recordado siempre el papel especial de María en nuestra Iglesia.

Actividad

Una de las formas en que recordamos a María es usando símbolos. Toma los tres símbolos de María como ejemplo y crea tu propio símbolo. Después colorea los cuatro para hacer un cartel que honre a María.

el sol y la luna, de una visión de María del Apocalipsis

lágrimas, por la tristeza que María experimentó

una azucena, que significa pureza

The Assumption of the Blessed Virgin Mary

"I am God's servant. I will do what God asks me to do."

Based on Luke 1:26–38

Mary, the Mother of God

Mary is important because she is the Mother of God. She is a good example for us because she chose to obey God. Catholics have always remembered Mary's special role in our Church.

Activity

One of the ways we remember Mary is through the use of symbols. Using the three symbols of Mary as examples, create your own symbol. Then color all four to create a banner honoring Mary.

the sun and moon, from a vision of Mary in the Book of Revelation

tear drops, for the sadness Mary experienced

a lily, which means purity

Honramos a María

Los católicos honramos a María porque ella es la madre de Jesús. María es también nuestra madre. Ella nos ama y cuida de nosotros. La fiesta de la Asunción es un día importante en el que la Iglesia celebra la vida de María.

Además, recordamos la vida de María porque es un gran modelo de conducta. Obedeció a Dios a la perfección. En la Biblia leemos cómo Dios envió al ángel Gabriel a preguntarle a María si aceptaba ser la madre de Jesús. María tenía una opción. Ella podría haber dicho que no. Sin embargo, eligió hacer la voluntad de Dios. María dijo: "Yo soy la servidora del Señor. Haré lo que Dios me pide que haga".

Basado en Lucas 1:26–38

María es llevada al cielo

María cumplió su promesa a Dios. Se quedó con Jesús hasta su muerte en la cruz. No sabemos cuánto vivió María. Nuestra Iglesia cree que María fue llevada al cielo para que estuviera con Dios. Allí están su cuerpo y su espíritu. Esto se llama Asunción y lo celebramos el 15 de agosto.

María, ahora estás en el cielo con Jesús.
Tú comprendes lo que significan el temor, la tristeza, la valentía y la devoción. Te rogamos que veles por nosotros y pidas a Dios que nos bendiga.
Amén.

We Honor Mary

Catholics honor Mary because she is the mother of Jesus. Mary is also our mother. Mary loves us and cares for us. The Feast of the Assumption is an important day when the Church celebrates the life of Mary.

We also remember Mary's life because she is a great role model. She obeyed God perfectly. We read in the Bible how God sent the angel Gabriel to ask Mary if she would be Jesus' mother. Mary had a choice. She could have said no. Instead, Mary chose to do God's will. Mary said, "I am God's servant. I will do what God asks me to do."

Based on Luke 1:26–38

Mary Is Taken to Heaven

Mary kept her promise to God. She stayed with Jesus until his death on the cross. We do not know how long Mary lived. Our Church believes that Mary was taken up into heaven to be with God. Her body and spirit are there. This is called the Assumption, and we celebrate it on August 15.

Mary, you are now in heaven with Jesus. You understand what it means to be scared, sad, brave, and prayerful. Please watch over us and ask God to bless us. Amen.

NUESTRA HERENCIA CATÓLICA

EN QUÉ CREEMOS LOS CATÓLICOS

Creemos en todo lo que enseña nuestra Iglesia.

ACERCA DE LA REVELACIÓN

Dios nos habla a través de la Sagrada Tradición y de la Sagrada Escritura.

Sagrada Tradición

La Sagrada Tradición son las enseñanzas oficiales de la Iglesia y las costumbres de los Apóstoles que se han ido transmitiendo a lo largo de los siglos.

Sagrada Escritura

La Sagrada Escritura, o Biblia, es la Palabra de Dios escrita. Creemos que el Espíritu Santo inspiró a las personas que escribieron la Biblia. La Sagrada Escritura se compone del Antiguo Testamento y del Nuevo Testamento.

ACERCA DE LA TRINIDAD

Creemos que hay un Dios en Tres Personas divinas. Llamamos Santísima Trinidad al misterio de un solo Dios en Tres Personas divinas. Las Tres Personas son el Padre, el Hijo y el Espíritu Santo.

Dios, nuestro Padre

Dios, la Primera Persona de la Santísima Trinidad, es el Creador de toda vida y es nuestro Padre. Jesús, el único Hijo de Dios, es quien nos enseñó a llamar "Padre" a Dios. Por medio de nuestro Bautismo, Dios se transformó en nuestro Padre y nosotros, en sus hijos. Jesús nos dijo que nuestro Padre celestial nos ama siempre.

Jesucristo

Jesucristo es el Hijo de Dios. Por el poder del Espíritu Santo, Jesús nació de la Santísima Virgen María. Padeció y murió en la cruz para salvarnos del pecado y de la muerte.

El Espíritu Santo

Después de haber regresado al cielo con su Padre, Jesús envió el Espíritu Santo a sus discípulos. El Espíritu Santo guiará a la Iglesia hasta el final de los tiempos. Nosotros recibimos al Espíritu Santo en el Bautismo y en los otros sacramentos.

OUR CATHOLIC HERITAGE

WHAT CATHOLICS BELIEVE

We believe in all that our Church teaches.

ABOUT

REVELATION

God speaks to us through Sacred Tradition and Sacred Scripture.

Sacred Tradition

Sacred Tradition includes the Church's official teachings and customs that have been handed down by the Apostles over the centuries.

Sacred Scripture

Sacred Scripture, or the Bible, is the written Word of God. We believe that the Holy Spirit inspired the writers of the Bible. Sacred Scripture is made up of the Old Testament and the New Testament.

ABOUT

THE TRINITY

We believe that there is one God in Three divine Persons. We call the mystery of one God in three divine Persons the Holy Trinity. The Three Persons are the Father, the Son, and the Holy Spirit.

God, Our Father

God, the First Person of the Holy Trinity is the Creator of all life and he is our Father. It is Jesus, God's only Son, who taught us to call God "Father." Through our Baptism, God became our Father and we became his children. Jesus told us that our Father in heaven loves us always.

Jesus Christ

Jesus Christ is the Son of God. By the power of the Holy Spirit, Jesus was born of the Blessed Virgin Mary. He suffered and died on the cross to save us from sin and death.

The Holy Spirit

After he returned to his Father in heaven, Jesus sent the Holy Spirit to his disciples. The Holy Spirit will guide the Church until the end of time. We receive the Holy Spirit at Baptism and in the other sacraments.

ACERCA DE
LA IGLESIA CATÓLICA

Creemos que la Iglesia es una, santa, católica y apostólica.

La Iglesia es una. Creemos en un Dios. Creemos en una fe y en un Bautismo. Creemos que la Iglesia Católica es una porque estamos unidos cuando creemos en Jesucristo.

La Iglesia Católica es santa porque Jesucristo es santo, junto con el Padre y el Espíritu Santo. Es por gracia de Dios que somos santos.

La Iglesia es católica, o universal, porque le da la bienvenida a todos como lo hace Jesús.

La Iglesia es apostólica. Apostólica quiere decir que la Iglesia se funda en las enseñanzas de Jesucristo y de los Apóstoles. Creemos que el principal maestro de la Iglesia es el papa. Cuando habla por la Iglesia sobre la fe y la moral, creemos que el papa representa a Jesús en la tierra.

ACERCA DE
MARÍA Y LOS SANTOS

María, la madre de Jesús, es nuestra santa más importante. María fue llena de gracia desde el primer momento de su vida. Vivió una vida sin pecado. María amó y cuidó de Jesús, y nos ama y cuida de nosotros. Los católicos honran a María como la madre de Jesús y la Madre de la Iglesia.

Creemos que estamos unidos a todos aquellos que creen en Jesucristo. Creemos que la vida de los santos nos enseña a vivir como Jesús nos enseñó. Honramos a los santos y les pedimos que recen por nosotros. Creemos que un día viviremos con todos los santos por siempre con Dios.

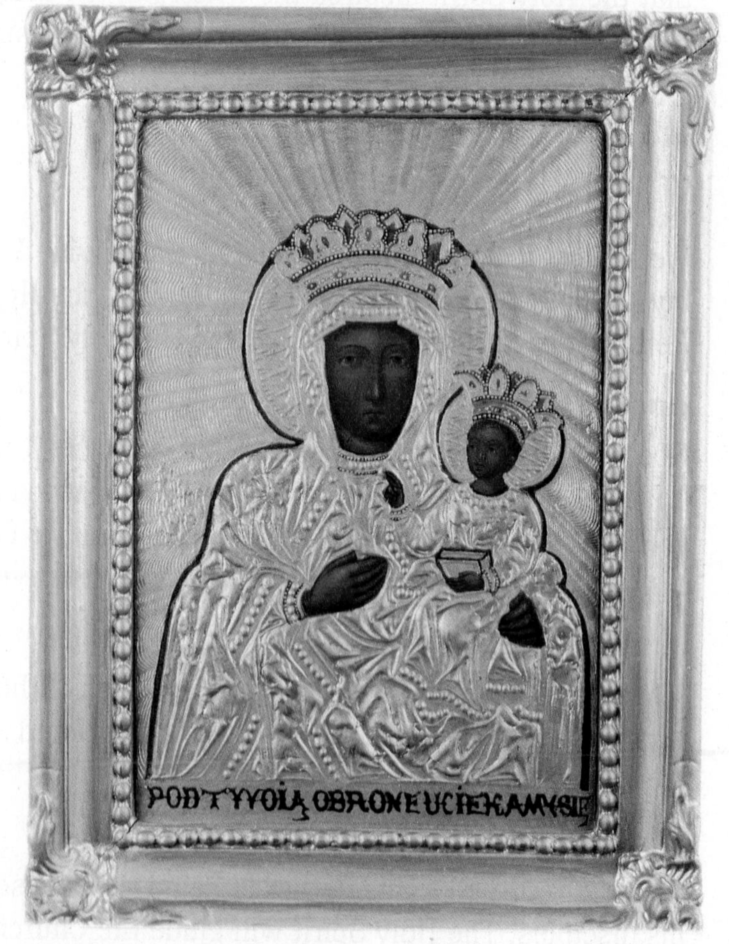

La Virgen Negra

ABOUT
THE CATHOLIC CHURCH

We believe in one, holy, catholic, and apostolic Church.

The Church is one. We believe in one God. We believe in one faith and in one Baptism. We believe that the Catholic Church is one because we are joined together when we believe in Jesus Christ.

The Catholic Church is holy because Jesus Christ, with the Father and the Holy Spirit, is holy. It is by God's grace that we are holy.

The Church is catholic, or universal, because we welcome all people as Jesus does.

The Church is apostolic. Apostolic means that the Church is founded on the teachings of Jesus Christ and the Apostles. We believe the chief teacher of the Church is the pope. When he speaks for the Church about faith or morals, we believe that the pope represents Jesus on earth.

ABOUT
MARY AND THE SAINTS

Mary, the mother of Jesus, is our greatest saint. Mary was filled with grace from the first moment of her life. She lived a life without sin. Mary loved and cared for Jesus, and she loves and cares for us. Catholics honor Mary as the mother of Jesus and the Mother of the Church.

We believe that we are joined with all those who believe in Jesus Christ. We believe that the lives of the saints show us how to live as Jesus taught us. We honor the saints and ask them to pray for us. We believe that one day we will live with all the saints forever with God.

The Black Madonna

CÓMO PRACTICAMOS EL CULTO LOS CATÓLICOS

Celebramos nuestra fe en el culto cuando honramos y alabamos a Dios. El culto es tan importante para la comunidad católica que la Iglesia lo llama la primera "obra" del pueblo de Dios.

ACERCA DE
LOS SACRAMENTOS

Como católicos, nos reunimos en comunidad para practicar el culto cuando celebramos los siete sacramentos. Los sacramentos son los signos **sagrados** que celebran el amor de Dios por nosotros. Los sacramentos nos unen con Jesucristo. Cada sacramento tiene palabras y acciones especiales. A través de estas palabras y acciones, Dios se hace presente ante nosotros en la comunidad de la iglesia.

Para ayudarnos a entender sus palabras y acciones, los sacramentos están divididos en tres grupos. El primer grupo se llama Sacramentos de la Iniciación.

ACERCA DE
LOS SACRAMENTOS DE LA INICIACIÓN

Nos hacemos miembros plenos de la Iglesia Católica por medio de los sacramentos del Bautismo, la Confirmación y la Eucaristía.

Bautismo

El Bautismo es el sacramento de bienvenida a la Iglesia. Cuando nos bautizan, recibimos al Espíritu Santo. Nos ungen y nos marcan con la Señal de la Cruz. Empezamos nuestro viaje de fe y empezamos a crecer en santidad.

En el Bautismo el sacerdote o el diácono reza: "Yo te bautizo en el nombre del Padre, y del Hijo, y del Espíritu Santo" (Ritual para el Bautismo).

HOW CATHOLICS WORSHIP

We celebrate our faith in worship when we give honor and praise to God. Worship is so important to the Catholic community that the Church calls it the first "work" of God's people.

ABOUT THE SACRAMENTS

As Catholics, we gather in community to worship when we celebrate the seven sacraments. The sacraments are the **sacred** signs that celebrate God's love for us. The sacraments join us with Jesus Christ. Each sacrament has special words and actions. Through these words and actions, God becomes present to us in the church community.

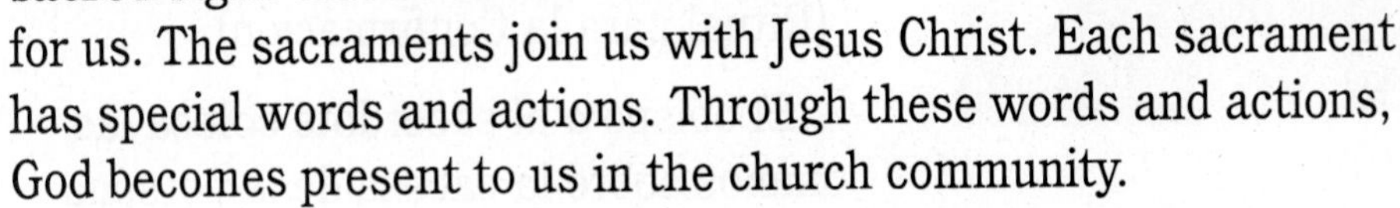

The sacraments are divided into three groups to help us understand their words and actions. The first group is called the Sacraments of Initiation.

ABOUT THE SACRAMENTS OF INITIATION

We become full members of the Catholic Church through the sacraments of Baptism, Confirmation, and Eucharist.

Baptism

Baptism is the sacrament of welcome into the Church. When we are baptized, we receive the Holy Spirit. We are anointed and marked with the Sign of the Cross. We begin our journey of faith and begin to grow in holiness.

At Baptism the priest or deacon prays, "I baptize you in the name of the Father, and of the Son, and of the Holy Spirit" (Rite of Baptism).

El sacerdote o el diácono derrama agua sobre la cabeza de la persona que se bautiza o sumerge a la persona en el agua. Ésta es una señal de que somos uno con Jesucristo por medio de su vida, su muerte y su Resurrección.

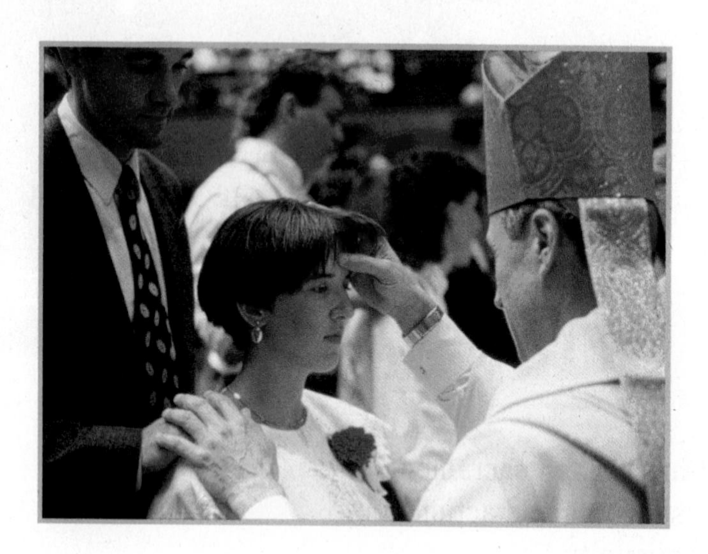

Confirmación

La Confirmación es el sacramento que nos ayuda a crecer en santidad. En la Confirmación, el Espíritu Santo nos fortalece en la fe y nos ayuda a compartir la buena nueva de Jesús con los demás.

Cuando nos confirmamos, el obispo o el sacerdote reza: "Recibe por esta señal el Don del Espíritu Santo" (Ritual para la Confirmación).

El obispo o el sacerdote coloca las manos sobre la cabeza de la persona que se confirma y le unge la frente con óleo.

Eucaristía

La Eucaristía es el sacramento por el cual Jesucristo se nos entrega de una manera especial. Cuando practicamos el culto juntos en la Misa, recibimos la Eucaristía. Celebramos que Jesucristo se ha entregado a sí mismo por nosotros. En la Eucaristía, Jesucristo se presenta ante nosotros en las lecturas de la Sagrada Escritura. Cristo se hace presente en el pan y el vino que se han convertido en su Cuerpo y su Sangre.

El sacerdote toma el pan y dice: "Tomad y comed todos de él, porque esto es mi Cuerpo". Toma el vino y dice: "Tomad y bebed todos de él, porque éste es el cáliz de mi Sangre" (Plegaria Eucarística II).

Durante el Rito de la Comunión en la Misa, recibimos a Jesucristo en la Eucaristía.

The priest or deacon pours water over the head of the person being baptized or immerses the person in the water. This is a sign that we are one with Jesus Christ, through his life, death, and Resurrection.

Confirmation

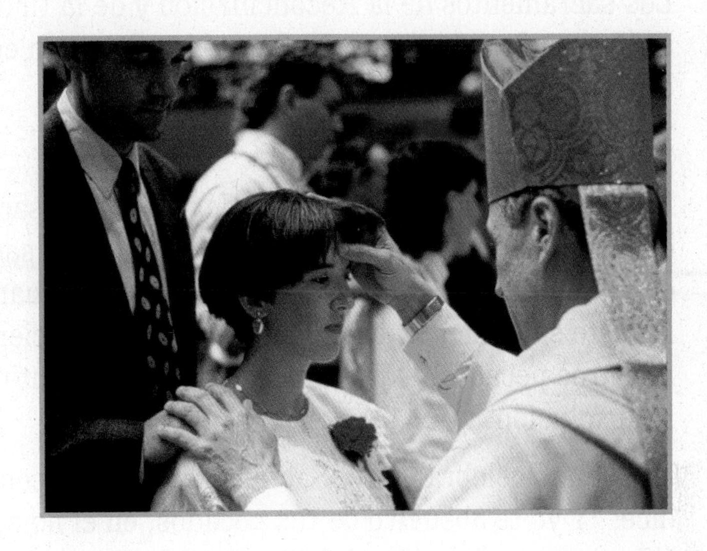

Confirmation is the sacrament that helps us grow in holiness. In Confirmation, the Holy Spirit strengthens us in the faith and helps us share the goods news of Jesus with others.

When we are confirmed, the bishop or priest prays, "Be sealed with the gift of the Holy Spirit" (Rite of Confirmation).

The bishop or priest lays his hands on the head of the person being confirmed and anoints his or her forehead with oil.

Eucharist

The Eucharist is the sacrament of Jesus Christ giving himself to us in a special way. When we worship together at Mass, we receive the Eucharist. We celebrate that Jesus Christ has given himself to us. In the Eucharist, Jesus Christ becomes present to us in the readings from Sacred Scripture. Christ becomes present in the bread and wine that have become his Body and Blood.

The priest takes the bread and says, "TAKE THIS, ALL OF YOU, AND EAT OF IT, FOR THIS IS MY BODY, . . ." He takes the wine and says, "TAKE THIS, ALL OF YOU, AND DRINK FROM IT, FOR THIS IS THE CHALICE OF MY BLOOD" (Eucharistic Prayer).

During the Communion Rite at Mass, we receive Jesus Christ in the Eucharist.

ACERCA DE
LOS SACRAMENTOS DE CURACIÓN

Los sacramentos de la Reconciliación y de la Unción de los Enfermos se llaman **Sacramentos de Curación**. Celebran el perdón y la curación de Dios.

Reconciliación

La Reconciliación, a la que también se le dice sacramento de conversión, de confesión o de penitencia, es el sacramento que celebra el perdón de Dios. Dios siempre nos perdona cuando nos arrepentimos. En este sacramento, examinamos nuestra conciencia, reconocemos nuestros pecados, expresamos nuestro arrepentimiento y recibimos la absolución.

Cuando celebramos el Sacramento de la Reconciliación, el sacerdote dice: "Y yo te absuelvo de tus pecados, en el nombre del Padre, y del Hijo, y del Espíritu Santo" (Ritual de la Penitencia).

El sacerdote hace la Señal de la Cruz mientras reza esta oración de absolución.

La Unción de los Enfermos

El Sacramento de la **Unción de los Enfermos** celebra el amor y la curación de Dios. Es para quienes están muy enfermos o muy ancianos. Mediante las oraciones de la Iglesia y la gracia del sacramento, las personas pueden curarse de cuerpo y mente.

El sacerdote reza: "Por esta santa unción, y por su bondadosa misericordia, te ayude el Señor con la gracia del Espíritu Santo, para que, libre de tus pecados, te conceda la salvación y te conforte en tu enfermedad" (Ritual de la Unción de los Enfermos).

Con el óleo consagrado, el sacerdote unge la frente y las manos de la persona que recibe el Sacramento de la Unción de los Enfermos.

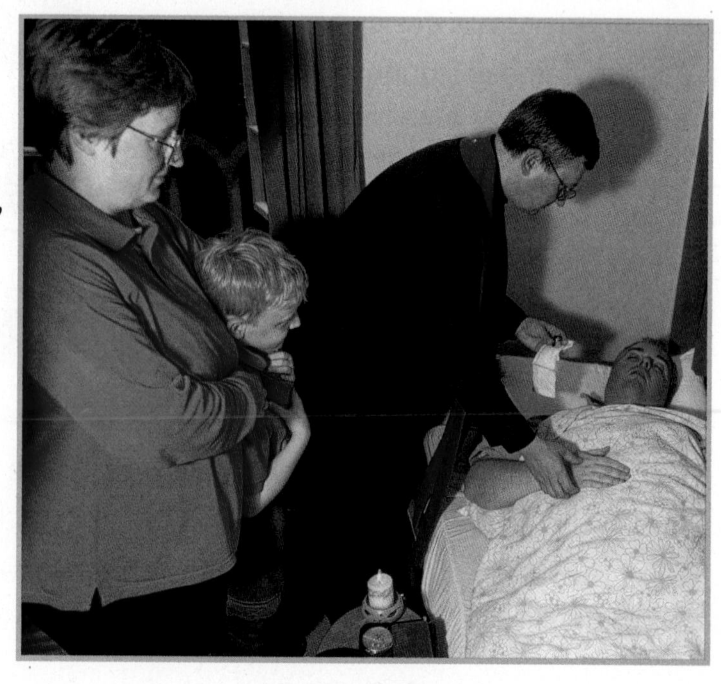

ABOUT

THE SACRAMENTS OF HEALING

The sacraments of Reconciliation and the Anointing of the Sick are called the **Sacraments of Healing.** They celebrate God's forgiveness and healing.

Reconciliation

Reconciliation, also referred to as the sacrament of conversion, confession, or penance, is the sacrament that celebrates God's forgiveness. God always forgives us when we are sorry. Through the sacrament, we examine our conscience, we admit our sins, we express our sorrow, and we receive absolution.

When we celebrate the Sacrament of Reconciliation, the priest prays, "I absolve you from your sins in the name of the Father, and of the Son, and of the Holy Spirit" (Rite of Penance).

The priest makes the Sign of the Cross as he prays this prayer of absolution.

The Anointing of the Sick

The Sacrament of the **Anointing of the Sick** celebrates God's love and healing. It is for those who are either very sick or elderly. Through the prayers of the Church and the grace of the sacrament, people can be healed in both mind and body.

The priest prays, "Through this holy anointing may the Lord in his love and mercy help you with the grace of the Holy Spirit. May the Lord who frees you from sin save you and raise you up" (Rite of the Anointing of the Sick).

With holy oil, the priest anoints the forehead and hands of the person receiving the Sacrament of the Anointing of the Sick.

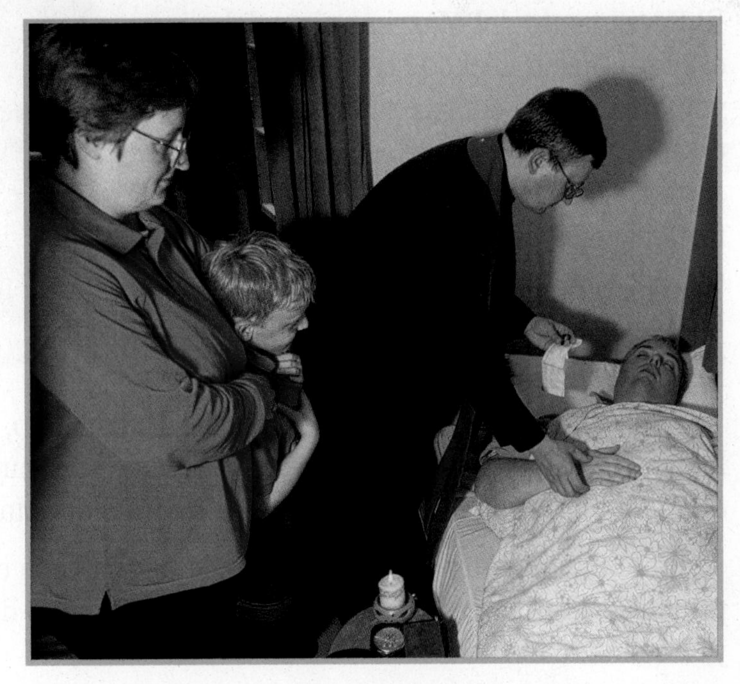

ACERCA DE
LOS SACRAMENTOS AL SERVICIO DE LA COMUNIDAD

El tercer grupo de sacramentos se llama **Sacramentos al Servicio de la Comunidad**. Estos sacramentos son el Orden Sagrado y el Matrimonio. Estos dos sacramentos celebran las dos maneras especiales en que la gente sirve a Dios compartiendo sus dones con los demás.

Orden Sagrado

El Orden Sagrado es el sacramento que celebra la ordenación de los obispos, sacerdotes y **diáconos** para servir a la Iglesia. Los obispos y los sacerdotes son llamados a guiar a la comunidad católica. Guían a la comunidad en la celebración de los sacramentos y en las enseñanzas de la Palabra de Dios. Los diáconos también son líderes de la Iglesia. Predican las homilías, presiden la celebración de algunos de los sacramentos y ayudan a dirigir el trabajo con los pobres.

Matrimonio

El Sacramento del **Matrimonio** celebra el compromiso hecho entre un hombre y una mujer. Su compromiso mutuo es por toda la vida. Por la gracia del sacramento, el esposo y la esposa se fortalecen en su capacidad de ser fieles entre sí. Son llamados a llevar la vida familiar como si fueran un modelo para toda la Iglesia.

En la celebración del Sacramento del Matrimonio, el hombre le dice a la mujer: "Yo te recibo como esposa". La mujer le dice al hombre: "Yo te recibo como esposo" (Ritual del Matrimonio).

En el Sacramento del Matrimonio, la pareja hace estas promesas mutuas ante la presencia del sacerdote o diácono y la comunidad católica.

ABOUT
THE SACRAMENTS AT THE SERVICE OF COMMUNION

The third group of sacraments is called the **Sacraments at the Service of Communion**. These sacraments are Holy Orders and Matrimony. These two sacraments celebrate two special ways that people serve God by sharing their gifts with others.

Holy Orders

Holy Orders is the sacrament that celebrates the ordination of bishops, priests, and **deacons** to serve the Church. Bishops and priests are called to lead the Catholic community. They lead the community in celebrating the sacraments and teaching God's word. Deacons are also leaders in the Church. They preach homilies, preside at the celebration of some of the sacraments, and help direct the work among the poor.

Matrimony

The Sacrament of **Matrimony** celebrates the commitment that a man and a woman make to each other. Their commitment to each other is for a lifetime. Through the grace of the sacrament, the married man and woman are strengthened in their ability to be faithful to one another. They are called to conduct their family life as though it were a model for the whole Church.

In the celebration of the Sacrament of Matrimony, the man says to the woman, "I take you to be my wife." The woman says to the man, "I take you to be my husband" (Rite of Marriage).

In the Sacrament of Matrimony, the couple make these promises to each other in the presence of a priest or deacon and the Catholic community.

ACERCA DE

LA MISA

Ritos Iniciales

En la Misa, nos reunimos para venerar a Dios con la comunidad de nuestra parroquia.

Procesión de Entrada e himno inicial

Mientras el sacerdote y sus asistentes en la Misa entran en procesión, nos ponemos de pie y cantamos el himno inicial.

◀ Saludo

Hacemos la Señal de la Cruz. El sacerdote nos da la bienvenida. Dice: “El Señor esté con vosotros”. Nosotros contestamos: “Y con tu espíritu”.

◀ Acto Penitencial

Pensamos en nuestros pecados. Pedimos el perdón de Dios y las oraciones de la Iglesia.

◀ Gloria

Cantamos el Gloria, que es un himno de alabanza a Dios.

Oración inicial

Rezamos una oración inicial.

ABOUT
THE MASS

Introductory Rites

At Mass, we come together to worship God with our parish community.

Entrance Procession and Opening Hymn

As the priest and those assisting him in the Mass enter in procession, we stand and sing the opening hymn.

Greeting ▶

We make the Sign of the Cross. The priest welcomes us. He says, “The Lord be with you.” We answer, “And with your spirit.”

Penitential Act ▶

We think about our sinfulness. We ask for God’s forgiveness and the prayers of the Church.

Gloria ▶

We sing the Gloria, which is a hymn of praise to God.

Collect

We pray the Collect.

Liturgia de la Palabra

◄ Primera lectura

El lector lee un relato o una lección que, generalmente, es del Antiguo Testamento.

Salmo Responsorial

Cantamos las respuestas a un salmo del Antiguo Testamento.

Segunda lectura

El lector lee un fragmento de uno de los libros del Nuevo Testamento, que no sea ninguno de los Evangelios.

Aclamación del Evangelio

Cantamos el "Aleluya" u otra aclamación de alabanza mientras el sacerdote o el diácono se prepara para leer el Evangelio.

◄ Evangelio

Nos ponemos de pie como reverencia mientras el sacerdote o el diácono lee el Evangelio.

◄ Homilía

El sacerdote o el diácono nos habla acerca del significado del Evangelio y de las otras lecturas de la Sagrada Escritura.

Profesión de fe

Recitamos el Credo de Nicea para proclamar nuestra creencia en lo que la Iglesia enseña.

Plegaria Universal

Rezamos por la Iglesia, por el papa y los obispos, y por las necesidades de todo el pueblo de Dios. También rezamos por las necesidades de los miembros de la comunidad de nuestra parroquia.

Liturgy of the Word

First Reading ▶

The lector reads a story or a lesson usually from the Old Testament.

Responsorial Psalm

We sing the responses to a psalm from the Old Testament.

Second Reading

The lector reads from one of the books in the New Testament, other than the Gospels.

Gospel Acclamation

We sing "Alleluia" or another acclamation of praise as the priest or deacon prepares to read the Gospel.

Gospel ▶

We stand in reverence as the priest or deacon reads the Gospel.

Homily ▶

The priest or deacon tells us about the meaning of the Gospel and the other Scripture readings.

Profession of Faith

We recite the Nicene Creed to proclaim our belief in what the Church teaches.

Prayer of the Faithful

We pray for the Church, the pope and bishops, and for the needs of all God's people. We also pray for the needs of the members of our parish community.

Liturgia Eucarística

Preparación del altar y las ofrendas ▶

Llevamos nuestras ofrendas del pan y el vino al altar. Entregamos además ofrendas para los pobres y donaciones de dinero para la Iglesia.

Plegaria Eucarística

El sacerdote empieza con una oración de alabanza y acción de gracias a Dios Padre por los maravillosos dones de la creación y por el don más importante, su Hijo, Jesucristo. Cantamos: "Santo, santo, santo".

El sacerdote recuerda con nosotros el relato de la Última Cena. Escuchamos las propias palabras de Jesús: "Esto es mi Cuerpo" y "Éste es el cáliz de mi Sangre". Cantamos o decimos: "Anunciamos tu muerte, proclamamos tu resurrección. ¡Ven, Señor Jesús!", u otra aclamación similar.

Al final de la Plegaria Eucarística, cantamos: "Amén".

Rito de la Comunión

El Padre Nuestro

Rezamos juntos la oración que Jesús nos enseñó: el Padre Nuestro o la oración del Señor.

Señal de la Paz

Compartimos la Señal de la Paz con los que están alrededor de nosotros.

Fracción del pan ▶

Cantamos la oración del Cordero de Dios mientras el sacerdote y el diácono se preparan para la distribución de la Sagrada Comunión.

Sagrada Comunión

Recibimos el Cuerpo y la Sangre de Cristo. Decimos: "Amén".

Rito de Conclusión

Bendición

Hacemos la Señal de la Cruz mientras el sacerdote nos bendice.

Despedida ▶

El sacerdote o el diácono nos dice que nos vayamos en paz a servir a Dios y a los demás. Cantamos un himno de agradecimiento y de alabanza.

Liturgy of the Eucharist

Preparation of the Altar and Gifts ▶

We bring our gifts of bread and wine to the altar. We also give gifts for the poor and donations of money for the Church.

Eucharistic Prayer

The priest begins with a prayer of praise and thanksgiving to God the Father for the wonderful gifts of creation and for the greatest gift of his Son, Jesus Christ. We sing, "Holy, Holy, Holy."

The priest recalls with us the story of the Last Supper. We hear Jesus' own words "FOR THIS IS MY BODY" and "FOR THIS IS THE CHALICE OF MY BLOOD." We sing or say, "We proclaim your Death, O Lord, and profess your Resurrection until you come again."

At the end of the Eucharistic Prayer, we sing, "Amen."

Communion Rite

The Lord's Prayer

We pray together the prayer that Jesus taught us, The Lord's Prayer or the Our Father.

Sign of Peace

We share the Sign of Peace with those around us.

Breaking of the Bread ▶

We sing the Lamb of God prayer as the priest and deacon prepare for the distribution of Holy Communion.

Holy Communion

We receive the Body and Blood of Christ. We say, "Amen."

Concluding Rites

Blessing

We make the Sign of the Cross as the priest blesses us.

Dismissal ▶

The priest or deacon tells us to go forth, glorifying the Lord by our lives. We sing a hymn of thanks and praise.

ACERCA DE
LA RECONCILIACIÓN

En el Sacramento de la Reconciliación, celebramos el perdón de Dios. Pedimos al Espíritu Santo que nos ayude a vivir mejor como Jesús nos enseñó.

Rito de la Reconciliación Individual

Preparación

Examino mi conciencia pensando en las cosas que pude haber hecho o dicho a propósito y que fueron perjudiciales para mí o para los demás. Recuerdo que posiblemente he pecado si dejé de hacer algo bueno cuando debía.

Bienvenida del sacerdote ▶

El sacerdote me recibe en el nombre de Jesús y en el de la comunidad de la Iglesia.

Lectura de la Sagrada Escritura

El sacerdote puede leer un fragmento de la Biblia o puede contarme un relato de los Evangelios.

Confesión

Le cuento al sacerdote mis pecados. El sacerdote me pide que haga un acto de caridad o que diga una oración para demostrar que estoy arrepentido de mis pecados y recordar que debo ser más amoroso.

Oración de arrepentimiento ▶

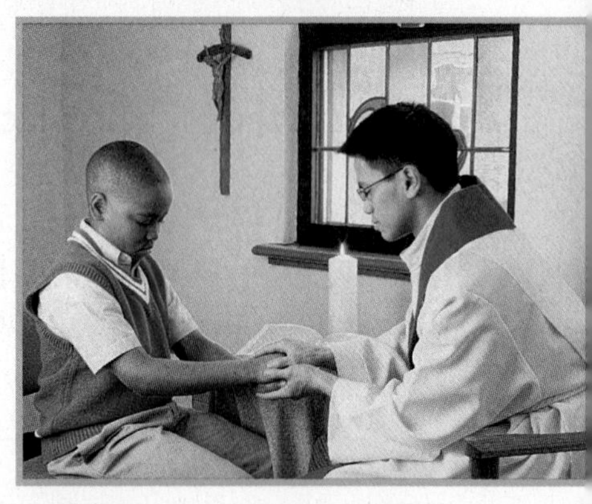

Le digo al sacerdote que estoy arrepentido de todos mis pecados. El sacerdote me pide que rece una oración del penitente. Rezo en voz alta la oración de arrepentimiento o puedo crear una por mi cuenta.

Absolución ▶

Actuando en nombre de la Iglesia, el sacerdote extiende las manos sobre mí y le pide a Dios que me perdone. El sacerdote me da la absolución en el nombre del Padre, del Hijo y del Espíritu Santo.

Oración de alabanza y despedida

Junto con el sacerdote, rezo una oración de alabanza. El sacerdote me dice que me vaya en paz. Respondo: "Amén".

ABOUT RECONCILIATION

In the sacrament of Reconciliation, we celebrate God's forgiveness. We ask the Holy Spirit to help us better live as Jesus taught us.

Rite of Reconciliation of Individuals

Preparation

I examine my conscience by thinking of things I might have done or said on purpose that were harmful to myself or others. I remember that I may have sinned by not doing something good when I should have.

Priest's Welcome ▶

The priest welcomes me in the name of Jesus and the Church community.

Reading from Scripture

The priest may read from the Bible or may tell me a story from the Gospels.

Confession

I tell the priest my sins. The priest asks me to do a kind act or say a prayer to show that I am sorry for my sins and to remind me to be more loving.

Prayer of Sorrow ▶

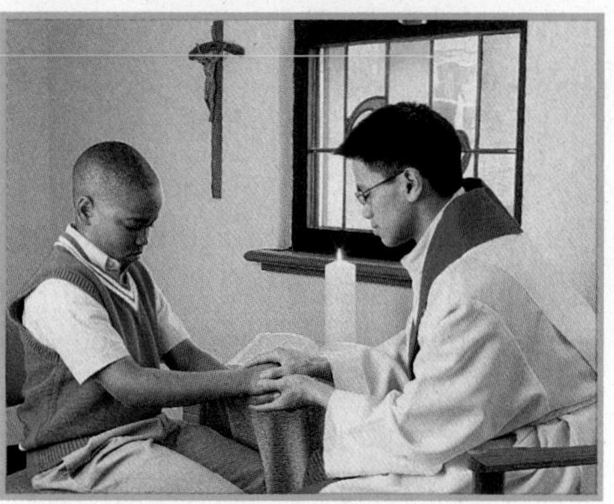

I tell the priest that I am sorry for all my sins. The priest asks me to pray an act of contrition. I pray aloud the prayer of sorrow or I can make one up of my own.

Absolution ▶

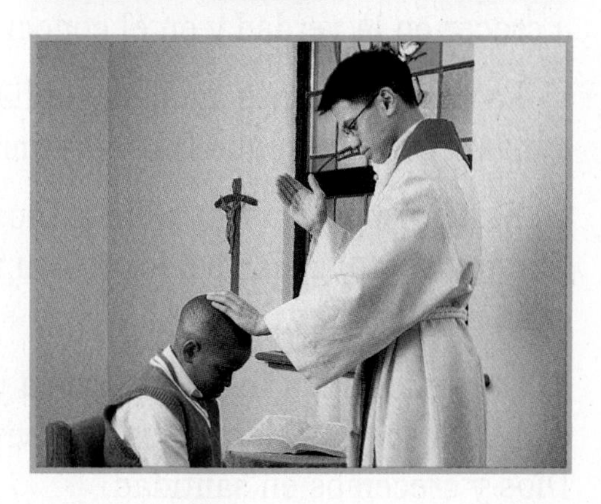

Acting on behalf of the Church, the priest extends his hands over me and asks God to forgive me. The priest gives me absolution in the name of the Father, Son, and Holy Spirit.

Prayer of Praise and Dismissal

With the priest, I pray a prayer of praise. The priest tells me to go in peace. I answer, "Amen."

CÓMO VIVIMOS LOS CATÓLICOS

Vivir como nos enseñó Jesús no es fácil, pero Dios nos ayuda. Dios nos da la conciencia y tres dones especiales. Cuando nos apartamos del pecado y hacemos elecciones buenas, vivimos como hijos de Dios.

ACERCA DE LA CONCIENCIA

Nuestra conciencia es un don de Dios. La conciencia nos ayuda a saber lo que está bien y lo que está mal. Como católicos, tenemos ayuda para desarrollar una buena conciencia. Nos ayudan las Bienaventuranzas, los Diez Mandamientos y las enseñanzas de Jesús. A través de la Iglesia, el Espíritu Santo nos guía para que entendamos lo que está bien y nos apartemos del pecado.

ACERCA DE LA FE, LA ESPERANZA Y EL AMOR

Una **virtud** es un hábito de hacer el bien. Las tres virtudes especiales que Dios nos da en el Bautismo son la fe, la esperanza y el amor. Estas virtudes nos ayudan a creer en Dios, a confiar en sus promesas y a amarlo.

La **fe** nos ayuda a creer en todo lo que la Iglesia enseña. Nos ayuda a crecer en la verdad y en el conocimiento de Dios.

La **esperanza** nos ayuda a confiar en Dios pase lo que pase. Nos ayuda a confiar en que Dios nos ama y está guiándonos siempre.

El **amor** nos ayuda a amar a Dios, a los demás y a nosotros mismos. Tratamos a todas las personas con respeto porque Dios creó y ama a cada una de ellas.

Crecemos en la fe, la esperanza y el amor practicándolos todos los días. Si hacemos elecciones para vivir estas virtudes, complacemos a Dios y crecemos en santidad.

HOW CATHOLICS LIVE

Living as Jesus taught us is not easy, but God helps us. God gives us our conscience and three special gifts. When we turn away from sin and make good choices, we live as children of God.

ABOUT CONSCIENCE

Our conscience is a gift from God. Our conscience helps us to know what is right and what is wrong. As Catholics, we have help in developing a good conscience. We have the Beatitudes, the Ten Commandments, and the teachings of Jesus to help us. Through the Church, the Holy Spirit guides us to understand what is right and to turn away from what is sinful.

ABOUT FAITH, HOPE, AND LOVE

A **virtue** is a habit of doing good. Three special virtues that God gives to us at Baptism are faith, hope, and love. These virtues help us to believe in God, to trust in his promises, and to love him.

Faith helps us to believe in all that the Church teaches. It helps us to grow in truth and knowledge of God.

Hope helps us to trust in God no matter what happens. It helps us to trust that God loves us and is always guiding us.

Love helps us to love God, ourselves, and others. We treat all people with respect because God created and loves each person.

We grow in faith, hope, and love by practicing them every day. By making choices to live these virtues, we please God and grow in holiness.

Acerca de
Las Bienaventuranzas

Jesús nos enseñó las Bienaventuranzas para que nos ayudaran a vivir como testigos del Reino de Dios. Cuando vivimos las Bienaventuranzas, ayudamos a los demás a entender lo que Dios quiere para todas las personas.

Las Bienaventuranzas	Vivir las Bienaventuranzas
Felices los que tienen el espíritu del pobre, porque de ellos es el Reino de los Cielos.	Tenemos el espíritu del pobre cuando sabemos que necesitamos a Dios más que a cualquier otra cosa.
Felices los que lloran, porque recibirán consuelo.	Tratamos de ayudar a los que están tristes o a los que sufren. Sabemos que Dios los consolará.
Felices los pacientes, porque recibirán la tierra en herencia.	Somos amables y pacientes con los demás. Creemos que participaremos de las promesas de Dios.
Felices los que tienen hambre y sed de justicia, porque serán saciados.	Tratamos de ser imparciales y justos con los demás. Compartimos lo que tenemos con los necesitados.
Felices los compasivos, porque obtendrán misericordia.	Perdonamos a los que son poco caritativos con nosotros. Aceptamos el perdón de los demás.
Felices los de corazón limpio, porque verán a Dios.	Tratamos de mantener a Dios en el primer lugar de nuestra vida.
Felices los que trabajan por la paz, porque serán reconocidos como hijos de Dios.	Tratamos de llevar la paz de Dios al mundo. Cuando vivimos pacíficamente, nos reconocen como hijos de Dios.
Felices los que son perseguidos por causa del bien, porque de ellos es el Reino de los Cielos.	Tratamos de hacer lo correcto aun cuando se burlen de nosotros o nos insulten. Creemos que estaremos con Dios por siempre.

Basado en Mateo 5:3–10

ABOUT

THE BEATITUDES

Jesus taught us the Beatitudes to help us live as witnesses to God's kingdom. When we live the Beatitudes, we help others understand what God wants for all people.

The Beatitudes	Living the Beatitudes
Blessed are the poor in spirit, for theirs is the kingdom of heaven.	We are poor in spirit when we know that we need God more than anything else.
Blessed are they who mourn, for they will be comforted.	We try to help those who are in sorrow or those who are hurting. We know God will comfort them.
Blessed are the meek, for they will inherit the land.	We are gentle and patient with others. We believe we will share in God's promises.
Blessed are they who hunger and thirst for righteousness, for they will be satisfied.	We try to be fair and just toward others. We share what we have with those in need.
Blessed are the merciful, for they will be shown mercy.	We forgive those who are unkind to us. We accept the forgiveness of others.
Blessed are the clean of heart, for they will see God.	We try to keep God first in our lives.
Blessed are the peacemakers, for they will be called children of God.	We try to bring God's peace to the world. When we live peacefully, we are known as God's children.
Blessed are they who are persecuted for the sake of righteousness, for theirs is the kingdom of heaven.	We try to do what is right even when we are teased or insulted. We believe we will be with God forever.

Based on Matthew 5:3–10

Acerca de
Los Mandamientos

Los Diez Mandamientos son las leyes del amor de Dios. Dios nos dio los mandamientos como un don para ayudarnos a vivir en paz. Jesús nos dijo que siempre debemos obedecer los mandamientos.

Los Diez Mandamientos	Practicar los Diez Mandamientos
1. Yo soy el Señor, tu Dios. No tendrás otros dioses fuera de mí.	Creemos en Dios. Sólo veneramos a Dios. Lo amamos más que a nadie o a nada. Le ofrecemos oraciones de adoración y de acción de gracias.
2. No tomes en vano el nombre del Señor, tu Dios.	Nunca usamos el nombre de Dios o de Jesús con enojo. En todo momento usamos con respeto los nombres de Dios, Jesús, María y los santos.
3. Acuérdate del día del Sábado, para santificarlo.	El domingo honramos a Dios de manera especial. Lo veneramos yendo a Misa con nuestros familiares y amigos.
4. Respeta a tu padre y a tu madre.	Amamos, honramos, respetamos y obedecemos a nuestros padres y a todos los adultos que nos cuidan.
5. No mates.	Creemos que Dios nos da el don de la vida. Debemos proteger la vida de los niños no nacidos, de los enfermos y de los ancianos. Respetamos la vida y la salud de los demás. Debemos vivir en paz y prevenir que nos hagan daño a nosotros y a los demás.
6. No cometas adulterio.	Dios creó al hombre y a la mujer a su imagen. Dios le pide a cada uno que acepte su identidad. La Iglesia enseña que la castidad es importante para que seamos sanos y felices. Debemos respetar nuestro cuerpo y el de los demás. Honramos la alianza del matrimonio para toda la vida.
7. No robes.	Cuidamos muy bien los dones que Dios nos ha dado y los compartimos con los demás. Queremos que los que nos siguen también los tengan. No engañamos.
8. No atestigües en falso contra tu prójimo.	No debemos mentir ni engañar a nadie a propósito. No debemos hacer daño a los demás con nuestras palabras. Si engañamos a alguien, entonces debemos corregir lo que hayamos dicho.
9. No codicies la mujer de tu prójimo.	Respetamos las promesas que los esposos se hacen mutuamente. Siempre debemos vestirnos y actuar con decencia.
10. No codicies nada de lo que le pertenece a tu prójimo.	Estamos contentos con lo que tenemos. No somos ambiciosos, ni sentimos celos o envidia. El Evangelio nos enseña a poner a Dios en primer lugar en nuestras vidas.

Basado en Éxodo 20:2–17

ABOUT
THE COMMANDMENTS

The Ten Commandments are God's laws of love. God gave us the commandments as a gift to help us live in peace. Jesus told us that we must always obey the commandments.

The Ten Commandments	Living the Ten Commandments
1. I am the LORD your God. You shall not have other gods besides me.	We believe in God. We only worship God. We love him more than everyone and everything else. We offer God prayers of adoration and of thanksgiving.
2. You shall not take the name of the LORD, your God, in vain.	We never use the name of God or Jesus in an angry way. We use the names of God, Jesus, Mary, and the saints with respect at all times.
3. Remember to keep holy the Sabbath day.	On Sunday we honor God in special ways. We worship him by attending Mass with our family and friends.
4. Honor your father and mother.	We love, honor, respect, and obey our parents and all adults who care for us.
5. You shall not kill.	We believe that God gives us the gift of life. We must protect the lives of children not yet born, the sick, and the elderly. We respect the life and health of others. We must live peacefully and prevent harm from coming to ourselves and others.
6. You shall not commit adultery.	God created man and woman in his image. God calls each to accept his or her identity. The Church teaches that chastity is important for us to be healthy and happy. We must respect our bodies and the bodies of others. We honor the lifelong marriage covenant.
7. You shall not steal.	We take good care of the gifts that God has given us and share them with others. We want others who come after us to have them, too. We do not cheat.
8. You shall not bear false witness against your neighbor.	We must not tell lies, or mislead others on purpose. We must not hurt others by what we say. If we have misled somebody, then we must correct what we have said.
9. You shall not covet your neighbor's wife.	We respect the promises married people have made to each other. We must always dress and act in a decent way.
10. You shall not covet anything that belongs to your neighbor.	We are satisfied with what we have. We are not jealous, envious, or greedy. The Gospel teaches us to place God first in our lives.

Based on Exodus 20:2–17

Las leyes de Dios para hoy

Cuando Dios creó el mundo, le dio dos mandatos a la gente: cuidar del mundo que Él había creado y construir la familia humana. Cuando Dios nos dio los Diez Mandamientos a través de Moisés, lo hizo para recordarnos que sus leyes se basan en la naturaleza de la creación.

De modo que cumplimos el quinto mandamiento cuando protegemos todo lo que Dios creó, especialmente la vida humana. Atacar la vida humana de un inocente niño no nacido (aborto) o de un enfermo o un anciano (eutanasia) es contrario a la ley de Dios porque es contrario a la creación de Dios.

La Iglesia cree que la familia se encuentra en el corazón de la comunidad humana. Así, el sexto mandamiento enseña que los esposos deben ser fieles uno al otro toda la vida. Las familias reciben a los niños de buen grado y los ayudan a crecer.

Dios creó a las personas a su imagen y semejanza. Por eso, el octavo mandamiento nos dice que debemos ser siempre sinceros, porque Dios es la verdad.

En la creación Dios nos pidió que creciéramos y nos multiplicáramos, y que cuidáramos de la tierra. Recordamos esta responsabilidad cuando pensamos en los mandamientos de Dios.

El Gran Mandamiento

Jesús nos dijo que los Diez Mandamientos podían resumirse en lo que se conoce como el Gran Mandamiento. "Ama a Dios con todo tu corazón, con toda tu mente y con toda tu fuerza; y ama a tu prójimo como a ti mismo" (basado en Marcos 12:30–31).

El Nuevo Mandamiento

Jesús nos dijo que, además de darnos el Gran Mandamiento, también quería darnos el Nuevo Mandamiento. El Nuevo Mandamiento que Jesús nos dio es: "Ámense los unos a los otros como yo los amo" (basado en Juan 15:12).

El amor de Jesús por nosotros es el ejemplo perfecto de cómo hay que vivir. Cuando amamos a los demás y los tratamos como Jesús nos enseñó, vivimos felices y en libertad.

God's Laws for Today

When God created the world, he gave people two commands—take care of the world he created and build the human family. When God gave us the Ten Commandments through Moses, he did so to remind us that his laws are based on the nature of creation.

And so we follow the fifth commandment when we protect all that God created, especially human life. Attacking human life in the form of an innocent, unborn child (abortion) or as a sick or elderly person (euthanasia) is against God's law because it is against God's creation.

The Church believes that the family is at the heart of the human community. And so the sixth commandment teaches that husbands and wives must be faithful to each other for life. Families welcome children and help them grow.

God created people in his own image. Because of this, the eighth commandment requires us to always be truthful as God is truth.

At creation, God asked us to increase and multiply and care for the earth. We are reminded of this responsibility when we think about God's commandments.

The Great Commandment

Jesus told us that the Ten Commandments could be summed up in what is known as the Great Commandment. "Love God with all your heart, with all your mind, and with all your strength, and love your neighbor as yourself" (based on Mark 12:30–31).

The New Commandment

Jesus told us that besides giving us the Great Commandment, he wanted to give us the New Commandment. The New Commandment Jesus gave us is, "Love one another as I love you" (based on John 15:12).

Jesus' love for us is the perfect example of how to live. When we love others and treat them as Jesus taught us, we live in happiness and freedom.

ACERCA DE
LAS VOCACIONES

Muchas formas de servir

Laicos La mayoría de los católicos viven su vocación bautismal como **laicos**. Normalmente, los laicos tienen trabajos en la sociedad y pueden ser solteros o casados. Como parte de su vocación cristiana, a menudo ofrecen voluntariamente su tiempo y sus destrezas para servir a la comunidad de su parroquia o a su diócesis. Pueden ayudar a cuidar de los pobres, enseñar como catequistas en las clases de religión, ayudar con las organizaciones de la parroquia o invitar a otros a unirse a la Iglesia. De éstas y de otras muchas maneras, los laicos ayudan a que la comunidad de la parroquia cumpla su misión de tender una mano a todos en el espíritu de Jesús.

Hermanas y hermanos religiosos Algunos hombres y algunas mujeres eligen dedicar su vida entera al ministerio de la Iglesia Católica. Estas personas ingresan en comunidades religiosas de hermanas o de hermanos. Se hacen los votos, o promesas, de pobreza, castidad y obediencia para que las hermanas o los hermanos puedan dedicarse completamente a su ministerio y acercarse más a Dios en comunidad. Cada comunidad religiosa escoge un ministerio en particular, como la enseñanza, el trabajo con los pobres, la prédica, la oración y la contemplación, el trabajo de enfermería o el parroquial.

Ministros ordenados En la Iglesia Católica también hay ministros ordenados: obispos, sacerdotes y diáconos. Los hombres bautizados que son llamados al ministerio ordenado tienen la vocación especial de dirigir a la comunidad en el culto y de servir en una gran variedad de ministerios dentro de la Iglesia.

Los obispos son los maestros principales de la fe. Ellos administran las diócesis y celebran los sacramentos.

Los sacerdotes diocesanos sirven en puestos como pastores de parroquias, educadores y consejeros. A los sacerdotes que pertenecen a comunidades religiosas los pueden designar como pastores o como maestros, o pueden trabajar en el ministerio particular de su comunidad.

La mayoría de los diáconos que sirven en las parroquias se llaman “diáconos permanentes”. Generalmente, estos hombres asisten al pastor de una parroquia en la conducción de las celebraciones de Bautismos y Matrimonios, en la prédica durante la Misa dominical y en la administración de la parroquia. A diferencia de los sacerdotes, los diáconos permanentes se pueden casar y tener una familia.

About Vocations

Many Ways of Serving

Laypersons Most Catholics live out their baptismal vocation as **laypersons**. Laypersons usually hold jobs in society and are either single or married. As part of their Christian vocation, laypersons often volunteer their time and skills in serving their local parish community or diocese. They may help care for the poor, teach as a catechist in religious education classes, help with parish organizations, or invite others to join the Church. In these and many other ways, laypersons help the parish community fulfill its mission to reach out to all in the spirit of Jesus.

Religious Sisters and Brothers Some men and women choose to devote their entire lives to the ministry of the Catholic Church. These people join religious communities of sisters or brothers. Vows, or promises, of poverty, chastity, and obedience are taken so that the sisters or brothers can be completely devoted to their ministries and become closer to God in community. Each religious community chooses a particular ministry, such as teaching, working with the poor, preaching, prayer and contemplation, nursing work, or parish work.

Ordained Ministers In the Catholic Church, there are also ordained ministers—bishops, priests, and deacons. Baptized men who are called to ordained ministry have the special vocation of leading the community in worship, as well as serving in a wide variety of ministries within the Church.

Bishops are the chief teachers of the faith. They administer dioceses and celebrate sacraments.

Diocesan priests serve in positions such as pastors of parishes, educators, and counselors. Priests who belong to religious communities may be assigned as pastors or teachers, or they may work in the particular ministry of their communities.

Most deacons that serve in parishes are called "permanent deacons." These men usually assist the pastor of a parish by leading the celebrations of Baptism and Marriage, preaching at Sunday Mass, and helping with parish management. Unlike priests, permanent deacons can be married and have families.

CÓMO REZAMOS LOS CATÓLICOS

Cuando rezamos, estamos expresando nuestra fe en Dios. Como católicos, podemos rezar solos en forma privada. También podemos rezar con los demás en la comunidad de la Iglesia cuando nos reunimos para practicar el culto.

ACERCA DE LA ORACIÓN

La oración es escuchar a Dios y hablar con Él. Podemos rezar para alabar y dar gracias a Dios. Rezamos para pedirle a Dios bendiciones especiales para los demás y para nosotros. Podemos rezar para expresar arrepentimiento por nuestros pecados. A veces, recurrimos a María o a uno de los santos para que recen a Dios por nosotros.

Creemos que Dios siempre oye nuestras oraciones. Creemos que Dios siempre responde a nuestras oraciones de la mejor manera para nosotros. Jesús dijo: "Todo lo que pidan al Padre en mi nombre, Él se lo dará" (basado en Juan 16:23).

ACERCA DE LAS CLASES DE ORACIÓN

Así como tenemos maneras diferentes de hablar con nuestros amigos y de escucharlos, tenemos maneras diferentes de rezar.

Siempre es posible rezar. Podemos rezar sin decir palabras. Cuando estamos en silencio y pensamos en Dios, estamos rezando. Ésta es una manera de rezar muy buena porque el Espíritu Santo le habla a nuestro corazón. Otra forma de rezar es pensar en silencio sobre un relato de la Biblia. Podemos tratar de imaginarnos que estamos entre la multitud cuando Jesús predicaba. Este tipo de oración nos ayuda a pensar en lo que significa nuestra fe para nosotros. También podemos escuchar música sacra o instrumental que nos ayude a rezar. La música nos ayuda a centrarnos en la oración cuando es fácil distraerse.

Los paisajes hermosos de la naturaleza nos recuerdan los maravillosos dones de Dios. Cuando vemos un amanecer o una puesta del sol, cuando olemos el océano o una flor, cuando vemos el color de las hojas en otoño o, incluso, cuando jugamos con nuestras mascotas, podemos rezar una oración en silencio para dar gracias a Dios.

HOW CATHOLICS PRAY

When we pray, we are expressing our faith in God. As Catholics, we can pray privately by ourselves. We can also pray with others in the Church community when we gather to worship.

ABOUT PRAYER

Prayer is listening and talking to God. We can pray to praise and thank God. We pray to ask God for special blessings for ourselves and for others. We can pray to express sorrow for our sins. Sometimes we call upon Mary or one of the saints to pray to God for us.

We believe God always hears our prayers. We believe God always answers our prayers in the way that is best for us. Jesus said, "Whatever you ask the Father in my name, he will give you" (based on John 16:23).

ABOUT THE KINDS OF PRAYER

Just as we have different ways of talking and listening to our friends, we have different ways of praying.

It is always possible to pray. We can pray without saying words. When we are quiet and we think about God, we are praying. This is a very good way to pray because the Holy Spirit speaks to our hearts. Another way to pray is to quietly think about a Bible story. We can try to imagine ourselves being in the crowd when Jesus preached. This kind of prayer helps us to think about what our faith means to us. We can also use church music or instrumental music to help us pray. Music can help us focus on prayer when it is easy to get distracted.

Beautiful sights in nature remind us of God's wonderful gifts. When we see a sunrise or sunset, smell the ocean or a flower, see the colored leaves in autumn, or even play with our pets, we can pray a quiet prayer of thanks to God.

ACERCA DEL PADRE NUESTRO

Jesús enseñó a rezar a sus seguidores. Nos dio el Padre Nuestro para que pudiéramos honrar a Dios y recordar su amor por nosotros. Esta oración nos enseña muchas lecciones importantes sobre cómo Dios quiere que vivamos.

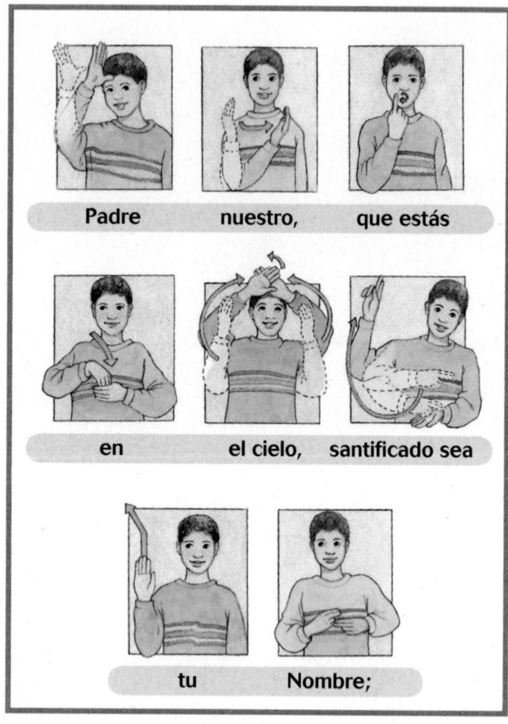

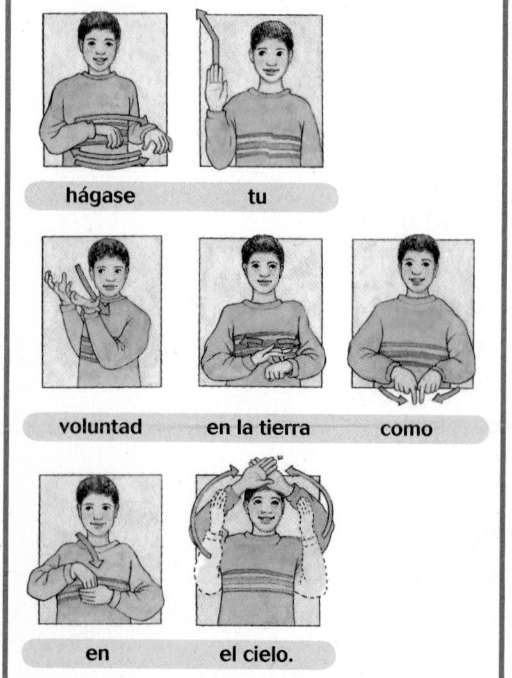

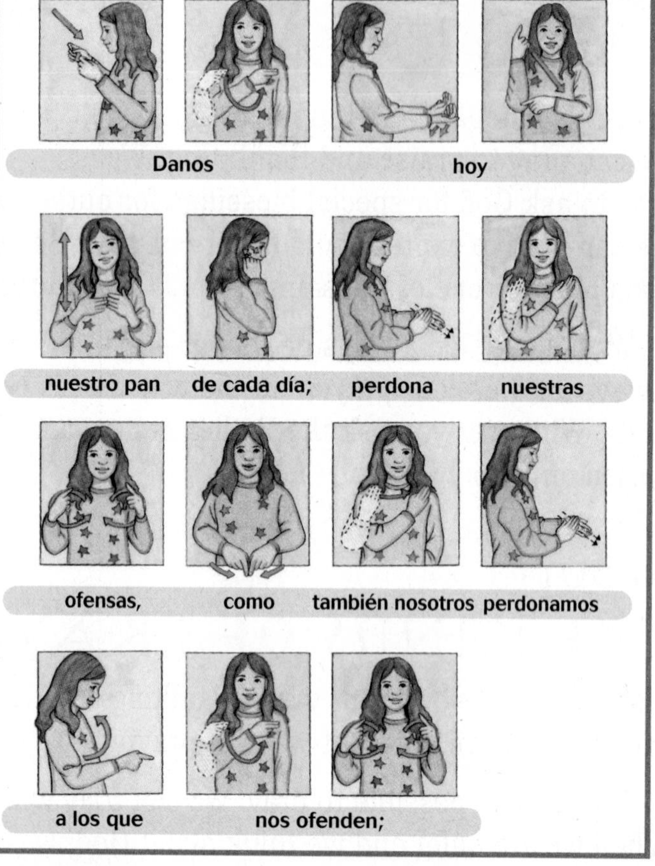

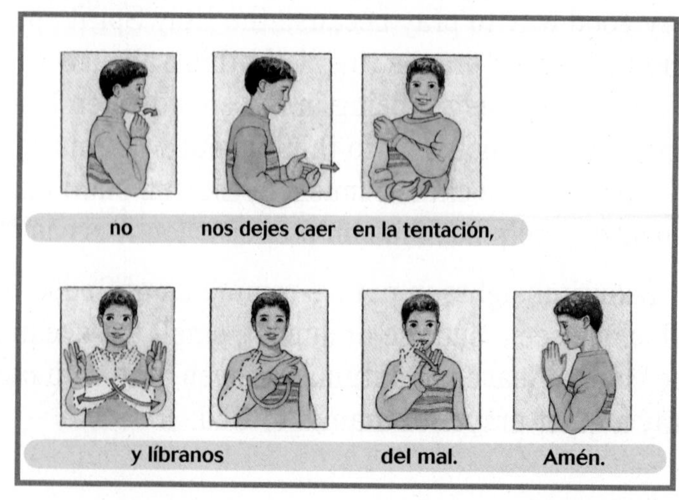

ABOUT

THE LORD'S PRAYER

Jesus taught his followers to pray. He gave us the Lord's Prayer so that we can honor God and remember God's love for us. This prayer teaches us many important lessons about how God wants us to live.

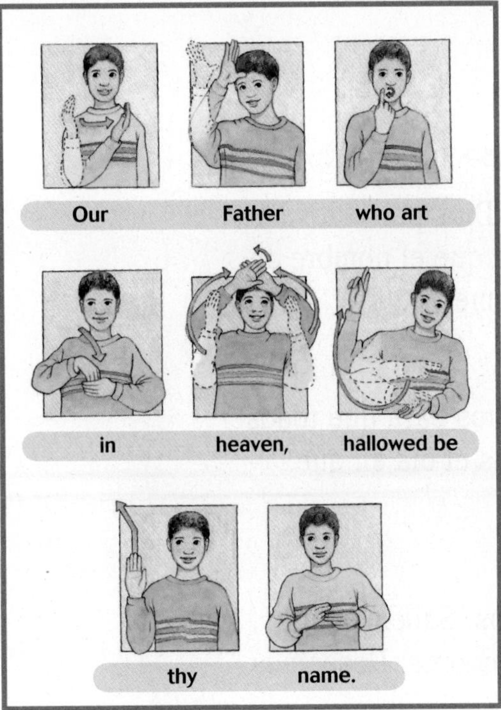

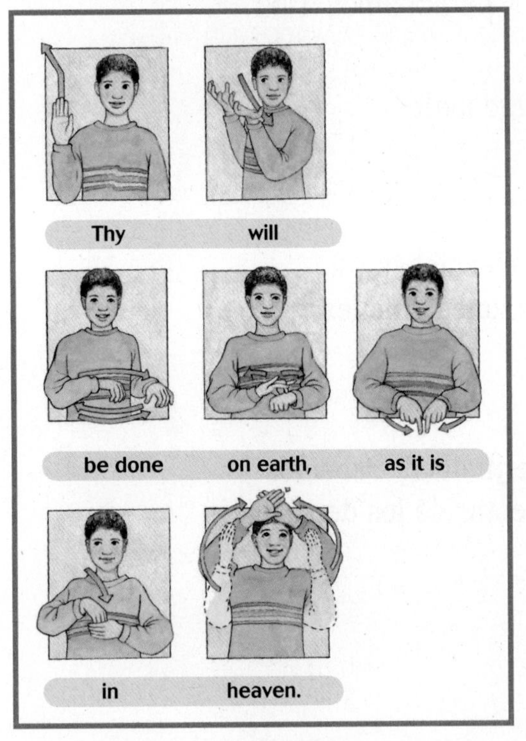

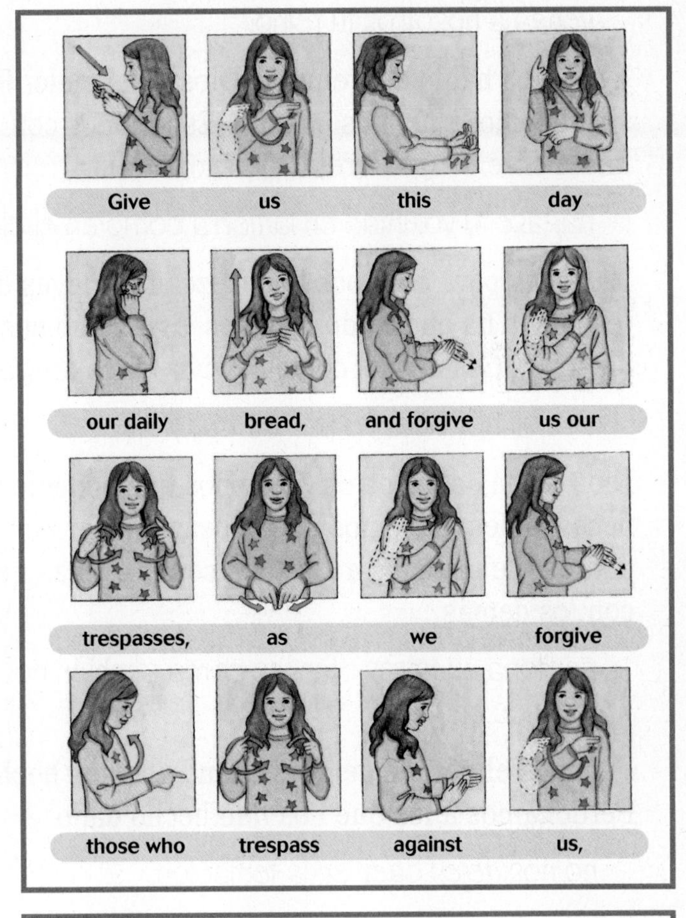

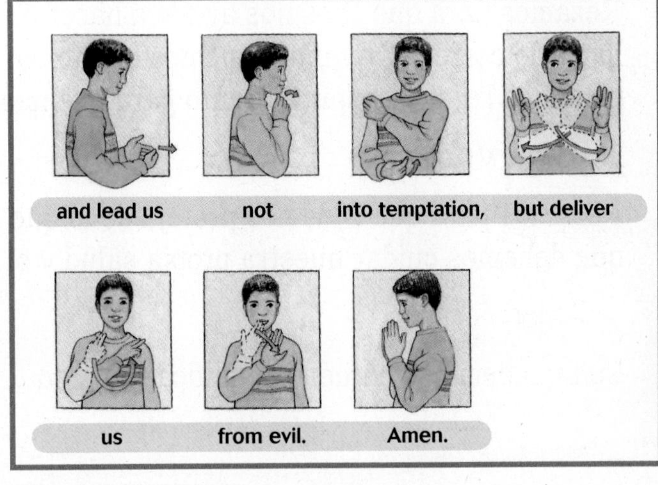

El Padre Nuestro

Padre nuestro, que estás en el cielo, santificado sea tu Nombre;

Dios es nuestro Padre. Alabamos y agradecemos a Dios por todos los maravillosos dones que nos ha dado. Rezamos para que el nombre de Dios sea dicho con respeto y reverencia en todo momento.

venga a nosotros tu reino;

Jesús nos habló del reino de Dios en el cielo. Rezamos para que todos vivan como Jesús nos enseñó. Esperamos con ansias el día en que finalmente venga el reino de Dios.

hágase tu voluntad en la tierra como en el cielo.

Rezamos para que todos obedezcan las leyes de Dios. Sabemos que Jesús nos ha enseñado cómo es vivir como sus seguidores. Deseamos mostrar a los demás cómo es vivir como cristianos.

Danos hoy nuestro pan de cada día;

Dios cuida de nosotros. Sabemos que podemos rezar por nuestras necesidades. Sabemos que debemos rezar por las necesidades de los pobres. Le pedimos a Dios las cosas buenas que podemos compartir con los demás.

perdona nuestras ofensas como también nosotros perdonamos a los que nos ofenden;

Pedimos el perdón de Dios cuando hemos hecho algo malo. Perdonamos a los que nos han hecho daño.

no nos dejes caer en la tentación,

Rezamos para que Dios nos ayude a hacer buenas elecciones y a hacer lo correcto. Cuando tenemos que tomar decisiones difíciles, podemos rezar al Espíritu Santo para que nos guíe.

y líbranos del mal.

Rezamos para que Dios nos proteja de lo que es perjudicial. Sabemos que debemos cuidar nuestra propia salud y el bienestar de los demás.

Amén.

Cuando decimos "Amén", significa "yo creo".

The Lord's Prayer

Our Father, who art in heaven, hallowed be thy name;

God is our Father. We praise and thank God for all the wonderful gifts he has given us. We pray that God's name will be spoken with respect and reverence at all times.

thy kingdom come,

Jesus told us about God's kingdom in heaven. We pray that everyone will live as Jesus teaches us to live. We look forward to the day when God's kingdom will finally come.

thy will be done on earth as it is in heaven.

We pray that everyone will obey God's laws. We know that Jesus has taught us how to live as his followers. We wish to show others how to live as Christians.

Give us this day our daily bread,

God cares for us. We know that we can pray for our needs. We know that we must pray for the needs of the poor. We ask God for the good things we can share with others.

and forgive us our trespasses,
as we forgive those who trespass against us;

We ask God for forgiveness when we have done something wrong. We forgive those who have hurt us.

and lead us not into temptation,

We pray that God will help us make good choices and do what is right. When we have difficult choices to make, we can pray to the Holy Spirit for guidance.

but deliver us from evil.

We pray that God will protect us from what is harmful. We know that we should care for our own health and the well-being of others.

Amen.

When we say "Amen," it means "I believe."

Glosario

Abrahán Abrahán fue la primera persona que Dios eligió para llevar la alianza de su amistad al mundo. *(página 58)*

absolución La absolución es la oración o la declaración de perdón de los pecados que el sacerdote reza en el Sacramento de la Reconciliación. *(página 224)*

alianza Una alianza es un pacto entre personas o grupos de personas. Dios hizo una alianza especial con su pueblo. *(página 58)*

asamblea La asamblea es una reunión de los católicos para celebrar la Eucaristía y otros sacramentos. *(página 282)*

Ascensión La Ascensión es el momento en que Jesús, en su cuerpo resucitado, entró al cielo. *(página 90)*

Bautismo El Bautismo es el Sacramento de la Iniciación que nos da la bienvenida a la Iglesia y nos libera de todo pecado. *(página 102)*

Biblia La Biblia es la Palabra de Dios. El Espíritu Santo guió a ciertas personas para que escribieran todo lo que contiene la Biblia. *(página 28)*

Bienaventuranzas Las Bienaventuranzas son las enseñanzas de Jesús acerca de cómo vivir y encontrar la verdadera felicidad en el Reino de Dios. *(página 116)*

Comunión de los Santos La Comunión de los Santos es la comunidad de todas las personas, vivas y muertas, que creen en Jesucristo. *(página 270)*

conciencia Nuestra conciencia es nuestra habilidad de reconocer lo que es bueno y lo que es malo. Dios nos habla a través de nuestra conciencia y nos ayuda a tomar decisiones responsables. *(página 238)*

Confirmación La Confirmación es el Sacramento de Iniciación en el que el Espíritu Santo fortalece nuestra fe y nos ayuda a hacernos miembros plenos de la Iglesia. *(página 162)*

crisma El crisma es el óleo perfumado que está bendecido por el obispo. *(página 104)*

Cuerpo de Cristo El Cuerpo de Cristo es el Pueblo de Dios o la Iglesia. *(página 210)*

decisiones morales Las decisiones morales son las elecciones entre lo bueno y lo malo. *(página 238)*

diácono El diácono es una persona ordenada para servir de diferentes maneras a la comunidad de la parroquia. *(página 376)*

Diez Mandamientos Los Diez Mandamientos son las leyes que Dios dio a Moisés para ayudarnos a vivir en paz amando a Dios, a los demás y a nosotros mismos. *(página 56)*

divino *Divino* significa "de Dios". Jesucristo es humano y divino; es decir, un ser humano y Dios. *(página 90)*

Dones del Espíritu Santo Los Dones del Espíritu Santo son sabiduría, entendimiento, consejo, fortaleza, ciencia, piedad y temor de Dios. Estos dones nos ayudan a conocer y amar a Dios, y a vivir como sus discípulos. *(página 162)*

Eucaristía La Eucaristía es el sacramento del Cuerpo y la Sangre de Jesucristo. *(página 42)*

Evangelio *Evangelio* significa "Buena Nueva". En la Misa, escuchamos los relatos de los cuatro Evangelios del Nuevo Testamento sobre la vida y las enseñanzas de Jesús. *(página 284)*

examen de conciencia El examen de conciencia es decidir si nuestras palabras y acciones muestran amor por Dios y por los demás. *(página 178)*

fe La fe es creer y confiar en Dios. *(página 72)*

gracia La gracia es la vida de Dios en nosotros que nos llena con su amor. *(página 162)*

homilía La homilía es una charla que el sacerdote o el diácono da para ayudarnos a comprender el mensaje de Dios en el Evangelio y en otras lecturas. *(página 60)*

imágenes sagradas Las imágenes sagradas son las estatuas o retratos que nos recuerdan a Dios, a María y a los santos. *(página 60)*

justicia *Justicia* significa "tratar a todos con imparcialidad y con respeto siguiendo las enseñanzas de Jesús". *(página 130)*

laico El laico es cualquier católico con excepción de los obispos, sacerdotes o diáconos. *(página 394)*

ley del amor La ley del amor es el mensaje amoroso en el que Jesús combina los Diez Mandamientos y las Bienaventuranzas en un solo mandamiento. También se llama el Nuevo Mandamiento. *(página 178)*

Liturgia de la Palabra La Liturgia de la Palabra es la parte de la Misa en la que escuchamos la Palabra de Dios en la Sagrada Escritura. *(página 44)*

Liturgia Eucarística La Liturgia Eucarística es la parte de la Misa en la que el pan y el vino se convierten en el Cuerpo y la Sangre de Cristo. *(página 44)*

Matrimonio El Matrimonio es el sacramento que celebra la alianza entre un hombre y una mujer. *(página 376)*

Misa La Misa es la celebración de la Eucaristía. *(página 42)*

misericordia La misericordia es la bondad amorosa que Dios muestra hacia los pecadores. *(página 72)*

misión de Cristo La misión de Cristo es traer el Reino de Dios a todos. La Iglesia nos guía para difundir la paz y el amor de Dios a todo el mundo. *(página 208)*

misterio Un misterio es algo que no se puede comprender acerca de Dios. *(página 32)*

Misterio Pascual El Misterio Pascual es el sufrimiento, la muerte, la Resurrección y la Ascensión de Jesucristo. Estamos unidos al Misterio Pascual de Jesús en los sacramentos. *(página 90)*

modelos de conducta Los modelos de conducta son personas que nos muestran, a través del ejemplo, cómo llevar la bondad de Dios al mundo. *(página 86)*

monasterio El monasterio es un lugar donde viven los miembros de una comunidad religiosa. *(página 32)*

Noé Noé es la persona a quien Dios prometió que nunca más destruiría el mundo con un diluvio. La promesa de Dios a Noé fue una alianza, o un pacto, con todos los seres vivos. *(página 58)*

Nuevo Mandamiento El Nuevo Mandamiento es el mensaje amoroso en el que Jesús une los Diez Mandamientos y las Bienaventuranzas en un solo mandamiento. También se llama la ley del amor. *(página 178)*

obispo El obispo es el líder de la diócesis. Son los maestros principales de la Iglesia Católica. *(página 162)*

Obras de Misericordia Corporales Las Obras de Misericordia Corporales son las acciones bondadosas con las que respondemos a las necesidades físicas básicas de la gente. *(página 298)*

Obras de Misericordia Espirituales Las Obras de Misericordia Espirituales son las acciones bondadosas que responden a las necesidades espirituales básicas de la gente. *(página 298)*

Orden Sagrado El Orden Sagrado es el sacramento en el que se ordena a los obispos, sacerdotes y diáconos para servir a la Iglesia. *(página 270)*

parábola Una parábola es un relato que tiene una lección moral o religiosa. Las parábolas usan hechos u objetos cotidianos para explicar verdades importantes. *(página 252)*

paz La paz es el sentimiento de tranquilidad y bondad por estar unido a Dios y a los demás. La paz sigue al perdón. *(página 252)*

pecado Un pecado es cualquier pensamiento, palabra o acción que nos aparta de la ley de Dios. *(página 222)*

pecado mortal Un pecado mortal es una violación grave de la ley de Dios. Nos aparta de la gracia de Dios hasta que pedimos perdón en el Sacramento de la Reconciliación. *(página 222)*

pecado original El pecado original es el pecado de Adán y Eva que se ha pasado a todos los seres humanos. Por esto, nos debilitamos en nuestra habilidad de resistir al pecado y de hacer el bien. *(página 104)*

pecado venial El pecado venial es un pecado menos grave que debilita nuestro amor por Dios y por los demás, y puede resultar en pecado mortal. *(página 222)*

Pentecostés Pentecostés es el día en que Jesús envió el don del Espíritu Santo a sus primeros discípulos. Este acontecimiento marca el comienzo de la Iglesia. *(página 150)*

petición La petición es una oración por la cual pedimos el perdón y la ayuda de Dios. La petición es uno de los cuatro tipos de oración. *(página 312)*

Reconciliación La Reconciliación es un Sacramento de Curación que celebra el don del amor y del perdón de Dios. *(página 222)*

Reino de Dios El Reino de Dios es la promesa de Dios de justicia, paz y felicidad que todo su pueblo compartirá al final de los tiempos. *(página 72)*

Rosario El Rosario es una oración especial que alaba a María, la madre de Dios, y Jesús. El Rosario nos ayuda a meditar sobre los acontecimientos en las vidas de Jesús y María. *(página 18)*

sacerdote El sacerdote es una persona llamada por Dios para dirigir a la comunidad en el culto, y para servir en una gran variedad de ministerios de la Iglesia. *(página 44)*

sacramentos Los sacramentos son los signos sagrados que celebran el amor de Dios y la presencia de Jesús en nuestra vida y en la Iglesia. *(página 210)*

Sacramentos al Servicio de la Comunidad Los Sacramentos al Servicio de la Comunidad son el Orden Sagrado y el Matrimonio. Estos dos sacramentos celebran las dos maneras especiales en que la gente sirve a Dios compartiendo sus dones con los demás. *(página 376)*

Sacramentos de Curación Los Sacramentos de Curación son la Reconciliación y la Unción de los Enfermos. *(página 374)*

Sacramentos de la Iniciación Los Sacramentos de Iniciación son el Bautismo, la Confirmación y la Eucaristía. *(página 164)*

Sagrada Escritura La Sagrada Escritura es la Palabra escrita de Dios que leemos en la Biblia. *(página 8)*

sagrado *Sagrado* significa “algo que viene de Dios”. *(página 370)*

Santísima Trinidad La Santísima Trinidad es un Dios en tres Personas. Las tres Personas son: Dios Padre, Dios Hijo y Dios Espíritu Santo. *(página 30)*

Santísimo Sacramento El Santísimo Sacramento es otro nombre de la Eucaristía. *(página 192)*

sumergido *Sumergido* significa “bañado en el agua para el bautismo”. *(página 102)*

tabernáculo El tabernáculo es un recipiente en la iglesia donde se guarda el Santísimo Sacramento para los que no pudieron asistir a la Misa debido a una enfermedad. *(página 192)*

Unción de los Enfermos La Unción de los Enfermos es un Sacramento de Curación que da el consuelo de Jesús a los enfermos, ancianos y moribundos. *(página 374)*

ungido Ser ungido significa que la persona tiene una misión especial. Somos ungidos con el óleo consagrado cuando somos bautizados y confirmados. *(página 104)*

venerar Venerar es honrar y alabar a Dios, especialmente como comunidad. *(página 60)*

vocación La vocación es el trabajo que hacemos como miembros de la Iglesia. Se nos llama a usar nuestros talentos para realizar la misión de Cristo en el mundo. *(página 270)*

Glossary

Abraham Abraham was the first person God chose to bring his covenant of friendship to the world. *(page 59)*

absolution Absolution is the prayer and declaration of forgiveness for sins prayed by the priest in the Sacrament of Reconcilation. *(page 225)*

anointed Being anointed means that a person has a special mission. We are anointed with holy oil when we are baptized and confirmed. *(page 105)*

Anointing of the Sick Anointing of the Sick is the Sacrament of Healing that brings Jesus' comfort to people who are very sick, old, or near death. *(page 375)*

Ascension The Ascension is the moment when Jesus, in his resurrected body, entered heaven. *(page 91)*

assembly An assembly is a gathering of Catholics to celebrate the Eucharist and other sacraments. *(page 283)*

Baptism Baptism is the Sacrament of Initiation that welcomes us into the Church and frees us from all sin. *(page 103)*

Beatitudes The Beatitudes are Jesus' teachings about how to live and find real happiness in God's kingdom. *(page 117)*

bishop A bishop is the leader of a diocese. Bishops are the chief teachers of the Catholic Church. *(page 163)*

Bible The Bible is the Word of God. The Holy Spirit guided people to write all that is contained in the Bible. *(page 29)*

Blessed Sacrament The Blessed Sacrament is another name for the Eucharist. *(page 193)*

Body of Christ The Body of Christ is the People of God or the Church. *(page 211)*

chrism Chrism is perfumed oil that has been blessed by the bishop. *(page 105)*

Christ's mission Christ's mission is to bring the Kingdom of God to all people. The Church guides us in spreading God's peace and love to the world. *(page 209)*

Communion of Saints The Communion of Saints is the community of all people, living and dead, who believe in Jesus Christ. *(page 271)*

Confirmation Confirmation is the Sacrament of Initiation in which the Holy Spirit strengthens our faith and helps us become fuller members of the Church. *(page 163)*

conscience Our conscience is our ability to know what is good and what is wrong. God speaks to us in our conscience and helps us make responsible decisions. *(page 239)*

Corporal Works of Mercy The Corporal Works of Mercy are the loving actions by which we respond to the basic physical needs of people. *(page 299)*

Covenant A covenant is an agreement between persons or groups of people. God made a special covenant with his people. *(page 59)*

deacon A deacon is a person who is ordained to serve the parish community in many ways. *(page 377)*

divine Divine means "of God." Jesus Christ is both human and divine—that is, both a human being and God. *(page 91)*

Eucharist The Eucharist is the sacrament of the Body and Blood of Jesus Christ. *(page 43)*

examination of conscience An examination of conscience is deciding whether our words and actions show love for God and others. *(page 179)*

faith Faith is belief and trust in God. *(page 73)*

Gifts of the Holy Spirit The Gifts of the Holy Spirit are wisdom, understanding, knowledge, right judgment, courage, reverence, and wonder and awe. These gifts help us know and love God and live as his followers. *(page 163)*

Gospel Gospel means "Good News." At Mass we hear readings about Jesus' life and teachings from the four Gospels in the New Testament. *(page 285)*

grace Grace is God's life within us that fills us with his love. *(page 163)*

Holy Orders Holy Orders is the sacrament in which bishops, priests, and deacons are ordained to serve the Church. *(page 271)*

Holy Trinity The Holy Trinity is one God in Three Persons. The Three Persons are God the Father, God the Son, and God the Holy Spirit. *(page 31)*

homily A homily is a talk a priest or deacon gives to help us understand God's message in the Gospel and other readings. *(page 61)*

immersed Immersed means being placed in water for Baptism. *(page 103)*

justice Justice means treating everyone fairly and with respect by following Jesus' teachings. *(page 131)*

Kingdom of God The Kingdom of God is God's promise of justice, peace, and joy that all his people will share at the end of time. *(page 73)*

law of love The law of love is the loving message in which Jesus united the Ten Commandments and the Beatitudes into one. It is also known as the New Commandment. *(page 179)*

layperson A layperson is any Catholic except bishops, priests, or deacons. *(page 395)*

Liturgy of the Eucharist The Liturgy of the Eucharist is the part of the Mass in which the bread and wine are changed into the Body and Blood of Christ. *(page 45)*

Liturgy of the Word The Liturgy of the Word is the part of the Mass in which we hear the Word of God in the Scriptures. *(page 45)*

Mass The Mass is the celebration of the Eucharist. *(page 43)*

Matrimony Matrimony is the sacrament that celebrates the covenant between a man and a woman. *(page 377)*

mercy Mercy is the loving kindness that God shows to sinners. *(page 73)*

monastery A monastery is a place where members of a religious community live. *(page 33)*

moral decisions Moral decisions are choices between what is good and what is wrong. *(page 239)*

mortal sin A mortal sin is a serious violation of God's law. It separates us from God's grace until we ask for forgiveness in the Sacrament of Reconciliation. *(page 223)*

mystery A mystery is what cannot be understood about God. *(page 33)*

New Commandment The New Commandment is the loving message in which Jesus united the Ten Commandments and the Beatitudes into one. It is also known as the law of love. *(page 179)*

Noah Noah is the person to whom God promised that he would never again destroy the world by flood. God's promise to Noah was a covenant, or agreement, with all living beings. *(page 59)*

original sin Original sin is the sin of Adam and Eve that has been passed on to all human beings. Because of this, we are weakened in our ability to resist sin and to do good. *(page 105)*

parable A parable is a story that teaches a moral or religious lesson. Parables use everyday events and objects to explain important truths. *(page 253)*

Paschal Mystery The Paschal Mystery is the suffering, death, Resurrection, and Ascension of Jesus Christ. We are united to Jesus' Paschal Mystery in the sacraments. *(page 91)*

peace Peace is the calm, good feeling of being together with God and with others. Peace follows forgiveness. *(page 253)*

Pentecost Pentecost is the day on which Jesus sent the gift of the Holy Spirit to his first disciples. This event marks the beginning of the Church. *(page 151)*

petition A petition is a prayer in which we ask for God's forgiveness and help. Petition is one of the four kinds of prayer. *(page 313)*

priest A priest is a person called by God to lead the community in worship and to serve in a wide variety of ministries in the Church. *(page 45)*

Reconciliation Reconciliation is the Sacrament of Healing that celebrates the gift of God's love and forgiveness. *(page 223)*

role models Role models are people who show us how to bring God's goodness into the world by their example. *(page 87)*

Rosary The Rosary is a special devotion that honors Mary, the Mother of God and Jesus. The Rosary helps us to meditate on events in the lives of Jesus and Mary. *(page 19)*

sacraments Sacraments are sacred signs that celebrate God's love for us and Jesus' presence in our lives and in the Church. *(page 211)*

Sacraments at the Service of Communion The Sacraments at the Service of Communion are Holy Orders and Matrimony. These two sacraments celebrate two special ways that people serve God by sharing their gifts with others. *(page 377)*

Sacraments of Healing The Sacraments of Healing are Reconciliation and Anointing of the Sick. *(page 375)*

Sacraments of Initiation The Sacraments of Initiation are Baptism, Confirmation, and Eucharist. *(page 165)*

sacred Sacred means something that comes from God. *(page 371)*

sacred images Sacred images are statues or pictures that remind us of God, Mary, and the saints. *(page 61)*

Scripture Scripture is the written Word of God that we read in the Bible. *(page 9)*

sin A sin is any thought, word, or action that turns us away from God's Law. *(page 223)*

Spiritual Works of Mercy The Spiritual Works of Mercy are loving actions that respond to people's basic spiritual needs. *(page 299)*

tabernacle A tabernacle is the special container in church where the Blessed Sacrament is kept for personal prayer and for distribution to those unable to come to Mass due to illness. *(page 193)*

Ten Commandments The Ten Commandments are the laws God gave to Moses. They help us live in peace by loving God, ourselves, and others. *(page 57)*

venial sin A venial sin is a less serious sin. It weakens our love for God and others and can lead to mortal sin. *(page 223)*

vocation A vocation is the work we do as members of the Church. We are called to use our talents to carry on Christ's mission in the world. *(page 271)*

worship To worship is to give honor and praise to God, especially as a community. *(page 61)*

Índice

G

H

I

J

L

M

N

O

P

Q

R

S

T

U

V

Index

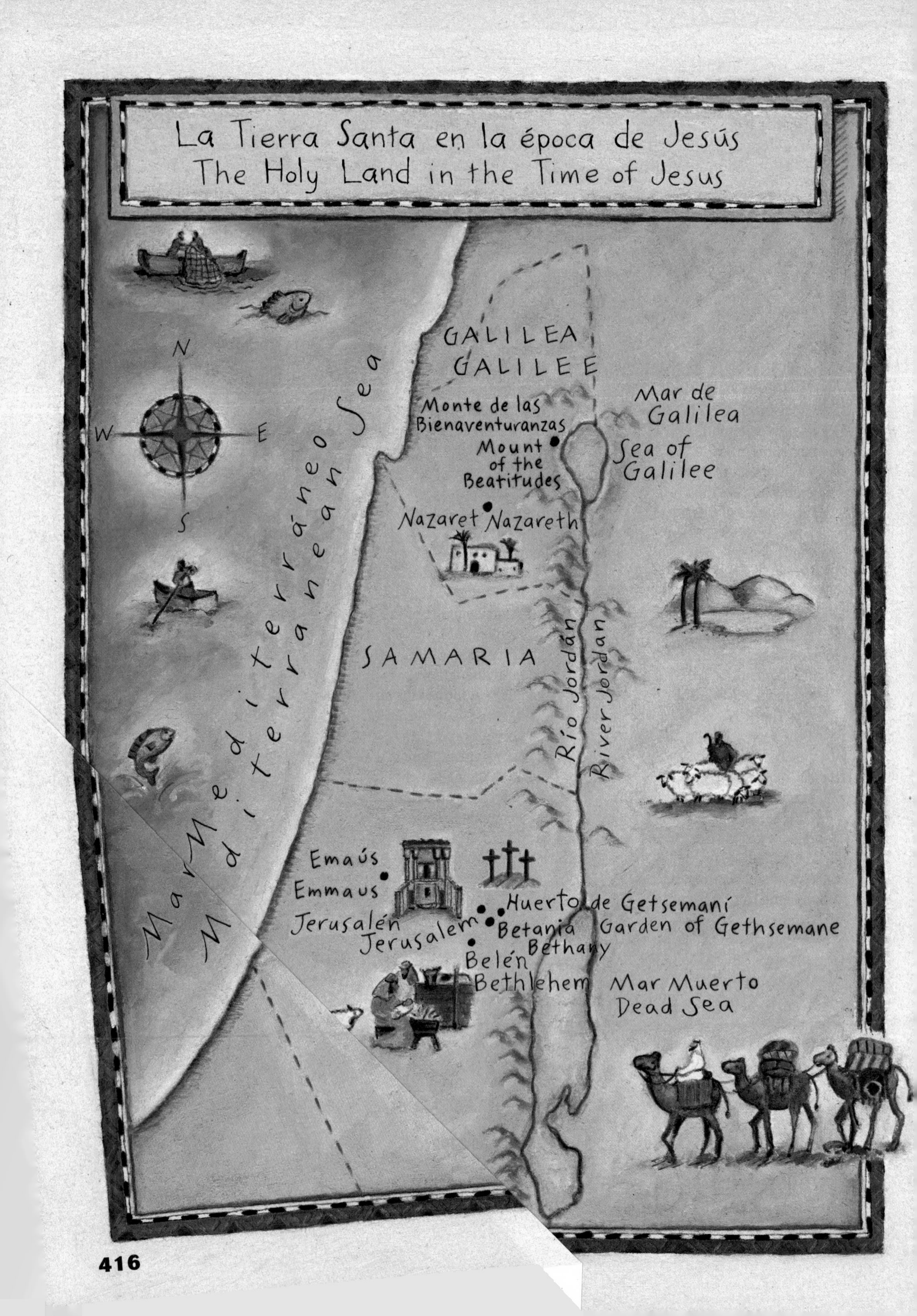
La Tierra Santa en la época de Jesús
The Holy Land in the Time of Jesus
N
W
E
S
Mar Mediterráneo
Mediterranean Sea
GALILEA
GALILEE
Monte de las Bienaventuranzas
Mount of the Beatitudes
Mar de Galilea
Sea of Galilee
Nazaret
Nazareth
SAMARIA
Río Jordán
River Jordan
Emaús
Emmaus
Jerusalén
Jerusalem
Huerto de Getsemaní
Garden of Gethsemane
Betania
Bethany
Belén
Bethlehem
Mar Muerto
Dead Sea